D1587944

hey Simona van Dimona

Sara Shilo

hey Simona van Dimona

Vertaald door Ineke Willems

SIGNATUUR

2009

© 2005 Sara Shilo
Oorspronkelijke titel: שום גמדים לא יבואו
Vertaald uit het Duits en het Engels door: Ineke Willems
© 2009 uitgeverij Signatuur, Utrecht en Ineke Willems
Alle rechten voorbehouden.

Omslagontwerp: Wil Immink Design
Omslagbeeld: Stephanie Weischer
Foto auteur: Dan Porges
Typografie: Pre Press Media Groep, Zeist
Druk- en bindwerk: Koninklijke Wöhrmann, Zutphen

ISBN 978 90 5672 318 7
NUR 302

Mixed Sources
Productgroep uit goed beheerde
bossen, gecontroleerde bronnen
en gerecycled materiaal.
www.fsc.org Cert no. CU-COC-802528
© 1996 Forest Stewardship Council

Dit boek is gedrukt op papier dat het keurmerk van de Forest Stewardship Council (FSC) mag dragen. Bij dit papier is het zeker dat de productie niet tot bosvernietiging heeft geleid. Een flink deel van de grondstof is afkomstig uit bossen en plantages die worden beheerd volgens de regels van FSC. Van het andere deel van de grondstof is vastgesteld dat hiervoor geen houtkap in de laatste resten waardevol bos heeft plaatsgevonden. Daarom mag dit papier het FSC Mixed Sources label dragen. Voor dit boek is het FSC-gecertificeerde Munkenprint gebruikt. Dit papier is 100% chloor- en zwavelvrij gebleekt en wordt geleverd door Arctic Paper Munkedals AB, Zweden.

SIMONA DADON

1

Wie verwacht nou de katjoesja's krijgen me buiten te pakken? Zes jaar ik zet geen voet buiten, alleen wat moet. Loop ik zonder nadenken, huis-werk-markt-huis-werk-zieken-huis-huis-werk. Komen de katjoesja's, treffen ze Simona voor één keer van haar pad.

Op de tafel ik zet eten voor ze klaar, de couscous van dinsdag met kip met pompoen met hummus met bonen met alles erop en eraan. Sta ik hier, de katjoesja's vallen op mijn hoofd en wat spookt door dat hoofd van mij? Of ze hebben de couscous op voor de eerste valt of ze moeten op de lege maag naar de schuilkelder. Rennen ze allemaal naar de schuilkelder, tel ik ze van hier Kobi, Chaim, Osjri, Etti, Doedi, Itzik. Ik zeg tegen mijn voeten ga naar huis. Die voeten van mij, die gaan niet. Ik zit op de schommel in de speeltuin, mijn voeten zetten zich af tegen de grond. Ik zit op de kinderschommel, ík, en ik schommel, van voor naar achter, van voor naar achter; het is verdomme pikkedonker. Valt de eerste, valt meteen alle stroom in de stad uit. Schijnen alleen de lichtjes van de *mosjav* op de volgende helling. Licht schijnt daar uit elk huis en elk kippenhok. In het dorp aan de kant van de Arabieren ook, daar schijnt ook licht. Ik zit op de schommel, *hey Simona mona van Dimona, hey Simona mona van Dimona.* Hangt de schommel stil, zing ik *Leg je hand in de mijne, ik ben van jou en jij van mij* en ik begin te huilen.

Valt de tweede, schreeuw ik, ik val op de grond en schreeuw.

Ik schreeuw met mijn mond wijd open, en mijn schreeuw, ik hoor hem niet. Ik schreeuw niet uit de keel, ik schreeuw uit het hart. Recht uit het hart. En na het hart uit de buik. Ben ik klaar met schreeuwen, geef ik over. Ik lig daar en ik blijf maar overgeven. Niet dat ik zie wat geef ik over, het is te donker daarvoor. Er zit niks meer in me wat kan eruit. Alleen nog water. Dan het water, dat is er ook uit. Sta ik op, merk ik het ijzer is weg dat drukt al zes jaar op me.

Ah, *ja rabb*, dat doet goed! Dat ijzer, dat drukt op mijn hart, maakt één klomp ijs ervan, dat is weg. Hoe leef je zes jaar met je hart in de diepvries, hè? Ik zit op de schommel, ik trek de doek van mijn hoofd, veeg mijn mond af ermee. Ik gooi hem ver weg. Die tweede katjoesja, die komt neer waar is ons huis ook, volgens mij. Ik wil rennen, weten of ze zijn allemaal in orde Kobi, Chaim, Osjri, Etti, Doedi, Itzik. Simona's voeten zetten zich af tegen de grond, ik schommel, *hey Simona mona van Dimona mona*, ik zeg ze moeten naar huis, mijn voeten luisteren niet. Met mijn rug naar de flatgebouwen, ik zit zo nog steeds. Daarboven op straat ik hoor schreeuwen, mensen rennen. Dadelijk de auto komt met de luidspreker die stuurt iedereen naar de schuilkelders, ziekenauto's komen, de brandweer. Mijn voeten stoppen de schommel, lopen verder weg van onze flat. Waar brengen ze me naartoe, die voeten van mij, ik weet dat niet. Langs de rijtjeshuizen ik loop de helling af naar Riki's huis. Mijn voeten brengen me niet naar haar schuilkelder. Die nemen me mee de berg af.

Deel ik me in twintigen, zet ik een stuk van mezelf in alle hoeken van de stad. Eentje vangt dan toch wel een katjoesja, dan het is eindelijk voorbij.

Ik doe mijn handen open, kijk omhoog naar de hemel, doe ook mijn mond open. Net of ik ben dat kleine meisje in

Marokko, die loopt de tuin in en probeert de regen op te vangen in haar mond, die steekt haar tong helemaal uit, maakt een schoteltje ervan om een druppel op te vangen. Het meisje is blij met de regen, een geschenk uit de hemel, en ik ben blij met de katjoesja's.

Het is stil. Het houdt op met de katjoesja's. Hier bij ons het is stil en daar ze sleutelen aan mijn katjoesja. God in de hemel zie Simona, die wil naar Hem toe, help ze een katjoesja afvuren en laat ze het goed doen. God verhoede hij laat me half in leven, in een ziekenhuis. God verhoede. Niet in een rolstoel ook nog. Nu al ik leef maar half. Laat ze de andere helft halen en een einde maken eraan. God, geef hun de hersens dat ze leveren goed werk. Ja rabb! Wat een wereld. Je hebt nog geluk nodig om dood te gaan zoals jij wilt.

Wat heb ik te zoeken in een schuilkelder? Waarom moet ik morgen uit mijn bed? Voor alle karweien? Ach, wat sneu. Hoe kan Simona haar karweien nou in de steek laten? Vliegt zij naar de sterren, wat moeten die karweien dan? Die arme karweien van Simona, die zitten vast *sjiva* voor haar.

Al die karweien, 's morgens ik laat ze achter, ze zitten thuis met de benen over elkaar tot ik kom van mijn werk in de crèche. Amper ik heb de deur open of ze vliegen me al aan, de een heel snel na de ander, ze denken ze hebben een leuke voddenpop. De hele dag ze zitten thuis te niksen en maar wachten tot Simona is er weer. Wat denk jij, ze hebben geen puf om met haar te spelen na een hele dag rust? De strijk gooit me naar de gootsteen, is de gootsteen leeg gooit die me over naar de bezem, de bezem naar de badkamer de kleintjes wassen, de badkamer naar het fornuis eten koken voor die avond en het fornuis gooit me weer naar de gootsteen. Dan van de gootsteen naar de was, afhalen en opvouwen, en van was vouwen naar naald en draad. Die karweien, ze houden geen moment op en lachen me uit, lachen en lachen tot de allerlaatste toe, die pakt me beet en die ziet er valt niks meer te gooien. Simona is op. Die laatste vergaat het lachen bij mijn gezicht en die laat me op bed vallen.

Bedankt, hoor.

Kwart voor vier 's ochtends. Dan ik moet eruit.

Sta ik om kwart voor vier op, red ik het net. Tien over vier, kwart over, is de dag te kort. Voor vijf uur ik kom niet op gang. Armen als stokjes, die kunnen elk moment uit mijn schouders vallen. Mijn knieën, die houden me niet. Onder in de rug ik verga van de pijn. Ze gaan om de eerste plaats: wie doet het gemeenste zeer. Mijn voeten, die zijn net paardenhoeven. Ze slaan ijzers eronder. En de aders bij mijn linkerknie: brand.

Gaat de man dood, moeten ze eigenlijk zijn vrouw weer maken net als ze is, vroeger, voor ze leert hem kennen. Laat haar weer op dat punt staan waar neemt hij haar mee. Laat haar toch niet midden in de woestijn in haar eentje met al zijn kinderen, op dat punt waar is ze al moe van al die geboorten. Waar is haar hele lijf al bont en blauw.

Vier uur 's morgens, dat is alleen voor de karweien die maken geen lawaai. Wordt de tweeling wakker, kun je de rest van de ochtend wel vergeten. Valt hun deken op de grond, leg ik hem nog niet terug, om ze maar niet wakker te maken. Ik ga gewoon naar buiten, was ophangen. 's Winters was ophangen is erg. 's Zomers het gaat wel. Dan mijn handen zijn geen ijsklompen, er hangt ook niet dat donker van de winter. Kom ik 's avonds niet eraan toe, hang ik het 's morgens op, dat het droogt aan de lijn de hele dag. De wasmachine, die heeft zijn karwei al achter de rug, de vlekken uit de kleren. Zonder die machine, je ziet het ze allemaal aan, net een dagblad van de familie: wat trekken ze aan, wat eten ze, wat doen ze, waar gaan ze heen, hoe slapen ze. Ik hang de was op en trek de lijn aan de katrol verder. Ik trek en de kleren zwiepen weg van me. Komt de zon dorstig op, drinkt die al het nat eruit.

Mas'oed gaat heen en mijn bloed, dat gaat mee met hem. En wat ben ik toch dom. Ik denk mijn bloed gaat mee met hem in het graf, meer niet. Dat hij laat iets achter in míj bij zijn dood, ik weet dat niet. Ik huil, ik eet niet, ik voel me flauw dag in dag uit, maar ik denk niet verder. Iedereen ziet het is weer zover, behalve ik. Het komt niet op in mij. Overal waar kom ik, ik zie mezelf in de ogen van de mensen, en ik begrijp niet wat zeggen hun ogen me. Kom ik buiten, kijk ik strak in hun ogen, in die en in die, en in allemaal daar staat hetzelfde, ik zweer het je, de mensen zijn gek. De vrouw in hun ogen, die is zwanger. Waar halen ze het vandaan? Tot Riki, die pakt mij beet in de keuken, Riki, de kokkin van de crèche, die doet in de lunchpauze de deur achter ons dicht, die praat met mij, tot dan ik denk nergens over na. Ik hoor wat zegt ze. Kan mezelf wel wat doen, ik schaam me zo. Ik weet niet hoe moet ik haar keuken uit, niet met iedereen die kletst al een maand over mij, die zegt ze raakt nog zwanger op het laatste moment. Maar Riki, zo gemeen soms, zit je in de problemen, wil je niemand anders naast jou. Zij zegt 'Simona, luister goed. Je blijft hier bij me zitten tot je weer bij zinnen bent. Je gaat niet aan morgen denken en ook niet aan gisteren. Je gaat aan maar één ding denken, namelijk hoe je hier met je kin in de lucht de deur uit gaat, en zonder ook maar met je ogen te knipperen. Denk erom, je hebt geen mens kwaad gedaan door zwanger te worden.

Je luistert alleen nog maar naar wat Riki zegt: wat jou overkomen is, da's een zegen. Een kind dat zijn vaders naam draagt, da's een zegen. Nu lijkt het een ramp, maar als je over een dik halfjaar ziet wat je daar bij je gedragen hebt, dan wordt alles anders. En hun geroddel laat je maar langs je af glijden. Nog geen woord van hun geklets laat je je oren in komen. Geloof me, als ik kon zou ik je met olie insmeren, zodat er niks blijft plakken. Blijf zitten, blijf toch zitten. Waarom sta je nou op? Bij mijn pan weg, de soep wordt veel te zout met al die tranen van jou. *Aiwa*, dat is beter. Een halve glimlach is al heel wat, als je 'm van Simona krijgt. Waar ga je nou weer heen? Nee, *chabibti*, jij poetst vandaag niet meer.'

Ze geeft mij thee met *sjiba*, gaat uit de keuken, gaat naar hen toe, zet hun kopjes van de oploskoffie op een dienblad, maakt het einde aan hun gezelligheid '*Yallah* meiden, aan het werk. De kabouters doen het niet voor je.'

Dat er is een begin in mij van twee zoons, ik weet dat nog niet. Eentje gaat, en die twee komen.

Ze komen zeven maanden nadat hij gaat. Twee, met hetzelfde gezicht, precies hun vaders gezicht.

Ze pakken mij niks af, dus.

Ik zet drie pannen op het vuur. Geen dag dat ik zet niet drie schotels voor ze met de lunch. Gisteren rijst, bonen en visballetjes met tomatensaus. Vandaag couscous. Voor morgen de witte bonen, die staan al in de week voor de soep die vinden ze zo lekker. Ik wil aardappels en gebakken vis daarbij geven. De mensen denken Mas'oed is dood en ik leef. Dat is niet zo! Mas'oed leeft en ik ben dood. Hij gaat neer, en ik? Voor mij het is over en uit. Voor mij het is allemaal over en uit. Voorheen zijn naam ligt op ieders lippen, de falafelkoning, en ik zijn koningin. En nu? Over hem, ja, over hem ze praten nog, nog steeds hij is die koning, ze pakken dat niet af van hem, maar ik? Wat ben ik nu? Zie je die koningin nog af aan mij?

Sterft je man, komen ze controleren hoeveel hou je van hem. Leeft hij, wie geeft dan daarom? Leeft de man, kun je hem mesjogge maken, kun je over hem praten met wie je wilt, kun je hem zwartmaken. Niemand die kijkt op daarvan. Maar gaat jouw man dood, controleren ze om de vijf minuten toon je hem wel respect. Je leeft met die éne, maar stap de ochtend na de sjiva uit je bed en op zijn stoel wel duizend zitten daar. En wat is hun werk? Alleen maar opletten behandel je hem goed. En het zijn geen lijntrekkers, ze werken hard aan die hel voor jou. Ze laten je niet alleen, geen minuut. Ze tellen je tranen, spitsen hun oren en houden hun ogen en neus wijd open om te horen lach je niet, nee God verhoede. Om te weten doe je geen eau de cologne op, of make-up. Dat jij sterft samen met hem, ze willen dat van jou. Hem, ze hebben hem al dood onder de grond, en jij, jij moet voor hen dood rondlopen daarboven.

Kijkt een man je te lang aan, rusten zijn ogen twee seconden op je, scheelt het niks of ze maken hem dood dat hij komt maar niet aan jouw eer.

Zien ze dan het is voorbij met je, wordt hun hart zwaar. Het wordt zwart. En wat doen ze om weer een licht hart te krijgen? Ze storten hun medelijden uit over jou. Een emmer water over de vloer na het dweilen, een emmer vuilzwart water, dat is hun medelijden. Ze storten hun medelijden uit over jou, en hun hart, dat is weer schoon. En het is pas echt schoon, het gaat pas echt glanzen, als ze denken wat zijn wij toch goede mensen. En jij? Jij staat daar kliedernat tot op de huid en nog smerig ook door dat zwarte water van hen.

En ren je weg voor het genadewater van de mensen, God verhoede je trapt in de suiker van de weduwen.

Vanaf mijn eerste dag als weduwe ik zeg tegen mezelf: Simona, je zet geen voet over de drempel bij de weduwen,

trap je daarin, kom je er nooit meer uit, en ze trekken je weg
bij de mensen. Krijgen ze er eentje bij, is het hier feest voor
de weduwen. Jouw lot en hun lot, dat heeft dezelfde kleur
en dezelfde vorm. Ze willen maar één ding van jou: dat jij
komt naar hen toe en je blijft bij hen. Dat jij gaat bij hen
zitten, dan ze brengen jou hun regels bij, de regels van de
weduwen.

Al zes jaar ik kijk naar mijn voeten, alleen daarom. Ik kijk
heel goed waar zet ik ze neer, niet dat ik wakker word op
een dag en merk Simona staat in de stront van de weduwen.

Ik kan mijn armen niet meer openhouden voor de katjoesja. Er is maar die ene in mijn leven voor hem ik hou
mijn armen open. Die ene is weg en mijn armen zijn
dicht.

Waar gaat mevrouw Simona heen, zo laat? Waar brengen
haar voeten haar naartoe? Naar het voetbalveld aan de andere kant van de stad. Nog geentje valt hier totnogtoe. *In-
sjallah* hij slaat vandaag in. Mevrouw Simona laat haar tas
van haar schouder vallen en staat op het voetbalveld. Het
gras is droog. Er is geen water in dit land. Altijd ze jammeren
er is geen water. Maar voor het gras van het voetbalveld,
daarvoor ze vinden het. Een geluk voor jou, Simona, ze zetten de sproeiers niet aan vandaag. Simona staat op het gras
en waanzin slaat in. Die opent haar mond dat ze zingt *Waarom is vanavond anders dan alle andere avonden, dan alle andere avonden? Want Simona, zij doet karwei na karwei op alle
andere avonden, op alle andere avonden. Maar vanavond,
maar vanavond de katjoesja komt en neemt Simona mee.* En
Simona staat klaar. Simona roept de Engel des Doods aan
dat hij maar komt en haar meeneemt. Maar de Engel des
Doods, die komt niet. Wie komt wel? De waanzin!

Die arme kinderen. Ga ik heen, halen ze nog een beetje eer aan mij. Sterf ik aan een katjoesja, geven de mensen ze geld. Krijg het in dit land voor elkaar om te sterven aan de Arabieren en ze eren je als een koning. Word gek en je hele familie kan het schudden. Zeggen ze haar moeder is *mahboela*, wie neemt Etti nog?

2

Waar moet ik liggen? Wat een mooi bed dat maken ze op voor mij. Met een groen laken, wel een halve kilometer lang, over het hele bed. Ik ga liggen in het midden, precies waar begint de wedstrijd, in de cirkel die tekenen ze met kalk. Maar Simona en het gras worden geen vrienden. Twee minuten op het gras en mijn hele lichaam zit onder de bultjes, dat ik denk ik heb weer rode hond en ik word gek van de jeuk.

Simona gaat naar het doel. Waarom het doel? Daar is geen gras. Daar ze ligt als de bal aan het einde van de wedstrijd. Het doelpunt van God in de negenennegentigste minuut.

Mijn schoenen, ik trek die uit, ik zet ze naast het doel en ga weer naar mijn bed. Het net van het doel, dat maakt een blik baklava van de hemel, en de sterren, dat zijn de amandelen erop. Ik krul me op op mijn zij en hoor mijn voeten huilen, zo uit hun schoenen. Ze klagen wat af, ik heb geen genade met ze, ik luister niet naar ze, ik snoer ze de hele dag in, mijn oren laten ze in de steek en ze moeten alles de hele tijd maar alleen dragen.

Hoe, hoe kan dat, ik ben niet meer 'Onze Simona' maar 'Simona van de karweien'? Hoe? Niemand die noemde me niet 'Onze Simona'. Overal waar kom ik ze nemen me mee naar binnen, ik moet bij hen horen. Wat doe je dan? Onze Simona lacht elke dag tot de dag ze roept het boze oog af over zichzelf. Is het oog eenmaal daar, laat het haar niet meer los. Zes jaar lang het laat haar niet los.

Ik zeg een woord, het is vijf minuten uit mijn mond en ik krijg wat wil ik. Nog niet eens vijf minuten. Iedereen met een beetje verstand die wil naast mij staan, dat zij krijgen ook een beetje van het geluk dat komt mijn leven roze kleuren. Daarom ze omhelzen mij, brengen cadeautjes mee voor mij, dat het geluk ziet ze staan naast mij en een beetje blijft plakken aan hen.

Elke ochtend Onze Simona maakt een rondje door de stad. Eerst naar de falafelkraam, wat geld uit de kassala halen, dat ze komt niet op een droogje te staan onderweg. Niet veel, twintig of dertig lirot maar. Ik weet precies wie heeft pauze wanneer, op de bank, op het postkantoor, op school, en ik zit erbij, bij hun thee, bij hun oploskoffie, bij hun Turkse koffie, en ik maak de gezichten van de meisjes groen. Een keer een paar panty's die breng ik mee uit de grote stad, een andere keer een nieuw geurtje of een kapsel dat hebben ze nog niet bij ons of een armband die geeft Mas'oed mij. Zijn er mannen bij de vrouwen, is dat zoveel beter, laat ik hun hoofd draaien, lach ik ze toe en ik ga weer verder. Ik ga naar de crèche en ik neem een kind op de arm, gewoon, het is leuk en daar, daar ik drink ook iets. Ik hoef niet te werken. Waarom moet Onze Simona werken? Mas'oed staat op met mij 's morgens, samen we maken het huis aan de kant en ik zet de pannen op het vuur. We doen de deur op het slot, dat maar niemand ziet Mas'oed dweilt de vloer, want dat is de grote schande voor een man, dat iemand ziet hij heeft een dweil in zijn handen. Om tien uur we zijn klaar. Zijn moeder komt en zorgt voor de baby een paar uur, en in de tijd Onze Simona maakt haar rondje buiten, Mas'oed maalt de kikkererwten fijn voor de falafel. *Groesjiem*, meer het kost hem niet, en hij, hij verdient kapitalen ermee.

Overal waar ga ik, de mensen kijken op van hun werk en lachen, ze vergeten hun zorgen en ze dromen op een dag ze staan in mijn schoenen. Wat is verkeerd daaraan? Al geef ik de meisjes groene gezichten, dat is goed voor ze. Hun gezichten, die hebben dan een beetje kleur, niet dat ze in slaap vallen midden in het leven. Breng ik iets nieuws mee uit de grote stad, vragen ze God geef mij dat ook. En waarom niet? Een maand later, een halfjaar, een jaar hooguit, en zij, ze hebben dat ook en ze zijn gelukkig. Horen de mannen Mas'oed geeft mij dit of dat, ze leggen geld opzij, dat ze ook eens iets moois meebrengen voor hun vrouw.

Mas'oed gaat, en met hem de hele boel. Amper een *groesj* die legt hij opzij, hij legt alles in mijn hand. En mijn hand, wat is mijn hand? De waarheid? Mijn hand is open en alles stroomt weg tussen mijn vingers. Gaat Mas'oed dood, zien ze hoe ben ik eraan toe en ze helpen mij, ze geven mij werk. Invalster op de crèche. Zes, zeven maanden ik ben invalster. Dan, ik krijg de tweeling.

Ik ben nog niet thuis van de geboorte, of Hani, zij stopt en ik werk voor vast bij de grote kinderen samen met Aliza Padida. Achttien kinderen zijn er. Avi is de kleine, een jaar en twee maanden, Miri is de grote, twee jaar en zeven maanden.

's Ochtends om halfzeven ik ren naar de crèche, halfvijf ik kruip weer naar huis. Geen dag dat iemand herinnert mij niet aan de dagen van Onze Simona, de koningin. Al die afgunst op mijn rekening, al die jaloezie, die zit al die jaren in hun hart, al die jaren dat ik maak mijn rondje, met rente ze geven die terug aan mij. Niet in één keer, ze betalen mij terug beetje bij beetje. Wanneer zijn de afbetalingen klaar, geen idee.

Vorige week, ik denk nog één woord en ik gooi mijn schort neer, ik ga naar huis.

Wanneer is dat? Maandagmiddag? Dinsdag? Niet dinsdag. Misschien donderdag. Waarom, waarom moet ik weten welke dag is het? Wat is bijzonder aan de dagen dat ik herinner mij ééntje? Bij mij, alle dagen liggen op de grote hoop, dwars door elkaar. Zie je een mouw, trek je een broekspijp uit de stapel, begint het als een handdoek, loopt het uit op een laken. Geen dag die zie ik van de ochtend tot zijn avond. Geen dag die glanst, geen dag die herken ik tussen alle andere, dat ik denk ik was hem apart, op de hand, dat hij niet krijgt de kleur van de rest.

Wat kan mij schelen welke dag is het? Het is na de middag, dat weet ik wel, doodzeker. We zijn klaar met de luiers verschonen, we leggen de kinderen in de bedden, we eten, we drinken nog wat. Riki komt uit de keuken, haar handen die druipen van het zeepwater, en ze roept 'Sylvie, snel. Jehoeda komt eraan, Jehoeda van de gemeente, van Onderhoud, die kan nu elk moment door de poort stappen. Ik had Devora gezegd dat ze hem moest bellen over de afvoer, maar eigenlijk wil ik hem zover krijgen dat ie een dak boven de zandbak maakt. Kom, geef je schort hier, aiwa, precies de goeie jurk voor hem, neem Sjlomi op je arm, liefje, en ga naar hem toe. Vergeet niet waar we het over hebben gehad. Zorg dat er een dak boven de zandbak komt, net zoals de gemeente in de speeltuinen neerzet, en laat hem naar de zijkant kijken, niet naar binnen door mijn keukenraam. Meiden, doe haar een beetje parfum op, maar schiet toch op, dadelijk is hij er al. Wat zitten jullie daar toch te slapen? Je zou denken dat de kinderen jullie op bed hebben gelegd! Doe ook een beetje rouge boven op haar oren, kom op, nog een beetje, da's niet genoeg. Maak je haar los, liefje, vandaag wordt er niet beknibbeld op wat God ons gegeven heeft. We trekken alles uit de kast. Nee, ik wil geen ander kind, het moet Sjlomi zijn, zijn neefje. Hoe kan ie nou nee zeggen tegen zijn neefje? Breng hem hier. Kijk, zo vast sliep ie nog niet, hier, ventje, kijk eens, Riki heeft zoete thee voor jou, Sjlomi, weet je wie er komt? Je oom Jehoeda komt eraan. Wil je hallo zeggen tegen oom Jehoeda? Nee, nog niet naar buiten gaan, laat hem wat dichterbij komen. Weet je nog wat je moet doen? Zorg dat het kind in de zandbak wil. Nu gaan, toe maar!'

Sylvie gaat naar buiten met Sjlomi op haar arm en Aliza en Lavana, die drukken hun neus plat tegen Riki's raam, die kijken over het fornuis heen naar buiten, daar staat een struik vol met gele bloemen en ze vallen niet op daarachter. Ik zit bij de keukendeur met de rug naar ze toe en ik, ik kwijn weg, waar is die tijd ze sturen mij voor die dingen? Ik kom hier op mijn rondje door de stad, ik heb precies de goede jurk aan en ik krijg alles klaar voor hen, voor de crèche. Waar is die tijd Riki zegt 'Onze Simona, de man die nee zegt tegen jou, moet nog geboren worden! Als een vrouw wil leren hoe ze met mannen moet omgaan, dan hoeft ze maar naar Simona te kijken. Je hoort Simona niet zeggen: Mijn man wordt mijn dood nog eens.'

Ik kijk niet mee met hen uit het raam. Wat heb ik te zien daar? Mijn leven, hoe breekt het in tweeën?

Lavana en Aliza praten zacht, dat Jehoeda ze maar niet hoort, maar niet Riki. Riki, die houdt haar mond niet, geen moment. Die ratelt net als een sportverslaggever 'Kijk, kijk die Sylvie eens, hoe goed ik haar dat kirren heb geleerd. Da's maar een slokje cognac, om de smaak te pakken te krijgen. Alleen maar om zijn aandacht te vangen. Ik heb haar alles geleerd, alles wat ze nodig heeft. Dadelijk geeft ze de jongen aan hem en dan bukt ze zich om haar sandaal goed te doen. Nah, wat zei ik je?! Ze houdt zijn arm vast om niet te vallen, zie toch eens waar hij zijn ogen laat.

Goed opletten, Aliza, kijk hoe je dat doet, hoe je dat spel

speelt: telkens verstopt ze iets voor hem en laat ze iets anders zien. Ze schotelt hem niet alles tegelijk voor. Kijk, kijijk, zie eens hoe ze haar hoofd naar achteren buigt, hem haar hele hals voorhoudt. Nu het haar achter het oor strijken. Zie je die ogen van hem, hoe die volgen waar zij leidt? Hij kan ze niet van haar oorring afhouden. Hopla, een aaitje over de arm van het kind en haar nagels raken hem ook, half kietelen, half krabben, zodat ie het zoete proeft dat ie van haar zou kunnen krijgen, maar ook de pijn. Kijk toch wat een mooi gezinnetje ze zijn geworden, zij, hij en het kind.

Allicht staat ie vlakbij, Lavana, wat anders? Als ie één stap terug doet, is ie haar geur al kwijt. En wat heeft ie zonder die geur? Alleen de lucht van zijn eigen zweet. Nu laat ze hem de lijn van haar borsten zien, ze houdt haar armen zo dat er een diepe gleuf tussen komt, o-la-la! Hij denkt nog dat ze daar meloenen heeft. Nu slaat ze haar ogen neer. En als ze dan opkijkt, komt de kleur des te harder aan. Ze legt haar hand op haar hart als ie zijn verhalen vertelt, lacht bij elk woord! Jongens, wat praat ie graag! Ik zweer het je, die man, die heeft genoeg aan een oor, die heeft geen hele vrouw nodig.

Zo is het wel genoeg. Nu moet ze de zandbak erbij halen. Dat ze nu zichzelf maar niet vergeet. O-ké, ze neemt het kind van hem over, ze wordt helemaal verdrietig voor hem, op het randje van tranen. Dat moest ze van mij tegen de jongen zeggen: Ik kan er niks aan doen, Sjlomi. Sylvie mag jou niet in de zandbak zetten, niet in die zon. Als de gemeente voor ons een dak maakt, dan mag je de hele dag in de zandbak spelen … Nou heeft ie geen keus meer, nou moet ie iets zeggen om haar weer aan het lachen te krijgen. Nah, wat zeggen jullie daarvan? Als hun meisje verdrietig wordt, dan is het voor hen net of ze een oorlog verloren hebben. Kijk, kijk toch eens hoe ie zweet. Hoe ie zijn vinger langs zijn kraag haalt. Die knelt hem om zijn keel. Zie hem eens kijken als ze weer naar binnen gaat. Ze heeft geen seconde gewacht. Waarom zo'n haast? Kijk nou naar hem, ze hebben zijn bord onder zijn neus vandaan gehaald en hij was nog niet klaar met eten. Ze is te snel weggegaan. Zien jullie dat? Hij wil haar achterna, hij heeft nog helemaal geen tijd gehad om te beslissen wat ie zal doen, en ze is al weg. Aj, hij kan zijn zegje niet doen over dat dak. Ze had hem al halfgaar, waarom haalt ze de pan zo snel van het vuur? Zien jullie dat nou? Nou vergeet ie zelfs die afvoer. Hij is vergeten waarom ie hier in de eerste plaats naartoe kwam. En dat dak, dat kunnen wij wel vergeten.

Nee, geen twijfel aan, dat lijkt nog niet op wat Onze Simona kon. Simona had maar naar hem toe hoeven gaan, of ze had al tien daken van hem losgekregen. Maar wat doe je eraan? We hebben Simona niet meer. Yallah meiden, ga Sylvie niet staan aangapen als ze dadelijk binnenkomt, haar hart breekt nog. En het is kwart over twee. Om halfdrie worden de eerste kinderen wakker. De kabouters doen het werk heus niet voor ons.'

Ik hoor elk woord van haar. Alle woorden, zij zegt ze, ik zuig ze op. Wie leert haar dat allemaal? Ik! Ze praat over mij of ik ben datzijRusteinVrede, mogeGodhaarZielinLiefdeenGenegenheidontvangen. Je praat zo nog niet over iemand die is dood, zoals zij praat over mij! Onze Simona dit, Onze Simona dat. Weet zij dan niet hoe komen haar woorden in mijn hart als water op kokende olie. Denk ik maar terug eraan, verschroei ik vanbinnen. Hoor je het water? Zoals dat sist uit de pan hssssss ...

Ik zit daar maar. Het middageten smaakt zuur in mijn mond. Het bloed, dat stijgt naar mijn hoofd. Ik wil naar huis en nooit meer terugkomen, maar hoe kan ik hier nou weg? Stop ik midden in het jaar, wie geeft mij werk? Wie zorgt nog voor mij nadat Riki doet haar boekje open over mij? Zo gelukkig ben ik toen zij neemt mij hier aan, zo gelukkig, ik kus haar handen. Waarom zeggen de mensen dankjewel daarvoor, dat je stopt ze in de gevangenis?

3

De bal van maan die kijkt neer op Simona, die ligt in het doel, wat ziet hij? Hij ziet ze is een keeper die gooit zijn hele lichaam hoog in de rechterhoek van het doel, dat hij de bal maar vangt, alleen, ze schieten hem in de linkerhoek.

Een jaar nadat Mas'oed gaat, zijn hele familie is ook weg. Zijn broers, die zetten geen voet meer over de drempel bij ons. Die zijn boos op mij. Ze vinden het is mijn schuld zij brengen het niet goed eraf met de falafelkraam. Ik weet niet wat willen ze nou van mij? Wie ben ik, dat ik beslis die zaak loopt goed of niet? Wie ben ik, dat ik zeg de mensen zij moeten falafel kopen of zij moeten hun geld uitgeven aan iets anders? Maar stel het is mijn schuld, stel, wat doet Mas'oed dan verkeerd, dat zij gaan niet eens naar zijn graf die ene dag in het jaar? Die kennen geen schaamte, echt niet. Alleen maar daarom, dat zij stoppen al hun geld in de falafelkraam en die loopt niet, daarom ze moeten mij en de kinderen in de steek laten?

Zijn moeder is niet zo. Zij ziet niet de wereld in bundels bankbiljetten. Toen Mas'oed leeft, toen zij kijkt mij aan met scheve ogen elke keer dat zij denkt hij is niet gelukkig met mij. En precies op de plek waar gaat hij dood, ziet ze mij maar op de markt, omhelst ze mij al, geeft ze mij kussen en toch, ze kijkt steeds zien Rachel en Jaffa en Sjosjanna het niet. Haar schoondochters die nemen haar mee in de auto vanuit de mosjav hierheen. Dan zij stopt mij een paar sjekel toe. Ik neem die niet aan, ik leg ze terug in haar mand. Ze gaat alle namen af, de een na de ander, ze vraagt ook naar de kleintjes die kent ze alleen als baby's, en mij, ze zegent mij, dat God geve mij kracht en gezondheid, en alles in het Marokkaans, net als maman en papa.

Ik weet zij gaat naar zijn graf. Mensen die bezoeken hun graven en die zeggen mij ze zien haar daar. Wat doe ik dat zij laten mij alleen, allemaal? Ik, wie heb ik hier behalve Mas'oeds familie? Ik, ik heb hier niemand. Uit Asjdod ik kom naar het noorden, voor hem. Maman gaat dood al in Marokko, en papa, *Allah jerachmoe*, de tijd van hem die zit erop zestien jaar geleden bij een ongeluk, in een seconde het is voorbij. Mijn vier broers die zijn in Asjdod, die werken als de muilezels, altijd met de kop omlaag.

Maar wie blijft trouw aan Simona? Het oog. Het oog ja, alleen het oog. Van de dag het komt mee met de mensen naar Kobi's bar mitswa, het laat mij niet in de steek. Dat kwade oog, dat komt twee dagen na de bar mitswa, en dat pakt Mas'oed af van mij. Het haalt Mas'oed weg, haalt de kroon van mijn hoofd. Pakt het de kroon van mijn hoofd, valt mijn hoofd ook af, dat plakt vast aan de kroon.

Waarom brengen ze het oog naar de bar mitswa mee? Ze krijgen daar toch alles al van ons? We maken koningen van allemaal. Nog niet in hun dromen zij zien zoiets. Hoe moeten ze dromen daarover? Zie je nooit zoiets in het echt, hoe droom je dan ervan? Vier bussen, ik huur vier bussen. Eén bus haalt Mas'oeds familie op in de mosjav, met hun vrienden. Drie bussen brengen de mensen uit de stad. Alle bussen, die stoppen wel duizend keer, om de paar meter ze stoppen, dat de mensen hoeven niet zo ver te lopen, dat ze worden maar niet moe. En ik huur geen gewone bussen, maar touringcars, alleen al zoals het ruikt daarin, zo schoon, je denkt je bent in een paleis. Zitten ze allemaal in de bus, willen ze niet aankomen bij de feestzaal in de stad, zij krijgen in de bus dingen die geven ze alleen in het vliegtuig. Drinken, gemengde nootjes, fruit en heel goede chocolade. Wat krijgen ze niet? Ze krijgen alles! Bandjes met muziek de hele weg lang, een voor een ze komen naar voren en ze praten door de luidspreker, vertellen hun grapjes, drinken, knabbelen. Komen ze aan in de stad, staan ze pal voor de feestzaal zo mooi ze hebben dat nog nooit gezien.

Bij de ingang, links en rechts van de marmeren trap, daar staan fonteinen met water. Ga je naar binnen, spelden daar twee meisjes een rode bloem op bij iedereen, en loop je verder, zijn er de spiegels overal waar kijk je. Wel duizend keer je ziet jezelf, dat je niet vergeet hoe mooi ben je bij aankomst. Je ziet de mensen, die kijken naar hun gezicht in de spiegel en strijken hun haar glad, zetten een lach op, praten hoffelijk met elkaar, ze heffen het glas *lechajim!* en tegelijk zij kijken in de spiegel om te weten hoe zien ze eruit. De hele tijd hun ogen richten zich op de spiegel en ze trekken hun lichaam recht en hun gezicht, want ze willen mooi eruitzien. Staat iets die vrouw niet aan, trekt ze een zuur gezicht, kijkt haar zure gezicht haar aan vanuit de spiegel. Draait ze haar hoofd af van die spiegel, komt haar pruil haar tegemoet uit een andere. Ziet ze ze kan nergens heen met haar zure gezicht, ruilt ze het in voor het gezicht van iemand die is met alles tevreden.

En het eten voor Kobi's bar mitswa? Alleen het beste! Niet zomaar kip, het is allemaal goed vlees, met vier bijgerechten en met tien soorten salade. Vijftig sjekel per persoon, we tellen dat neer. Vijftig sjekel in het geld van toen. Wie betaalt vijftig sjekel per portie zes jaar geleden? Hun cheques, al hun cheques samen, het is geen kwart nog van wat betalen wij. Voorheen thuis zij denken we doen net zoveel in de envelop als wat betalen wij voor hen. Vergeet het! Zo'n feest, dat zien ze nog nooit! Zelfs iemand die heeft geld, die weet nog niet wat kost zijn portie.

Ik zie de bar mitswa, ik zie iedereen daar lachen, dansen. Ik zie nog steeds niet waarom moeten ze het oog meebrengen. Iedere man, we maken een koning van hem die dag. Iedere vrouw de schoonheidskoningin op haar grote avond. Ik neem de beste band, ik misgun ze geen groesj. Van Jom Kipoer tot Lag Baomer ik ben bezig met alleen de bar mitswa. De feestzaal, de uitnodigingen, onze kleren, de fotograaf, de muziek. Ik ga van het een naar het ander, kijk hier, kijk daar. Overal waar ga ik ik denk dat is het. Maar ik zeg nog niet ja, alleen ik moet erover praten met mijn man. Ik kom thuis en de hele nacht ik kijk naar de bar mitswa hoe gaat het daar zijn. Ik zie Kobi, de familie, de mensen, het kaarslicht, het dansen, en tot slot ik kijk naar Simona daar op de bar mitswa. Zie ik niet zij schittert daar als een diamant, ga ik de volgende ochtend op zoek naar een plek, een jurk, bloemen die zijn wél goed. En ik doe zo met alles. Ik kijk rond, ik zoek, ik vraag. En dan, dan ik neem het beste.

Wil Mas'oed niet dat dure, praat ik in op zijn hart, kneed ik Mas'oeds hart als deeg, is het te vast, doe ik wat tranen erbij. Langzaam, zoetjesaan, ik krijg hem zover 'Jouw geld, dat komt allemaal uit hun zakken, Mas'oed, van de falafel die ze bij jou eten. Wat is er erg aan, als ze zien dat jij ze die dag met gulle hand teruggeeft.' 's Morgens ik vertel hem die dingen, niemand die komt dan tussen ons in. En jouw man, die doet na de nacht zijn ogen open en die kijkt naar jou net of het is de eerste keer dat hij ziet jou. Alleen jij en hij. Adam en Eva in het paradijs. En voor jou, zet je je voeten niet verkeerd, voor jou dat is de tijd dat jij kunt alles van hem krijgen. 'Ze komen naar je winkel en ze praten over de bar mitswa,' zeg ik dan. 'Ze trekken hun portefeuille, ze kopen nog een portie falafel, drinken nog iets. Binnenkort verdien je alles terug. In drie maanden verdien je het helemaal terug.' Drie maanden? Nog geen drie dagen leeft hij daarna, na de bar mitswa. Nog geen drie dagen ze laten hem leven, met hun oog.

Maar waarom, waarom brengen ze dat oog toch mee? Arme Kobi, niet eens een fatsoenlijke sjabbat in de synagoog. In plaats daarvan hij zit sjiva voor zijn vader, de arme knul.

Twee dagen later ze komen naar het huis. Ze komen op de voet. Kobi's uitnodiging, die heeft een gouden rand. De uitnodigingen voor Mas'oed op de muren van onze flat, die hebben een zwarte rand. We zitten op de grond, kleren en hart aan flarden.

Komen ze vertellen hij is dood, wil ik naar de kraam rennen, naar hem toe. Ik geloof niet wat zeggen ze. Ik ren en ze houden mij tegen. Met drie of met vier ze houden mij tegen, ze brengen mij terug naar binnen. Ik kom binnen, waar staat het grote boeket bloemen van de bar mitswa in de woonkamer op de tafel, en op mijn hoofd mijn haar van de bar mitswa, helemaal hoog met de haarlak en de twintig haarspelden zo klein je ziet ze niet. Ik ga snel naar de badkamer, trek alle speldjes eruit, ik was mijn haar in de wastafel, was alles eruit, en ik kleed me om. Wat vergeet ik? De nagellak! Mijn schoonzussen zien me, de vrouwen van Mas'oeds broers, en die trekken mij in de andere kamer. Zie je hun gezichten, denk je de wereld vergaat nog door het rood op mijn nagels. Rachel en Jaffa, die pakken me links en rechts, alle twee een hand en Sjosjanna, die giet aceton op een watje. Ze gieten liters aceton heen over mij. Het scheelt niet veel of ze halen mijn nagels ook eraf. Ga ik in mijn hoofd naar de begrafenis, heb ik meteen de geur van aceton in mijn neus. De hele begrafenis ik ben die kwijt, maar de geur van aceton, die blijft. Na de eerste maand ik knip het haar af van Onze Simona, dat komt vroeger tot op mijn heupen. Ik pak een schaar, ik ga naar de badkamer en ik knip het zelf eraf. Ik bind een hoofddoek om net als een oude vrouw, en ik ben klaar met Onze Simona.

Morgen, dat is zijn sterfdag, dan wij moeten in alle vroegte naar Mas'oed op de begraafplaats. Komt de katjoesja, leggen ze mij daar op een baar naast hem, kiepen ze ook nog hun moeder in het gat. De wereld, die blijft heus niet stilstaan. Waarom ook? Etti is een goede leerling. Ze gaat misschien wel naar het internaat, net als Riki's dochter. Itzik en Doedi, die zijn al groot. Itzik, hij komt er wel, zelfs met zijn handen, hij heeft geen keus. En Chaim en Osjri, ik maak me geen zorgen om hen. Ik maak me alleen zorgen om wat zeggen de mensen. Beginnen de mensen te kletsen, weet je nooit waar houdt het op. Maar sterf ik, hoef ik nog niet bang te zijn voor de tweeling, die denken Kobi is hun vader. Laten de mensen alleen hun mond houden. Laat die twee papa Kobi hebben. Met Gods hulp Kobi trouwt. Ik kan hem toch ook niet eeuwig bij mij houden, hij trouwt, dan ze krijgen een jonge maman.

Weer ik moet aan hen denken, dat zij hebben misschien honger daarbeneden. Het is niet goed ik blijf hier zo rustig liggen, beter ik ren erheen, breng de pan naar ze toe dat ze eten de buik rond. Alleen vanwege het alarm ze hebben nog geen hap van hun couscous op. De hele dag ze gaan van hot naar her, ze komen alleen naar huis voor wat brood en *matboecha* en dan ze zijn weer weg. Ik zeg nog kom aan de tafel, dat we samen eten tussen de middag, maar naar mij, ze luisteren niet naar mij.

Vroeger de tafel houdt ze allemaal bijeen. Mas'oed zit op zijn stoel. Staat hij niet op, staat niemand op. Nu dat is niet meer zo. Iedereen komt in de keuken, ze pakken wat staat er, ze scheppen op bij het fornuis en naderhand ze laten de borden staan op de tafel.

Wel duizend keer Kobi denkt hij kan zorgen dat ze zitten allemaal weer om de tafel, maar ze luisteren niet. Alleen Osjri en Chaim, die luisteren naar hem, die denken hij is hun papa. Ze zijn klein, ze geloven nog alles. God geve, zijn ze groot, noemen ze hem nog steeds papa.

Ik denk alleen aan hun eten, alleen aan hun eten. Mijn buik, die rammelt van hun honger. Krijg je een baby, komt die in het ziekenhuis uit je lijf, zit zijn buik nog vast aan de jouwe. Dan ze knippen de navelstreng door vlak voor jouw ogen, dat het dringt goed door tot jou, geef jij hem geen eten, geeft niemand hem eten vanaf nu. En geef jij hem geen eten, gaat hij dood. Jij bent de engel die redt hem of jij bent zijn Engel des Doods. Is hij nog in jouw buik, eet hij samen met jou. Niemand die vraagt jou wil je dat hij neemt van jouw eten? De adem om te leven, goddank hij haalt die zelf maar ook daarom hij huilt, want hij is nog niet gewend eraan hij moet zijn adem zelf halen. Maar het eten, nee. En ieder kind dat komt uit jou dat laat zijn worm in jouw buik achter.

Een vrouw met zes kinderen, die heeft zes vette wormen in de buik en hebben de kinderen honger, roeren de wormen zich. En zelfs zit je vol, krijg je geen hap meer door je keel of kun je geen eten meer zien, je zit zo vol met je zwangerschap, huilen de wormen want jij, jij bent hun verzorger en je moet koken voor ze. En dat houdt niet op. Het werk van een man, hij gaat daarheen en hij heeft af en toe vrij daarvan, vakantie, misschien maar een weekje, maar het werk van een moeder, die moet eten op de tafel zetten, daarvan er bestaat geen vrij.

En je lichaam na je eerste baby, vergeet het, dat wordt nooit meer net als voorheen. Zelfs ben je die buik kwijt, stel, je past weer in je broek en in je bh, kom je nooit meer terug op die plek in je leven waar begin je. Ze zeggen komt een man bij je binnen voor het eerst, is dat wonderbaarlijk, vanaf het moment jij bent daaronder open, vanaf dat moment jij bent een vrouw. Wat een klets! Wat is dat nou helemaal! Waar laat jij hem nou helemaal binnen! Alleen om zijn eer je laat hem in een klein kamertje bij de ingang, waar hang je een rood lint voor hem klaar dat mag hij doorknippen, net als de burgemeester en de vakbondsvoorzitter zo graag doen elke keer dat zij bouwen iets nieuws voor ons. Alleen om de eer voor hem, dat hij het kind dat komt uit jou maar goed behandelt, dat hij het niet doodmaakt uit jaloezie. Dat iedereen maar weet hij is de eerste. Maar wanneer maak je echt je hele lijf open? Alleen dan wanneer krijg je je kind. Komt de baby naar buiten, komt er veel bloed, veel water, allemaal uit jouw binnenste. Een man begrijpt dat van zijn leven niet. Hoe kijk je in het gezicht van iemand die zit net nog in jou? En niet een, twee dagen, die zit bijna een heel jaar in jou. Negen maanden lang je voelt hem maar je mag hem niet zien. Om hem je mankeert van alles, je geeft over, je sleept hem mee met jou, om hem je ziet de aders in je benen dik worden, je ziet bruine plekken in je gezicht komen. 's Nachts je moet drie, vier keer plassen en je kunt niks zeggen ervan. Je kunt niet tegen hem zeggen *ajoeni*, zoetje van me, ik laat jou hierbinnen wonen, maar je mag niet duwen waar zit het plasje. Je kunt niet even heel duidelijk maken aan hem jij lust niet die kruidige sardines met groenten waar steekt hij jouw hand naar uit in de winkel. Tien blikjes kruidige sardientjes met groenten, die staan daar in de kast en jij, jij raakt ze niet aan. Jij kunt tegen hem nog helemaal niet praten. Je kunt hem ook niet vragen maak mij niet zo misselijk. Elke morgen om vier uur op de minuut af je moet overgeven en je kunt niks daarvan zeggen. En wat leer je zo? Maar één ding, dat jij bent op de wereld om mensen uit jou op de wereld te zetten. En ben jij allang dood, leven die mensen nog. Je bent op de wereld om te lijden en je mond te houden. Zo jij wordt moeder. Je leert hou je mond stijf dicht, hou al je pijn binnen, niet schreeuwen.

Komt de baby eruit, beginnen je borsten ook voor hem te werken. Ze openen een melkfabriek voor hem, die draait dag en nacht. Je snapt nergens meer iets van. Je hebt geen tijd voor stilstaan, voor snappen. Alles, het gaat snel-snel, net als toen wij komen hierheen. Het ene moment je bent in Marokko en je weet zeker jouw leven houdt hier op waar begint het. Net als het leven van jouw maman en van jouw oma en jouw opa. Het volgende moment ze zeggen we gaan naar *Erets Jisraël*. De dag daarna je zit op de wagen die brengt je naar Casablanca. Amper je bent in Casablanca of je woont in een kamp in Marseille, een week daarna aan boord van de *Jeruzalem* en je leert *Hava Nagila* dansen. Wel duizend keer je gaat in jouw hoofd terug naar die dag dat je bent in Marokko, en papa, die zegt we gaan naar Erets Jisraël. Wel duizend keer je staat stil bij die dag, bij elke steen op de weg daarvan.

Gaat je leven zo snel, maakt het niet uit hoe vaak blijf je staan bij elke steen, 's morgens ik doe zus, dan we reizen daarheen, ze zeggen zo tegen ons. Tot op de dag dat jij gaat dood, jij snapt niets ervan. Je kauwt niet voor je slikt en dan het komt van achteren eruit net zoals het gaat er van voren in. Aan één stuk.

Nadat Kobi komt uit mij, wat wil ik? Alleen maar dat ik weer ben dat meisje. Ineens ik ben net de zeef waar haal ik de gries voor de couscous doorheen. Van boven tot onder alleen nog maar gaten. Loopt onder het water uit mij, gaan handen daar naar binnen, van dokters, van zusters, dan de baby komt naar buiten, het bloed, de nageboorte en ze hechten het gat. En de gaten daarboven, die zijn de ene dag nog dicht, nu het stroomt ook daaruit. Jij hebt geen idee hoeveel gaten heb je in je borst. Ineens je ziet je hebt drie gaten rechts, vier links, en slaapt je baby te lang, stroomt de melk vanzelf eruit. Je houdt niets meer binnen. Twintig jaar lang maman en oma, die zitten boven op jou, en je tantes ook, dat jij maar dicht blijft. Moet je plassen, doe dat zachtjes. Het is niet goed dat iemand hoort jouw plas, dat die komt naar buiten. En je bloed elke maand, dat mag ook niemand zien. En is je mond open, hou je hand ervoor. Je hele leven ze sluiten je af, en vergeet niet hou je benen altijd bijeen. Ga je zitten, naai je ze net zo goed aan elkaar, net als een boom, die heeft ook maar één been. Komt de dag dat jij trouwt, draaien ze alles om, van zwart naar wit. 's Nachts je moet de weg vrijmaken voor je man. De dag van de geboorte je moet ineens de weg vrijmaken niet alleen voor je man. Je moet de weg ook vrijmaken voor je baby en voor iedereen in het ziekenhuis die komt jouw kamer in.

Drie dagen na de geboorte je ogen stromen ook, ze vragen jou niets. Je huilt niet, je druipt. En bij Kobi ik denk ik word kaal. Mijn kussen 's morgens, dat zit onder het haar. Mas'oeds moeder, die zegt tegen me weet je dan niet wat ze zeggen? De baby pakt alle schoonheid af van zijn moeder! Niet huilen, *binti*, die komt helemaal terug. En heeft ze geen gelijk? Ze heeft gelijk. De schoonheid komt terug en gaat, komt terug en gaat, alleen na de tweeling ze komt niet meer terug. Maar het kan Simona niet schelen. Wie kijkt nou nog naar haar? Mas'oed, vanuit zijn graf? Etti kijkt niet naar mij. Ze kijkt niet eens in de spiegel. En zelfs Kobi, zien zijn ogen mij nu, vluchten ze weg. En in de slaapkamer, hij draait zich af en hij doet snel zijn ogen dicht.

En de mannen? Wat zien de mannen? Die zien alleen hij gaat daarbinnen en een baby komt eruit. Opgeblazen idioten! Hun borst, die zit zo vol lucht, zij krijgen de lucht niet eens meer eruit. Die barsten dadelijk nog, de aanstellers, dat een mens komt op de wereld alleen van wat sproeien zij naar binnen. En met hen, wat gebeurt met hun lichaam? Niets. Nog geen haartje dat zit verkeerd. En wat leert hij? Het leven is een spelletje. Ze maken een doelpunt en ze brullen hoera! Ze houden trots hun zoon op de arm bij het besnijdenisfeest, dragen hun *talliet*, heffen het glas in een lechajim en lachen.

4

De grond is net ijs. De lucht is zo koud niet als de grond. Ik leg mijn tas onder mijn hoofd. Nu ik ben een bal in het doel die overziet het hele veld. De helft van de mensen, die kijken naar de bal en ze juichen dat hij zit, en de andere helft, die huilt. Maar wie staat niet bij het veld op dit moment, voor die het maakt geen donder uit. Voor die het maakt geen donder uit of de bal zit of die zit niet. Het een of het ander, hun een zorg.

Ik trek mijn knieën op tot aan mijn kin, onder mijn jurk. Mijn gezicht, ik stop dat ook onder, ik stop het in de kraag van de jurk, ik hoor mijn hart dat slaat en ik ruik de geur van mijn lichaam. Ik snuif die op. Ach, ja rabb! Zelfs mijn neus is open na mijn schreeuwen. Dat ruiken, ik ken het niet meer. Steek ik mijn neus in de kurkuma, ruik ik hem nog niet. De aceton van de begrafenis hangt in mijn neus, die sluit de weg voor andere geuren. Zes jaar lang ik kook en ik weet niet wat ruik ik wat proef ik.

Toen ik ben klein, ik krul me zo graag op, alles naar binnen, de wereld buiten, die bestaat niet. Simona is de wereld. Haar oren, God maakt die voor haar alleen, dat zij hoort haar hart, haar neus, dat ze ruikt de geuren van haar lichaam. God geeft haar ogen, die zijn dicht, die hoeven niets te zien. Er valt niets te zien. Er is geen wereld. Simona's handen, die zijn ervoor om over haar lichaam te gaan, dat ze brengen naar de neus de geuren van de plaatsen waar kan die zelf niet komen.

Honden. Ik hoor honden blaffen. Ik haal mijn hoofd uit mijn kraag om beter te horen. Nee, geen honden, maar de luidspreker die stuurt de mensen naar de schuilkelders. Nog ver weg, ik hoor niet wat zegt hij. Maar zelfs versta ik geen woord, weet ik dat is niet de aankondiging om ons naar buiten te laten. Nu hij is dichterbij, op de straat vlak boven mijn hoofd 'Alle bewoners wordt verzocht in de schuilkelders te blijven.' Hij probeert de oude mensen te vinden die zitten thuis en zeggen alles komt *min Allah*, en wat schrijft Hij in de hemel voor ons dat gebeurt toch wel. De luidspreker, die komt en die krijst in hun oren, dat ze maar bang worden en naar beneden gaan. Alleen Simona en de oudjes, die blijven buiten, die passen niet op hun leven. Waarom oppassen? Heeft iemand geen geld, sluit hij de deur niet af. Komt er een dief, komt die binnen, valt er toch niets te halen.

Ik zie ze allemaal daar in de schuilkelder. Doedi en Itzik bij elkaar. Ik wed Itzik heeft zijn vogel bij zich, bekommert zich om haar net of ze is zijn vrouw. Dat hij maar niet de buren op de zenuwen werkt daarmee. En Doedi, ik weet niet waarom blijft hij zo bij Itzik. Gaat hij mee met Kobi, is dat beter. Al voor zijn bar mitswa Kobi is een man. Hij en Etti, die leggen vast de kleintjes te slapen. Ze huilen misschien, de kleintjes, om de katjoesja's, of misschien niet, het is niet de eerste keer dat zij maken dit mee, alleen het is nog nooit zo erg als vandaag. Zo erg als die tweede die komt neer, zo erg het is nog nooit van ons leven.

Ik zie Kobi, die zet eentje op zijn rechterhand en eentje op zijn linker en hij tilt ze hoog op, draait ze rond, maakt een draaimolen en ze lachen. Kobi houdt zoveel van ze. Etti ook, laat haar gezond en wel blijven, haar hele hart is voor die twee. Ze ziet maman heeft geen tijd voor de kleintjes, dus ze neemt mamans plaats en geeft ze wat hebben ze nodig.

Etti is de grote zus, maar Kobi, die is hun papa. Ze weten niet hij is niet echt hun vader.

Wat is mis daarmee? Waarom niet? Gun het ze toch! Ze beginnen zelf daarmee. Ze kiezen zelf een papa, jong en gezond en nog knap ook. Wie ben ik om hun leven op zijn kop te zetten, nadat zij besluiten zo is het? Zij noemen hem toch papa? Pa-pa, pa-pa, hij is nog geen vijftien dan. Hij komt uit school, maakt de deur open en ze rennen op hem af, net twee lammetjes Papa kom, papa kom. Wie ben ik om die papa af te pakken van hen? Ik heb het hart niet. Wat doe ik ze aan? Moet ik ze dan, ze zijn nog zo klein, ze hebben het hoofd nog vol met honing, moet ik ze meenemen naar de begraafplaats? Zeggen zien jullie die steen daar, mijn hartjes? Daar onder die steen, daar in de grond, daar rot jullie papa weg. Moet ik ze dat zeggen dan? Of moet ik een foto pakken? Zeggen Osjri en Chaim, zoetjes van me, hou die foto goed bij je, geef hem altijd een kus, want dat is jullie papa, Mas'oed. Wat is dat voor een papa, op een plaatje, en je kunt alleen naar zijn grafsteen elk jaar, om te huilen? Kan een plaatje een papa vervangen? Of een steen met een naam, kan die de plaats innemen van een vader?

Mas'oed is hun opa. En de naam die ik geef aan ze, Chaim en Osjri, ik vertel ze ik noem jullie naar opa. Ze weten alles ervan, Osjri is in het Hebreeuws wat is Mas'oed in het Marokkaans, dat betekent geluk, en Chaim, dat betekent leven, opa's dood in ruil voor hun leven. Ze weten alles over hun opa Mas'oed, dat hij is de falafelkoning van de stad en op een dag hij gaat dood in zijn falafelkraam. Kijk je naar de foto van een opa en hoor je verhalen over zijn leven, ga je niet kapot daaraan, maar bij een vader wel. Ze beslissen zo zelf ze zijn niet zonder vader.

5

Wat gebeurt er? Waar komt die stilte vandaan ineens? De hele tijd het is oorlog. Vanaf de dag wij komen aan in dit land, niks dan oorlog, en nu Simona vraagt netjes mag ze gaan, nu ze hebben geen katjoesja's meer?

Hopla, de stroom komt terug! Alle muizen, die slapen in de schuilkelders en in hun huizen daarboven, daar brandt licht. De wereld staat op zijn kop. Ze zeggen tegen ons er is een luchtalarm en ze sturen ons van het werk naar huis. Maar niets valt en na een halfuur we komen uit de schuilkelders en gaan op de straat. Iedereen is buiten. De katjoesja's vallen, treffen iedereen buiten. Wanneer rent iedereen naar de schuilkelders? Nadat de katjoesja's komen. Een half leger staat op wacht nu, dat ze komen maar niet naar buiten. De mensen in de schuilkelder, die stikken zowat, maar ze zijn bang zetten ze een voet buiten, krijgen ze een katjoesja op het dak. Alleen Simona, die ligt buiten op de grond, die bidt ze krijgt er een op haar dak. Nog beter, meer dan een. Laat ze een doelpunt maken met haar, vijf doelpunten, dan het is vandaag zeker voorbij. Simona wil de ochtend niet meer zien.

Ik huil niet. Gisteren ik grijp het leven nog vast met alle twee mijn handen dat het rent niet weg, ik hou niet op met huilen. Geen dag die gaat toen voorbij dat ik huil niet een bak vol tranen. Nu ik wil dood, waarvoor moet ik dan nog huilen?

Ik weet niet waarom houden we ons leven vast met alle

twee de handen. Wat is dat leven? Wat doen ze daar toch in? Riki zegt 'Op elke kwart kop zoet leven doen ze vijf koppen angst. Als de angst komt, overheerst hij alle zoetigheid en zorgt hij dat iedereen bang is voor iedereen.'

Elke dag wij werken acht uur op de crèche, elke dag acht uur lang voeden, zingen, verhaaltjes vertellen, achter de kinderen aan rennen, neuzen poetsen, de hele dag we rennen achter ze aan met een rol wc-papier in de hand, we pakken ze op, en huilen ze, zijn we er om te sussen, we verschonen luiers, we ruimen speelgoed op, we wassen gezichten en handen, achttien kinderen, de een na de ander. We geven ze middageten en nog een schone luier, aan de lopende band, kind na kind, je pakt ze op en je verwisselt de luier. Na de tweede luier we klappen de metalen ledikantjes uit en leggen de kinderen te slapen. Dan we poetsen de hele kamer, we maken ze wakker, we verschonen ze weer en geven ze marmeladebrood en thee, we maken ze klaar voor hun moeders. Komen die binnen, moeten ze klaarstaan met hun tas. En werkt iemand twee dagdelen, rent die voor twee uurtjes naar huis, naar de karweien daar.

We werken als de muilezels. Denk je dankjewel klinkt ons in de oren van alle kanten? Denk je wij houden het hoofd hoog om ons werk? Vergeet het. We zijn bang. De hele tijd bang. Voor wie? Voor wie niet. We zijn bang voor de moeders van de kinderen. Komt de inspectie van de coöperatie, houden we onze mond en heeft Devora weer eens een slechte dag, rillen we. Die Devora, die strijkt haar directeursloon op alleen voor twee telefoontjes per dag en dat ze schuift wat papieren over haar bureau van links naar rechts.

Riki zegt 'We moeten Devora 's morgens eerste werk op het aanrecht in de keuken leggen, als ze geen afspraak heeft bij de inspectie, en haar laten ronddraaien als een ei.' Draait ze heel snel, weet je ze is hardgekookt en de dag is naar de bliksem. Draait ze langzaam, weet je alles is zacht vanbinnen. Want er zijn dagen ze komt binnen met haar eidooier die drupt, en wij gooien de angst over de balk. Maar op haar slechte dagen? God sta ons bij op haar slechte dagen. Ze pakt de kinderen die hebben moeite met slikken, ze pakt ze links en rechts van de mond, drukt tot ze doen hun mond open en ze werkt het eten met de lepel erin. Ze schept het naar binnen met de lepel tot achter in hun keel. Stikken of spugen. Wat kan het haar schelen? Ze laat ze niet met rust tot ze heeft de halve groep aan het huilen. De andere kinderen zijn bang ze komt ook bij hen aan tafel, of ze huilen mee met de kinderen die huilen al om haar. En wat doen wij? Wij kijken elkaar aan en zeggen geen woord. Tegen wie moeten we het zeggen? Wie luistert naar ons? En iedereen weet toch dat komt door de Duitsers, mogeGodhunNaamenNagedachtenistotindeEeuwigheidUitwissen. Wat kun je doen? Zie je het nummer dat zetten de Duitsers op haar arm, hou je je mond al. Je wilt niet weten wat maakt zij daarmee. Dat nummer op haar arm, dat is haar recht en reden, dat betekent je moet maar slikken wat doet ze. Slechte dag of niet, je moet je stilhouden. Ze komt naar Israël met een briefje van de dokter daar staat in ze heeft een ziekte voor het leven.

Twee kijken over onze schouder in de crèche. Riki, die gooit de ziel en zaligheid in het koken, haalt het onderste uit de kan van het eten dat levert de coöperatie. En het is nooit genoeg, daarom ze brengt mee hele dozen eieren van de kippenboerderij van haar schoonmoeder. Ze krijgt geen groesj daarvoor. Altijd ze zet de grootste pannen op het vuur. Bij ons de kinderen moeten iets op hun bord laten liggen. Gooien wij niks weg, hoe weten wij ze hebben hun buik rond? En die ander is Devora, en heeft die een slechte dag, kan ze niet verdragen iemand laat een kruimel liggen. Wat doe je eraan? Zij lijdt daar in Europa onder de Duitsers en wij, wij lijden op de crèche onder haar. Arme Miri, nog geen drie, maar Devora, die pakt haar mond en stopt het eten naar binnen met geweld, ze eet haar te langzaam. Aan het eind ze eet goed, maar Devora weet niet wie eet snel en wie eet langzaam, wie lust pap en wie raakt die van zijn leven niet aan. (En wat is nou helemaal die pap van ons: kwark met een beetje frambozensap erbij voor de kleur. Niet iedereen houdt ervan jij voert hem 's morgens al kwark.)

Devora, de directrice, zelfs komt zij naar de crèche als een zacht ei, weet zij niet wat moet ze met de kleintjes aan. Ze heeft geen gevoel voor kinderen. Ze koopt voor hen een nieuwe pop en ze zegt tegen ons wij moeten de kinderen op het vloerkleed zetten. We zetten ze erop. Achttien kinderen op een kleed van anderhalf bij twee. Als soldaten ze moeten daar zitten, mogen niet bewegen. En zij zit op haar hoge kruk, praat tegen de kinderen alsof die zijn achterlijk. Ze doet de stem na van een klein meisje en zingt een liedje met de pop voor hen. En dan ze legt die hoog weg op de plank, dat hij gaat niet kapot. Hoe kun je nou één pop kopen voor twintig kinderen? Dat wordt ruzie, dat wordt huilen. Al die tijd ze zit bij ons en ze heeft geen slechte dag, al die tijd ze heeft een glimlach op haar gezicht dat jij denkt iemand trekt haar de mondhoeken op met wasknijpers.

Wij houden niet op met beven tot zij gaat weg van de crèche, naar de bank of naar de gemeente om een boodschap, Riki plukt die uit de lucht, dat wij kunnen een tijdje werken in alle rust. Wat zit zo dwars aan die angst voor Devora? Je vraagt je af wie is zij helemaal? De hele tijd wij vragen wie is zij helemaal? Amper ze doet de deur van de crèche dicht achter zich, of wij beginnen 'Wie is ze nou helemaal? Wie is ze nou helemaal?' Dat ene zinnetje, dat koekt aan in onze mond 'Wie is ze nou helemaal?' Tot Riki, die ziet haar vanuit het keukenraam en roept 'Meiden, we hebben bezoek!' Komt ze maar door de deur, beven we weer. Meteen we zingen liedjes voor de kinderen, heel hard. Zit iemand, heel even maar, staat ze meteen op, dat ze maar laat zien ze is aan het werk. Vier liedjes allemaal tegelijk, komt Devora binnen, hoort ze dat. Iedereen een ander liedje. Waar sta je op dat moment, dat maakt niet uit, je grijpt een paar kinderen en je zingt ze voor.

Wanneer is Devora tevreden? Eet ze ons eten, dan ze is tevreden. Ze is dol op de koekjes die brengen we mee na sjabbat. We zijn goed genoeg daarvoor. Is haar mond nog vol met Sylvies pindakoekjes, en wat doet ze? Ze verbetert haar Hebreeuws 'Niet "z'neigen", maar "zichzelf". En ik wil je niet meer horen zeggen "hun hebben". Onze kleintjes zijn tabula rasa, wat ze horen, dat pikken ze onmiddellijk op. Denk erom, het is onze verantwoordelijkheid hun correct Hebreeuws bij te brengen. Dus je zegt "zij hebben", niet "hun hebben", Sylvie, en "voor hen", niet "voor hun". En ik wil ook geen woord Marokkaans meer horen in mijn crèche. Zeg dat ook maar tegen Lavana. Het Marokkaans bewaart ze maar voor haar man, 's nachts.' Is ze alleen, lacht ze om haar grapje en ze doet de deur dicht van haar kantoor, dat bouwen ze voor haar, de hele ingang van de crèche naar de maan, dat zij maar heeft een kantoor met een telefoon, een deur met een slot erop. En een schoolbord, waar schrijft ze alles op wat doen we. Zij zit daar en kijkt naar haar schema en naar de menu's voor die week. Aan alle twee de kanten ze heeft een raam, dat ze ziet alle twee onze groepen, de babygroep rechts en de peuters links, door de ramen zij ziet met eigen ogen alles gaat net als zij schrijft op dat bord.

Heeft ze de mond vol pindakoekjes, hoort ze geen woord meer van wat zegt Sylvie. Ze vergeet ze moet zeven schorten bestellen bij de coöperatie en de rijst is bijna op. Maar wat dan nog? Zij kent Hebreeuws. Jij kunt daar niets van zeggen. Waar is waar. Riki zegt daarover 'Ze hebben ons allemaal, iedereen die hier nieuw in het land kwam, in een grote pot gegooid, een keer goed geroerd en alles in een bakblik gegoten. En we waren nog niet uit de oven, of daar kwam het mes van het Hebreeuws en het sneed ons in tweeën: een deel dat verbetert en een deel dat verbeterd wordt.'

Ben jij iemand die verbeteren ze altijd jouw Hebreeuws, geloof Simona maar, zit jij op een katjoesjanacht beter op het voetbalveld in het doel.

De angst voor Devora, dat is angst voor de razernij van één vrouw. Je leert haar razernij kennen, die blijft niet nieuw. Maar de moeders van de kinderen, dat zijn nog eens achttien razernijen. Achttien, die komen daar 's morgens om halfzeven op jou af, die drukken snel-snel hun kind in jouw armen, de tas met de kleren en de luiers en het beddenzeiltje. En dat kind, dat slaapt nog half en moet bij zijn maman weg. Of het gaat huilen, of het trekt een gezicht of het wil niet weten waar is het, slaapt niet, maar is ook nog niet wakker, is niet verdrietig, maar ook niet blij, ziet niks, hoort niks, maakt geen geluid. Je hart, dat gaat uit naar degene die is stil, maar je kunt niet naar hem kijken. Je moet met tien oren tegelijk luisteren naar wat roepen de moeders je toe. De een, rode bieten doen hem geen goed, de ander, die slaapt de hele nacht niet, en de derde, die heeft uitslag op zijn bips en zalf zit in de tas, en voor de vierde, ze duwen je een medicijn in handen, je moet dat in de koelkast leggen en twee keer daags geven, en eentje vraagt spoel even zijn speen af, liefje, die valt onderweg. Tien minuten, dat staat op Devora's bord voor <small>ONTVANGST VAN DE KINDEREN</small>. Je weet niet naar wie moet jij eerst luisteren, jij weet niet welk kind heb jij op de arm. Ze hebben het allemaal nodig, dat jij pakt ze op de arm. 's Morgens om halfzeven is er geeneen die heeft dat niet nodig, van mamans arm op de jouwe. En je moet naar alle moeders even luisteren. Kwart voor zeven hun bus naar de fabriek, die komt. Ze hebben geen tijd, ze moeten gauw naar het werk.

De fabrieksmoeders gaan en ze hebben hun ogen op onze rug. Ze kijken naar ons net of wij maken hier een leuke dag ervan. Bij hen, iemand zit boven op hen, dat ze maar niet van hun plaats komen. Werk je als naaister, moet je een hand opsteken als teken voor de chef, dat die weet jij moet naar de wc. Die zitten daar in de fabriek en vreten zich op en denken de hele tijd wij drinken koffie de hele dag door, we gooien de kinderen aan de kant en roddelen.

En heeft Devora geen slechte dag, komen de zwarte dagen van de moeders. Negen of tien uur 's morgens een van de moeders staat plotseling voor onze neus, die komt haar kind halen voor een inenting bij de dokterspost. Niet dat zij vertelt ons die morgen ik moet daarheen. Waarom ook? Doet ze de deur van de crèche open, veranderen haar ogen in een camera. Ze zet alles op de foto. Wie huilt, wie zijn neus druipt, wie zijn natte luier maakt al plekken op zijn broek, wat doen wij. Alles wat ziet ze op het moment zij komt binnen, ze schrijft dat op in haar hoofd. Alleen dat wat ziet ze op het moment ze doet de deur open. En komt ze terug van de dokterspost, vertelt ze het allemaal aan de andere moeders in de fabriek. Ze vertelt het allemaal, niets zij laat eruit. Niets zij laat eruit? Ze blaast alles nog eens op, stopt veel lucht in haar verhaal. Dit is haar grote dag. Iedereen wacht op haar, dat ze maar horen wat komt uit haar mond. Gaat ze helemaal naar de stad, kan ze beter iets te vertellen hebben terug in de fabriek. Om vier uur de moeders komen. Devora haar werkdag zit er al op. Riki heeft de keuken schoon en is weg. Alleen wij zijn er nog met de kinderen. Wij wachten op hen en we weten precies wat wacht op ons. Amper ze doen de deur open of ze vallen over ons heen, schreeuwen naar ons. Is het er een die is prikkelbaar als Sjosji, slaat ze ons soms. En de anderen, over hun kind ze heeft niet eens nieuws, die staan er rond omheen en die schelden mee met haar.

Koud hier. Mijn handen, die doen pijn. En de wind steekt ook nog op. Waarom steekt de wind nou op? Dat die brengt maar niet de katjoesja uit zijn baan. Mijn benen, die zijn ook koud. Kinderspel voor de wind, door die blauwe weduwenkousen heen blazen. Die komen maar tot aan de knie. Iedereen zegt tegen mij genoeg, zes jaren zijn voorbij, kom uit de rouw. Je mag elke kleur weer aan die wil je. En ik wil niet. Wie zijn zij om mij te zeggen wanneer mag ik kleuren aan? Wie zijn zij om mij te zeggen wanneer is de rouw over en uit? Luister naar me, voor één keer, luister nou eens naar mij, nu ik zit midden in de nacht op het voetbalveld midden tussen de katjoesja's, Simona treurt niet om haar man. Simona, die treurt om haar leven dat hakken ze in tweeën. Snappen jullie dat dan niet? Simona's rouw om haar leven, die is nog niet af. Nog even, dan Simona's leven is voorbij, dan haar rouw gaat ook onder de grond.

6

Mijn hoofd is draaierig. Het is beter ik ga weer liggen. Waar gaat mijn hoofd heen? Naar de plek waar staat mijn lot en het lot van Mas'oed nog op hetzelfde papiertje. Naar wanneer komen we aan in het kamp in Marseille, toen zij zeggen tegen elke familie hoe lang moeten ze wachten. We tellen toen de tijd aan de hand van de *s'hina* voor de sjabbat. Zeggen ze jullie blijven hier vier keer de sjaletpot, weet je we eten vier keer s'hina in het kamp tot het schip neemt je mee. Papa koopt om wie moet je omkopen en na twee keer s'hina al wij kunnen aan boord. Het lot, dat komt mee, dat legt zijn hand op mijn leven, Mas'oeds familie, die vaart ook met de *Jeruzalem*. In het kamp ik zie hem niet, ik hoor hem niet. Pas op het schip zijn stem dringt voor het eerst in mijn oor. Vuur. Vuur, dat is zijn stem. Dat vuur, dat dringt in mijn oor, dat speelt met mij. Voor het eerst ik heb vuur in mijn lichaam.

Ik ben vijftien, een stil meisje, en in één dag ik sla om. Dat vuur, dat dringt in mijn buik, maakt de lachzaadjes heet, zo heet dat ze dansen als maiskorrels, plop-plop, ze springen, de bruine schil die knapt en het wit dat komt naar buiten. Dat wit van maiskorrels, dat is helemaal zacht, helemaal luchtig, helemaal licht. Zo is mijn lach op het schip. Elke keer, komt zijn stem, krijgt die telkens de harde maiskorrels te pakken in mijn buik, maakt ze heet, laat ze springen. Waar gaat Mas'oeds stem op het schip, daar mijn lach danst.

Hij praat niet tegen mij. Wat heeft hij mij te zeggen? Hij loopt rond met zijn broers, met zijn vrienden. Ik begrijp niet wat zegt hij precies, alleen zijn stem, die treft mij. We zijn kinderen, alle twee, die begrijpen niks. Maar wat gebeurt er? We zoeken elkaar op. Hoor ik zijn stem boven, ga ik naar buiten, doe ik net of ik kijk naar de zee, naar de witte vogels. Gaat zijn stem naar de eetzaal, gaat mijn lach achter hem aan. Mijn lach, die dringt in Mas'oeds oor, die kietelt hem, en hij, hij lacht ook. Draait zich om, komt ook naar buiten. De hele tocht van Marseille tot Haifa mijn lach is maiskorrels die ploffen, het zout van de zee, dat blijft daaraan kleven, en Mas'oeds lach, die is rode druiven als het sap stroomt eruit en komt het een keer naar buiten, wordt het wijn. Zijn lach en mijn lach, ze reizen samen op het schip, nog geen woord wisselen we, maar mijn lach en zijn lach, die trouwen ter plekke voor het leven.

Eén keer onze blikken ontmoeten elkaar, één keertje maar. Als een rits, ze grijpen in elkaar tot bovenaan toe en we houden de adem in, en net als een rits ze maken zich weer los, tot helemaal onderin en we wenden ons af. Gaan we van boord en aan land, gaat dat vuur in mij uit.

Wij gaan naar het zuiden, naar Asjdod, en hij, ze brengen zijn familie naar het noorden. Twee dagen lang de maiskorrels houden zijn warmte vast, ze blijven springen, twee dagen, daarna ik word weer koud. De maiskorrels, die liggen zwaar in mijn buik, mijn buik doet de hele tijd pijn. Wie is sterker dan de ambtenaren die beslissen de een hier, de ander daar? Het lot van mij en Mas'oed, dat is sterker! Dat laat ons niet in de steek. Anderhalf jaar later in Asjdod mijn broers zien hem lopen in de haven en brengen hem mee naar huis. Ze brengen iemand thuis die is samen met ons op het schip. Ze weten niets van wat zijn wij voor elkaar.

Ach, ja rabb, wat geef ik niet voor Mas'oeds hand, nu?

47

Komt de hand van Mas'oed, leg ik mijn hand erop. Zijn hand, dat is de auto, mijn hand de bestuurder, dan ik begin opnieuw, net als in de huwelijksnacht, bij ons begin, ik neem hem mee op reis over mijn huid. Ik laat hem niet meteen, niet de eerste dag, over mij dwalen op eigen houtje. Net als een kind ik neem hem bij de hand en laat hem zien hoe moet hij mijn lichaam aanraken. Ik neem zijn linkerhand, die met de eeltplek op zijn duim, die voel ik zo graag op mijn lichaam. Zijn hele hand is boterzacht, alleen die eeltplek, die dwaalt op me rond, die maakt een tekening voor mij.

Simona is gek. Ze zit in het doel op het voetbalveld en wat doet ze daar? Nog even en ze zoekt een kiezel die kan ze uit de grond van het voetbalveld pulken. Alleen de steentjes, die zitten zo vast. Door de mannen die rennen daar nerveus heen en weer. Hun voeten, dat zijn net mokers. Krijgt ze een kiezel te pakken, trekt ze haar pantykous uit, neemt ze de kous met het steentje bij de hand, is het Mas'oeds hand. Zijn hand met de eeltplek.

Mijn hand op de jouwe, Mas'oed, mijn ogen dicht. Mijn mond ook, alleen onze handen, op weg. Welke route nemen we vanavond? Welke nemen we nog niet, Mas'oed? Wel honderd routes nemen we, de vrolijke en de gevaarlijke, de sluiproute, de omweg en het doorsteekje, de achtbaan en de vochtige route. En dan we hebben nog de route van Mas'oed en die van Simi. Neem ik jouw hand in de mijne, maak jij je stem zacht, fluister je in mijn oor 'Simi Simi Simi leg je hand in mijn hand ik ben van jou en jij van mij.' Meteen mijn lichaam wordt bruiswater, een en al luchtbelletjes vanbinnen.

In het begin ik ben bang voor de nacht. Ik denk ik wil nog niet alleen zijn met hem in bed. Mijn keel doet pijn, ik beef, mijn lichaam doet net of het is ziek. Wat doe ik toen? Ik haal snel het verstand erbij dat zit in mijn vingers. Dat weet ik al vanaf ik ben klein, sinds de dag dat mijn moeder gaat dood. Mijn hoofd, dat is alleen voor school. Wil mijn leven beter worden, is mijn hoofd even bruikbaar als een steen, en wat snapt die nou van leven? Maar mijn vingers, die zijn licht, die bewegen zoals ik wil en die hebben ook krachten, daarin zit verstand van leven. Hoe denk ik met mijn vingers? Ik trommel ze op de tafel, snel-snel, net als iemand die schrijft op een typemachine, daarna ik leg de ene hand op de andere, tot de vingers maken kruisen met elkaar en ik leg ze op mijn borst en ze praten helemaal vanzelf met mijn hart hou op met vragen om ziekzijn, Simona. Waarom wil je nu ziek zijn? Wat heb je daaraan? 's Nachts met Mas'oed jij kunt vergeten je bent een mens. In bed jouw hoofd wordt kleiner en kleiner, tot daar is geen plaats meer voor dom rekenwerk. Doe je ogen dicht. Maak je verstand klein als het verstand van een vogel, en je lichaam, dat doet wat dat wil. Wat is dat nou helemaal in bed? Twee lichamen van dieren die gedragen zich niet als mensen. Sta je op, is alles weer als voorheen. Niet bang zijn. Komt de morgen, is er niets meer van over.

Zo ik ben nog een, twee morgens bang ik stap uit bed en ik ben een kat of een ander dier met haar over zijn hele lichaam. En de waarheid is, sta ik 's morgen op, is mijn geur echt als die van een dier, is mijn haar wild van alle klitten. De ogen die kijken mij aan in de spiegel, dat zijn niet de ogen van een mens. En mijn tong, die zoekt mijn mond af naar waar komen de geluiden vandaan die maak ik 's nachts. Loop ik 's morgens naar buiten, kijk ik een hele tijd naar links en rechts, als een kind dat moet voor de eerste keer oversteken. Voortdurend ik ben bang van een of andere kant iemand komt en die ziet alles aan me af. Heel lang ik beef zo tot ik merk ik hoef niet bang te zijn. Niemand die ziet wat ben ik nu.

Ik loop van onze anderhalve kamer naar de zaak en mijn gezicht, dat kan niks binnenhouden. Ik ben net een flesje fris dat hebben ze te hard geschud, maak het open, bruist de helft van het drinken eruit, op de grond. De eerste maand na de bruiloft ik hou het dopje stevig op de fles, ik kijk de mensen aan en ik word gek, hoe kan dat? Hoe kán dat in vredesnaam? Hoe bestaat het, doen ze dit de hele nacht, lopen ze rond met zo'n zuur gezicht? Ik kijk Jaffa aan die woont naast ons, en ik zoek naar de nacht bij haar. En ik ga naar jou, naar de flat waar stuuk jij de muren, en breng je eten. Ik word gek, de hele dag zonder jou. Maar ik wil ook Zion zien, Jaffa's man, die werkt samen met jou. Bij hem ik zoek ook naar de tekenen van de dieren, maar ik vind niets. En ik snap maar niet hoe kunnen ze de hele dag werken, ze slapen de hele nacht niet. Ik ben doodop ik douche kleed me aan kam mijn haar dat komt tot mijn heupen maak er een vlecht van doe een paar boodschappen breng jou middageten poets onze paar vierkante meters kijk om me heen wat moet ik nog doen val op bed en slaap tot jij bent weer bij me.

Pas na lange tijd, ik ben dan al drie maanden zwanger van Kobi, ik begrijp niet iedereen doet het elke nacht tot aan de ochtend. Wat ben ik toch dom. Wat zoet is mijn domme hoofd.

Ach mijn God, ik vraag je wissel mijn hoofd nog één keer met het hoofd van die domme Simona, voordat de katjoesja neemt mij te grazen. Luister goed wat vraag ik voor even maar, laat me het hoofd hebben van dat meisje dat torst niets op haar schouders. Simona op haar achttiende, die hoeft geen zorgen mee te slepen, is niet bang voor nog meer zorgen die komen op haar af. Die staan op de schouders van de mensen als twee torens die klemmen het hoofd zo vast ze kunnen het niet meer draaien. Even maar, zet op mijn lichaam dat tolletjetolletjedraaiinhetrondhoofd van Simona die denkt iedereen, alle mensen zijn precies hetzelfde alleen ze houden zich in met geweld. Dat niemand ziet de reizen die maken ze de hele nacht door.

Wat heb ik lief aan jou? Dat lig je naast me, maak je eerst mijn vlecht los, heel langzaam. Doe je het te snel, maak ik een schrikbeweging dat jij denkt je doet me pijn, dat jij steekt je lucifer af in mijn oor en doet ksssjpsssj. Je vingers, dat zijn de voeten van vier dwergen die klimmen mijn ladder op. Op blote voeten van onder helemaal naar boven en je stem, net als op het schip, die vult me met lachen. Daarna ik draai me om naar jou en leg mijn handen te slapen onder je oksels, daar waar is de pluim nadat je haalt de bladeren van de maiskolf af, want dat is een gevoelige plek van jou waarvoor schaam ik me niet. En ik breng mijn handen naar mijn neus, wil weten wat voor geur heeft je zweet vandaag. Elke dag je hebt een nieuwe geur. Alleen al daarom, kom je thuis, zeg ik tegen je niet douchen. Ik ruik je werkdag op mijn handen en ik hoef niets te vragen, ik weet die dag je bent bang of je krijgt een goed woord of ze maken je boos op het werk of alles is in orde. Je vertelt mij niks. Vraag ik hoe is je dag, spuug je een 'goddank' uit, net of er zit een schilletje van een zonnepit tussen je tanden. Meer krijg ik niet uit jou.

Aj, Mas'oed, jouw geur is hier, ik zweer het, jouw geur. Niet de geur van de falafelolie, nee, de geur van Mas'oed van toen hij stuukt muren. Je bent terug bij mij! Ik doe mijn ogen niet open. Alleen mijn neus, die zoekt je op de lucht. Aj, Mas'oed, hoe moet ik met je praten? Zes jaar lang heb ik niet met je gepraat. Heb ik je niet gezien. Heb ik je alleen maar willen vergeten. Zes jaar lang ben ik boos op je geweest. Vannacht breek ik met dat booszijn. Meer nachten heb ik niet, Mas'oed. Hoe moet ik je vertellen van de dag dat ze jouw lichaam van mij wegnamen en je in de grond stopten? Hoe moet Simona bij jou komen, als ze haar lichaam hebben buitengesloten?

Alles van Mas'oed en Simi ligt daar, alle dingen waar de mensen niet over praten, en ik alleen zie ze. Ik grijp ze vast, wil ze bij me houden, maar jij bent sterker dan ik. Ze zijn allemaal in het gat gevallen. Niets is er hier gebleven. Zes jaar lang heb ik er niet één keer aan gedacht. Ze zijn meegegaan het graf in. Vannacht haal ik ze er allemaal uit, het een na het ander dat daarin is gevallen, trek ik eruit.

Weet je nog, Mas'oed, dat ik je wakker maakte om mij te helpen: 'Kom, leg Etti terug in haar wieg. Ze slaapt weer diep. Heeft twee slokjes genomen en haar ogen dichtgedaan.'

'Och och, wat een handjes, kijk toch naar die vingertjes,' zei je tegen mij, heel zacht om haar niet wakker te maken. 'Ze houdt ze open, zie je? Kent geen angst, dit kind, Simi, onthou wat ik je zeg.'

'Mas'oed, kom eens kijken, Kobi ligt daar als een blok te slapen, alsof hij zijn hoofd zo neerlegt en tot morgenvroeg niet meer beweegt.'

'Daarom is hij ook altijd zo sterk, 's morgens,' zeg je.

'En Mas'oed, zie Itzik en Doedi daar samen in bed. Met de rug dicht tegen elkaar aan. Laat ze slapen, kom, we doen de deur dicht.'

Mas'oed, geef me je hand. Laten we doen als altijd. Nee, niet je rechter, de andere. Hier, hier is je hand. Kom, maak je langste reis. Kom bij me, kom. Naar waar leven is. Voor even maar. Nog even, dan komt de katjoesja me halen, dan ben ik bij jou. Vannacht gaan wij samen op weg. Mijn hand op jouw hand. Zo gaan we. We laten het niet nog eens gebeuren dat een van ons wordt buitengesloten.

Ik doe mijn ogen niet open tot jij met mij mee naar huis komt. Je moet met me mee naar het huis waar we nu wonen. Hoe moet ik anders geloven dat je terug bent bij mij? Van de doden bij de levenden. Dat je over zes jaren heen springt, naar mijn tijd. Kom toch mee. Hier is de trap van onze flat, ga jij eerst. Maak de deur open, ga naar binnen. Zes jaar is een lange tijd, maar het is ook kort. Nu je bij me bent, is er niks meer van over. Alsof er niet meer dan een minuut voorbij is gegaan.

Welke deur je maar wilt. Alle twee de flats zijn van ons. Tweeënhalf jaar geleden hebben we de flat van de Elmakija's gekregen. Die wonen nu in Tiberias. Ze hebben een muur doorgebroken om van twee flats eentje te maken. Wie is er niet verhuisd tijdens de verkiezingen tweeënhalf jaar geleden? Amsalem, die zit nu in een rijtjeshuis, de Dahans en de Bitons maken ook van twee flats één, de Romano's van beneden, die hebben nu een flat in het nieuwe blok vlak bij de dokterspost. Iedereen met een beetje verstand is verhuisd of heeft zijn flat uitgebouwd. Wat is er? Wat is er nou? Waarom laat je de deur los? Waarom ga je niet naar binnen? Wat, ben je nog steeds boos over die verkiezingen?

Ik zal je vertellen hoe het zit. Hier, ik vertel het je al. Ze komen aan de deur en vragen het. En ik zeg in orde. Wat is er nou? Ik zeg alleen in orde, meer niet. Niemand die je bij de verkiezingen op de vingers kijkt. Niemand die ziet welke naam je erin steekt. Aj, Mas'oed. Wat wil je nou zeggen als je zo naar het plafond kijkt? Als je zo met je ogen rolt? Wat wil je nou, dat we in een tweekamerflat blijven omdat de ene vent en niet de andere uit mijn hand een briefje krijgt met zijn naam erop? Doe dat hoofd omlaag en kijk me aan, dan vertel ik je de waarheid: ik geef mijn stembriefje aan

degene die het verdient, zo is het maar net! MogeGodhun-
NaamenNagedachtenistotindeEeuwigheidUitwissen, allemaal. Wat kan het mij schelen wiens naam het vaakst in de
stembus gaat?

Eerst denk ik ik ga helemaal niet stemmen. Maar plotseling staan ze aan de deur, ze houden het portier van hun
auto voor me open alsof ik een koningin ben, drukken me
hun stembriefje in de hand. Ik ga mee zoals ik ben, ik heb
alleen mijn paspoort bij me, geen tas of niks. Ik ga het stem-
hokje in en denk bij mezelf ik ruil dat stembriefje om voor
wat jij zou hebben gewild. Ik sta daar te beven. Ik weet niet
wat ik aan moet met dat briefje van hen. Misschien vinden
ze het later en dan weten ze dat ik het verkeerde briefje erin
heb gestopt. Het is al niet nieuw meer, dat stembriefje. Er
staan afdrukken op van het zweet in mijn handen. Ik wed
dat ze het herkennen. Ik denk ook misschien staan ze buiten te wachten, de minuten te tellen dat ik binnen ben. Ik
stop snel hun briefje erin en klaar. Ik ga naar de auto en ze
brengen me terug, waarheen ik maar wil. Vier maanden na
de verkiezingen krijg ik een groot huis voor de kinderen.

Wat wil je nou? Ons het huis afpakken? Het weer klein
maken? Ze zeggen ook dat het niet vanwege de verkiezingen
is dat we het hebben gekregen, dat dat maar verzinsels zijn.
Ze zeggen dat we het krijgen omdat ze zoveel nieuwbouw
hebben, omdat iederéén kan doorschuiven. Dat ze het allemaal doen zodat ze bij Binnenlandse Zaken denken dat er
veel mensen in onze stad wonen en ze nog meer geld in
nieuwbouw moeten steken. Luister nou, zelfs Edri, en iedereen weet op wie híj stemt, zelfs hij heeft een grotere woning. Genoeg nu. Doe je hoofd omlaag. Maak de deur open,
maar doe zachtjes, maak ze niet wakker. Hoe moet ik ze
zeggen, als ze hun ogen opendoen, dat je alleen maar terug
bent voor deze ene nacht?

Itzik, die heeft een kamer voor zichzelf gemaakt van de oude keuken. Geen idee hoe hij dat bed van hem naar binnen heeft gekregen. Kobi en ik, wij krijgen het ervan op onze heupen, maar hij luistert niet naar ons. Hij duwt en trekt uit alle macht en sjort het naar binnen. Het past nog ook. Ik heb alleen geen ruimte meer om te dweilen, maar ja. Dat is zijn vogel, daar in de gootsteen. Een vrouwtje. Goddank slaapt ze nu. Ik ben er altijd bang voor en voor hem ben ik ook bang. Hij doet de hele dag niks anders dan naar haar kijken. Alsof het zijn vrouw is. Hij doet zijn mond alleen open tegen haar en Doedi. Hij is van school af, zwerft wat rond op straat. Nee, niet wat je voor hem zou willen, maar in elk geval steelt hij niet. Waarom blijf je nou bij Itzik staan, Mas'oed, wil je niet verder? Wat wil je van hem? Zo is hij nou een keer. Ik weet niet waarom hij daar zo ligt. Ik kan niet zien hoe hij ligt. Ik weet niet wat er in zijn hoofd omgaat. Zijn gezicht is de hele tijd als steen. Hoe vaak ik hierbinnen kom? Om je de waarheid te zeggen, ik ben één keer binnen geweest en weer hard weggerend vanwege de lucht. Dat is de waarheid. Eén keer, daarna niet meer. Het is al een jongeman nu. Weet niet hoe het kan dat ik hem niet heb zien opgroeien. Dat ik niet heb gezien dat hij zich al scheert. Hoe kan hij zich scheren, met die handen van hem? Ik weet niet waar ik mijn ogen al die tijd heb gelaten. Dat ik niet heb gezien dat mijn jongen groot wordt. Ja, oud genoeg voor de bar mitswa. Maar hoe geef ik hem een bar mitswa als hij geen papa heeft die met hem naar de rabbijn gaat, als ik nergens geld voor heb?

Ga jij maar vast verder, Mas'oed. Laat mij even hier met onze Itzik.

Wacht. Je kunt niet alleen verder. Wacht even. Hier is Doedi's kamer. Geen nacht blijft hij in zijn eigen bed tot 's morgens toe. Hij staat 's nachts altijd op, dan gaat hij naar het nieuwe huis, bij zijn broers en zus slapen in hun kamer. Kijk, daar. Hoe groot het huis nu ook is, ze slapen als sardientjes. Etti is al groot, zie je, daar in het andere bed. En Doedi ligt in het bed naast haar, zie je hem? En hier, hier zijn de kleintjes. Ik licht de deken wat op, dan kun je ze zien. Chaim en Osjri. Jouw tweeling, die jij in me achterliet toen je stierf. Ik heb ze naar jou vernoemd. Wat moet ik nu zeggen? *Mazzel tov*? Mazzel tov, meneer Dadon, vijfenhalf jaar geleden heb je twee zoons gekregen. Moet ik het zo zeggen? In plaats van de zuster in het ziekenhuis die je op de gang komt feliciteren?

Nee, je mag ze niet oppakken. Nee, Mas'oed. Ik wil niet hebben dat je je dodenhand op ze legt. De levenden en de doden, die gaan niet samen.

Hier, nu zijn ze toch wakker. Waarom ze opa zeggen? Omdat ze je zo kennen, als hun opa. Jaag ze geen angst aan, Mas'oed. Waar ga je heen? Naar onze kamer?

Dat is misschien ook maar beter. Rust maar even uit. Wacht. Wacht, niet alleen gaan.

Aj, waarom draai je je nou om, waarom loop je weg? Kijk dan toch! Ik heb geen nieuwe man. Kom, kijk naar hem, het is Kobi. Onze Kobi. Wat heb je nou? Herken je je oudste niet? Dat is Kobi die bij mij in bed slaapt. Ik heb geen andere man in huis gehaald. Het is jouw jongen die daar ligt te slapen. Vanaf de dag dat de tweeling geboren is, hand in hand met mij. Ik zeg je hij was nog geen veertien, maar hij was de hele nacht in touw om me met de kleintjes te helpen. Ik weet niet wat ik zonder Kobi had gemoeten. Etti slaapt als een roos. 's Morgens vindt ze het erg, dan zegt ze waarom maak je me niet wakker, zodat ik je kan helpen? Ik had alleen Kobi in de nachten van de tweeling: flesje geven, luiers verschonen, ze in bad doen, hij heeft me geen moment in de steek gelaten. Kijk toch naar hem: negentien, hij werkt, hij brengt zijn loon mee naar huis, een goeie jongen.

Waarom hij bij mij slaapt? Voor Osjri en Chaim, die denken dat hij hun vader is. Zodat ze een papa en een maman hebben, net als de andere kinderen. Papa en maman, samen in een slaapkamer.

Het is niet het eind van de wereld, kom nou.

Luister, Mas'oed. De wereld blijft niet stilstaan. Zo is het nu een keer. Jij, telkens als er iets nieuws binnenkomt sta je daar met die sterke benen van je midden in de kamer, met een gezicht dat helemaal bleek wegtrekt en je zegt: 'Zo is het genoeg, Simona. Je gaat te ver. Als dat gebeurt, vergaat de wereld.' En zie eens hoe de wereld gewoon verdergaat met draaien: jij ligt in je graf en daarna komen nog twee kinderen van je. Kan het duidelijker? Kijk nou naar me, ik lig 's nachts buiten midden tussen de katjoesja's. En wat gebeurt er? Denk je dat de wereld stil komt te staan vanwege Simona? Vergeet het.

Kijk naar Kobi, kijk eens goed, zie eens wat een knappe man je zoon nu is. Allang niet meer die jongen van de bar mitswa. Kijk naar hem en zeg dan zelf: moet ik naar andere mannen omkijken, terwijl ik thuis Kobi heb? Naar een nieuwe vader voor Chaim en Osjri? Zie zijn neus, zo fijn als die van een vrouw. En daaronder, zie je hoe krachtig de welving onder zijn neus is? Een bolling boven de mond, net als bij jou. En zijn mond? Net jouw mond, toen ik je voor het eerst op het schip zag. Een volle, rode mond, je zou bijna denken dat er lippenstift op zit. En altijd speelt er een lachje omheen. Die mond van hem, die lacht vanzelf. Een goeie jongen. Zelfs als hem iets op het hart drukt, zie je het niet aan hem af. Een krachtige kin, de oren klein en mooi als van een meisje. Dwaalt je blik over zijn gezicht van de ene trek naar de andere, dan denk je telkens iets anders: man. Vrouw. Man. Vrouw. Je raakt helemaal in de war van zijn gezicht. Maar zie je hem helemaal, dan …

Loop je nu al weg, Mas'oed? Dat is het? Je ziet Kobi in jouw bed en de wereld vergaat? Kom hier. Kom bij me liggen in het doel. Goed, ga dan niet het huis in. Het is te moeilijk voor je om het huis in te gaan dat je zes jaar geleden hebt verlaten. Maar ik heb je nog wel wat te zeggen. Toen Itzik uit me kwam, toen dacht je ook al de wereld vergaat. En dat was niet zo. Anderhalf uur lag ik daar met mijn benen open in de beugels. Alleen. Waarom alleen? Ik zal je zeggen waarom. Omdat iedereen met de baby wegrende zodra die naar buiten was gekomen. Ze hebben me niets gezegd. Alleen die zuster, die gaf een schreeuw toen ze geen vingers aan zijn handen zag en geen tenen aan zijn voeten, en iedereen kwam op haar schreeuw aanrennen. Pakten het kindje en lieten mij op mijn rug liggen, met mijn benen omhoog, hebben me niet gehecht of niks. Ze haalden de moederkoek uit me en weg waren ze. Weg, met het kind, ze hebben hem niet eens aan me laten zien. Al had ik een monster gekregen met drie koppen, hadden ze het niet zo van me af mogen pakken. Ik lag daar als een hond. Als een hond? Was ik een hond geweest, had ik met mijn tong zachtjes zijn kopje schoon gelikt, had er niemand naar me geschreeuwd. En jij, wat deed jij al die tijd dat ik daar lag? Jij bent bij je moeder gaan uithuilen. Dat was het. Het einde van de wereld volgens Mas'oed. Je hebt mij niet gevraagd hoe het daar met mij is gegaan. Nu zul je het horen. Het bloed bleef me bij de knieën staan toen ik daar zo lag. Ik had het ijskoud. Ik had iets te drinken nodig. Ik heb geroepen, gehuild. Niemand die me hoorde. Alleen de muren hoorden me nog, nadat ze weggerend waren met de baby.

Ik dacht ook de wereld vergaat. Ik dacht dat ik daar dood zou gaan. Met mijn benen wijd. Wie hoorde me uiteindelijk? De poetsvrouw van het ziekenhuis. Zij gaf me te drinken en is toen iemand gaan halen om me te hechten. Een halfjaar wilde je thuis met de sjabbat geen *kidoesj* zeggen. Je kon niet naar de jongen kijken en kidoesj zeggen. Ik trok hem hemdjes aan met lange mouwen, zodat zijn handen bedekt zouden zijn, zodat jij daar niet de hele tijd naar zou kijken. Niets hielp. Als je hem maar zag, wendde je je ogen af. Weer moest ik je bij de hand nemen en je laten zien de wereld is niet vergaan. En al heel snel werd ik zwanger van Doedi. Alleen voor jou haastte ik me om nog een kind op de wereld te zetten, dat je gezicht maar weer kleur zou krijgen. Nog geen jaar later geef ik je een gezond kind. Gelukkig, een jongen, geluk van God.

Elke keer dat jij naar je moeder rende, stierf ik van schaamte. Dan zei je tegen mij: 'Simi, ik ga even langs mama om te zien of ze hulp nodig heeft met het kippenhok.' Alsof jij de sterke was en zij jouw hulp nodig had. Maar ik wist dan heel goed Simona maakt het leven niet zo voor je dat je het goed hebt en daarom ren je naar je moeder. Een kwartier met de bus en je bent bij haar. Blijft daar een halve dag zitten. Eten, de krant lezen, drinken, slapen. Komt niet naar huis. Elke keer kon ik naar de mosjav, jullie daar zien zitten in haar keuken als twee tortelduiven met hun buik rond. En ik de hongerig rondstruinende kat die tussenbeide komt. Je keek me niet aan. Je pakte Kobi op of Etti of Itzik, wie ik ook had meegebracht. En je moeder. Zoals ze opstond om me een kop thee te geven en me de rug toekeerde. Haar mond liet niet los wat ze dacht, maar haar ogen! IJs. Ik zag de woorden wel die ze had willen zeggen, die daar achter haar tanden stonden te dringen net als de kinderen op de crèche achter het hek als er een tractor voorbijrijdt. 'Dat is mijn jongen die jij van mij hebt weggenomen, Simona. De honing die ik altijd op zijn tong heb gelegd, die moet jij hem nu op de tong doen! Je weet niet half hoe hij eruitzag, toen hij vandaag bij me aan kwam. Als een lijk zo bleek! En zie hem nu eens. Hij heeft weer kleur!' En als ze dan vijf minuten later met de thee terugkwam, kwam ze op een heel andere manier. Dan zeiden haar ogen tegen de mijne wat doe je eraan? Zo zijn mannen nou eenmaal, net kinderen. Zo gaat het in de wereld, binti. Neem die maar met veel geduld, dan komt alles goed.

En mijn schoonzussen, laat het Sjosjanna of Jaffa of Rachel zijn, maakt niet uit, ze zijn allemaal van hetzelfde laken een pak. Die kwamen binnen, gaven me een kus en kletsten tegen me over van alles en nog wat, wat een mooie jurk, Simona, waar heb je die gekocht? Wat een zoet joch, die Kobi. Wat is Etti toch groot geworden. Wat is ze toch mooi, dat we het boze oog maar niet over haar afroepen! Suikerzoet, hun woorden. Doen ze hun mond open, ontsnapt hun dat kromme lachje uit hun mondhoek dat helemaal naar hun ogen gaat, zodat die zeggen hou jij hem zo bij je? Zo? Wat heb je aan die schoonheid van je en aan je mooie jurken als je achter hem aan moet rennen helemaal naar hier? Dat heb ik allemaal betaald, keer op keer, om jou van je moeder terug te kopen.

Bij ons in de stad zagen ze daar niets van. Ik weet wel wat ze over me zeiden, zie toch eens hoe zij haar man bij zich houdt. Hoe ze hem om haar pink windt. En Sjoesjan zei altijd achter mijn rug, als ik naar de film ging Mas'oed Dadon? Als die een kies moet laten trekken, gaat ie nog eerst naar huis toestemming vragen aan zijn vrouw.

Mas'oed is weg. Hij komt, hij gaat. Hij gaat zonder hij laat me zijn gezicht zien. Steeds hij draait het weg van me. Niet één keer hij kijkt me aan. Hij ziet niet wat ben ik nu, na zes jaren. Vraagt niet hoe red ik het. Hij rent weg, alleen, terug naar zijn graf. En ik, komt de katjoesja niet, kan ik niet mee met hem. Genoeg. Ik heb niks, niet zijn rug, niet zijn hand, en nu, zijn geur is nu ook weg.

7

Kan ik het, haal ik het net van de stangen, dan ik sla dat om mijn schouders. Maar hoe krijg ik het net naar onder? Ik heb niks bij me waarmee kan ik het los snijden. Alleen de tas van Onze Simona, die hou ik al zes jaar dicht. Misschien zit een nagelschaartje erin? Wat heeft Onze Simona in haar tas?

Ik kan de tas niet openmaken. Nog niet.

Ik steek mijn hoofd weer in mijn jurk. Ik geef mezelf aan de slaap, dat die mij maar meeneemt.

Ik kom op de begraafplaats en zoek naar het graf van Mas'oed. Ik kan het niet vinden. Er is geen graf van Mas'oed. Waar is zijn graf, daar is grond met zes hoge distels. Hoe kan dat? Ik leg mijn hand op de grond op zijn plaats. Die is vast, ze moeten de aarde nog loswerken. Mijn nagels zijn rood tussen de distels. Aan de andere kant van de begraafplaats ik hoor onze rabbijn psalmen oplezen. Waarom zie ik het niet eerder? Dat daar is nog een *levaja*. Ik voel snel op mijn hoofd heb ik mijn hoofddoek op? Mijn vinger stuit op een haarspeld. Ik snap het niet. Waarom heb ik nu op mijn hoofd mijn haar in het kapsel van Kobi's bar mitswa? Ik hef mijn hoofd wiens begrafenis is dat? Dat is niet de rabbijn. Het is maar een bij die maakt het geluid van bidden.

Ik sta midden in de stad. Met mijn mooie haar en mijn gele klokrok en mijn zwarte bloes met gele kraag ik ga in

Mas'oeds falafelkraam. Hij draait me de rug toe. Ik zeg tegen hem gauw, Mas'oed, laat alles voor wat het is en kom gauw met me mee! Hij geeft geen antwoord. Ik hoor iemand lachen achter mij. Het is de stem van zijn vader die zegt tegen me Simona hey Simona mona van Dimona, wat zegt Simona dan vandaag? Net als hij zegt toen hij leeft nog. Ik draai me om en zie hem zitten op de hoge kist waar zit Etti vroeger, waar helpt ze Mas'oed. Als een kind hij speelt met de kassa en zegt kijk eens wat ik kan, Simona kijk eens. Hij drukt op de knop die klingelt en de kassalade schuift vanzelf open en hij lacht, schuift 'm weer dicht met een klap, drukt nog een keer op de knop. Ik draai me naar Mas'oed. Ik ga naar hem toe en hij blijft sla snijden met de rug naar me toe. Ik zeg kom nou met mij mee naar huis, laat alles staan, en hij wijst met het mes naar de grote schaal. *Bechajat* Simona, zie 'ns hoeveel kikkererwten ik vandaag heb gemaald, daar ligt wel duizend lirot aan hummus. Je laat toch geen duizend lirot liggen. Hoor je al die mensen niet die hun huis uit komen om Rav Kahane te horen? Hoor je het niet omroepen? Dadelijk komt Rav Kahane. Dat is toch jammer van al dat geld? Vanavond breng ik de helft mee naar huis van wat ik met Onafhankelijkheidsdag verdien. Ik zeur ik heb honger, Mas'oed, maak wat balletjes voor me. En hij kijkt zijn vader aan, zo van geen idee wat die vandaag heeft, haar hele leven raakt ze mijn falafel niet aan of komt ze hierheen. Zijn stem klinkt als iemand die wint net tien miljoen in de loterij, maar gelooft het niet helemaal, alleen maar een beetje. Net een klein meisje ik zeg ik wil falafel. Hij zegt een minuutje, dan maak ik wat voor je. Hoeveel wil je er, Simi? Vier? Hij is zo gelukkig hij danst zowat en zijn handen, die maken balletjes snel-snel en zo mooi. Ik zeg veel ik wil er heel veel en nog hij kijkt me niet aan en ik zeg ik wil alles, dat je ze allemaal voor mij alleen maakt. Ik kijk naar de hummus, weet niet hoe eet ik dat allemaal op. Ik zeg en komt er iemand naar de kraam, zeg dat je gesloten bent en ik eet alles op en kom dan mee naar huis, gauw, we hebben geen tijd. En zijn vader roept me Simona, kom het geld eens zien. Kijk eens wat een nette stapeltjes ik ervan heb gemaakt. Allemaal voor jou. De honderdjes op de honderdjes de vijftigjes op de vijftigjes de tientjes op de tientjes en de lira's op de lira's.

Ik wil niet naar hem kijken, hij is dood door een hartaanval nog voor we openen de falafelkraam en alleen Mas'oed leeft nu. Mas'oed draait alle twee zijn handen vol balletjes, aan elke vinger er steekt een falafelballetje. Ik stort me op zijn vingers, eet de falafel ervanaf. Die brandt in mijn mond ze zijn zo heet. Ik eet ze allemaal op en wil meer maar hij maakt geen meer kijkt me alleen aan met ogen die bewegen niet net of ze zitten vast en alleen zijn mond, die beweegt laat het je smaken Simi, eet zoveel je wilt. Eet maar. Dan hij slaat zijn ogen neer, kijkt naar de vloer. Zijn stem, die is nu als van iemand die ziet al het geld van de loterij is niet goed meer, zuur, net melk die staat te lang. Ik kom vandaag niet naar huis, Simona. Als ik klaar ben met de hummus, ga ik met mijn vader mee. Ik ga, Simi, ik ga, zeg ik je.

Ik sla hem sla ook op zijn hoofd hak op hem in duizend keer dadelijk ik gooi hem nog op het fornuis met de pan gloeiend hete olie. Hij protesteert niet, slaat mij niet terug. Hij zet zich alleen schrap dat hij valt niet maar van al dat slaan hij wordt kleiner en kleiner, zo klein als een kind. Komt hij nog maar tot mijn heupen, pak ik hem op als een kind, de ene hand onder de knieën en de andere om de rug hij is zo zwaar zijn gewicht wordt niet minder ik maak hem alleen maar klein. Met heel mijn lichaam ik stop meer kracht in mijn armen en zijn voeten komen los van de grond ik sta rechtop en draai me om wil naar buiten met hem in mijn armen. Wil hem meenemen naar huis, laat hem niet meegaan met zijn vader. De lucht van zijn kleren met de olie en de koriander, die wordt mijn dood nog en wat doe ik? Ik stop mijn neus nog dieper weg in zijn hemd zie niet waar loop ik ga in de richting waar is de deur. Denk het lukt ik krijg hem naar buiten, maar zijn vader die grijpt me met al zijn kracht beet bij de deur trekt hem uit mijn armen en de hele tijd hij lacht hey Simona mona van Di- mona, wat zegt Simona dan vandaag? Hij pakt mijn hand vast, stevig. Zijn lachen, dat is voorbij. Kom kom neem al je geld wij hebben het niet nodig wat moeten we daar met geld? Neem maar toe waarom niet? Niet te verlegen Simona. Kom dan maken we samen de kassa open. Hij drukt met mijn vinger op de knop die maakt de kassalade open maar die gaat niet open rinkelt alleen de hele tijd gaat niet open rinkelt alleen.

Ik doe mijn ogen open en begrijp het is allemaal een droom. Het wordt al licht. Mijn mond is droog. Het gras van het voetbalveld, dat zit vol druppeltjes water, alsof het luistert naar me de hele nacht en huilt om me. Ik draai me op mijn buik, lik de druppels van het gras. Het water dat brengt de nacht, dat is het zuiverste water dat bestaat. Ik ga zitten, pak mijn tas, maak die open. De geur daarin, dat is de geur van Onze Simona, de geur van parfum en poeder. Ik zie ze daar zitten en mij aankijken, allemaal. De ronde borstel, het make-updoosje dat verdroogt daar al zes jaren, de spiegel die vergroot, het pincet, het potje nagellak en het flesje par- fum, en de witte hoofddoek voor het bar mitswafeest in een plastic zakje. En nieuwe pantykousen voor het geval ik krijg een ladder midden op het feest. Mijn hand graaft dieper, wat zit daar onderin? Geen idee. Ik haal het eruit en zie het is een servet van de bar mitswa om een mes heen dat neem ik mee als aandenken.

Daar is het ritsvakje, ik haal het luciferdoosje eruit dat stop ik lang geleden erin, schuif het open en zie de ring die geeft Mas'oed me op de bruiloft, ligt daar in watjes alsof hij is ziek en staat nooit meer op. Ik doe hem niet om mijn vinger, ik doe hem in mijn mond, hou hem vast met mijn tanden. Ik doe de tas dicht, wil opstaan, kan mijn benen niet bewegen. Met alle twee mijn handen ik pak de doelpaal beet, trek me op met al mijn kracht, zet mijn benen recht onder me, die slapen van al die tijd op de grond.

De zon komt op achter de heuvel van de begraafplaats. De bomen van de begraafplaats, die nemen de helft van de zon van mij weg. De andere helft die rolt tot aan mijn voeten, net een loper. Nog geen kwartier, van het voetbalveld naar zijn graf. Vandaag ik hou geen gedenkdag voor hem. Ik hou geen gedenkdag, net als de andere jaren. Ik ga in mijn eentje daarheen, graaf een gat in de grond naast zijn graf, leg zijn ring erin dat die ligt naast hem, maak het gat weer dicht, dat de aarde ons scheidt.

Ik wil de doelpaal loslaten maar ik kan hem niet loslaten. Hou ik de doelpaal met alle twee mijn handen vast, komt me het beeld voor ogen van de dag van de eerste stap. Die dag, die vergeten we op de crèche nooit meer, al onze kruipende kleintjes geven ons het mooiste geschenk, dat wij mogen zien ze lopen voor het allereerst. Wat een dag! Wie loopt die dag niet? Ik zie Sjlomi nog voor me, die begint, twee stappen, grijpt zich vast aan de tafel, pakt een stukje banaan van het bord of het is niks, hij loopt al honderd jaar. En na Sjlomi Siva, die kruipt al die tijd met haar knieën van de vloer, en ineens ze komt langzaam overeind en staat daar midden in de kamer, benen ver uit elkaar, wiebelt een beetje naar voren en naar achteren tot ze valt. Na nog twee

keer ze leert ze moet haar benen wat dichter bij elkaar houden, neemt de eerste stap en valt op haar bips. Ze is al groot
genoeg om te lopen, al een jaar en vijf maanden. En na Siva
de anderen beginnen ook en wij lachen en lachen. We vergeten we moeten ze naar bed brengen, we vergeten we moeten poetsen, we vergeten alles. Wat doen we wel? We pakken
ze op, drukken dikke kussen over hun hele gezicht en op
hun voetjes en zetten ze terug in het midden van de kamer,
dat ze kunnen maar lopen. En wie staat daar op en gaat aan
de gang? Avi! Avi, met zijn tien maanden. Hij staat aan de
kant en kijkt het allemaal aan, houdt zich vast aan een stoel,
wiegt zichzelf, maakt blije geluidjes. Even ik heb het oog
niet op hem, even ik kijk naar mijn gezicht in de spiegel, en
plotseling ik zie hem daar in de spiegel hij neemt een stap
en schrikt van zichzelf en valt op zijn snoet en begint te
huilen. Een halfuur daarna al hij loopt net als de groten. Avi
die loopt en wij denken het is een godswonder. Zo klein en
al lopen? Komen de moeders ze ophalen, geloven ze ons
niet. In de hele crèche je hoort alleen nog maar kom dan,
kom naar mij, net zo lang tot ze zien we verzinnen het niet
en ze lachen met ons mee.

Ik laat de doelpaal los en loop met de trouwring in mijn
mond, en de adem, ik haal die door mijn neus. De geur die
brengt de lucht mee, dat is de geur van een nieuwe morgen,
die geeft mijn benen kracht.
   Vlak bij de begraafplaats ik hou me in, ik wil niet rennen.
Ik wil mijn ring niet daar hebben, ik wil er geen graf voor
maken en er sjiva voor zitten en er heel mijn leven gedenk-
dagen voor houden.
   Ik ga op de grond zitten, haal het mes van de bar mitswa
erbij en graaf een klein gat, doe mijn mond open, zie de
ring in het gat vallen en dek hem toe met aarde.

Ik sta op, wil verder naar de begraafplaats. Na vijf, zes passen ik draai me om. Ik zie nog waar ligt hij. Ik loop nog wat verder, draai me om, met de zon in mijn rug, ik zoek misschien hij ligt hier, misschien daar. Ik denk ik weet waar. Ja, ik weet het bijna zeker.

Nog een stuk, ik kijk om. De zon, die schijnt in mijn ogen, ik zie geen meter ver. De ring is weg. Zelfs wil ik terug, weet ik zijn plek niet meer.

Draai ik me om, wil ik gaan, hoor ik stemmen van de begraafplaats komen. Mijn kinderen. Wie is dat? Etti? En dat? Itzik of Doedi? Of misschien Kobi? Nu het klinkt net of Chaim en Osjri praten daar, hoe kan dat? Het is vijf uur 's morgens, halfzes hooguit. De auto die laat ze uit de schuilkelders, die komt nog niet langs. Wie verwacht dat nou? Wie verwacht nou ze staan zo vroeg op en houden een gedenkdag voor hun papa?

DOEDI EN ITZIK DADON

Doedi en Itzik

'Geef hier! Geef hier! Zoals jij 'r vasthoudt, maak je 'r nog dood! Geef 'r hier, zeg ik je, kijk wat je gedaan hebt, nog even in jouw handen en 'r vleugel was gebroken. Ze is fijntjes, dat meisje, fijntjes, snap je wat ik bedoel?'

'Maar Itzik, je zei dat ze sterk was, de sterkste van allemaal. Zie je wel, je verdraait de boel weer. Altijd verdraai je de boel.'

'Tuurlijk is ze sterk, maar ze is ook fijntjes. Je moet voorzichtig zijn met 'r! Met haar moet je eerst nadenken en dan pas doen. Toen we 'r naar onder haalden, toen hebben we toch ook eerst bekeken hoe we dat gingen aanpakken? Zo doe je dat dus, net als we naar d'r gekeken hebben vanaf alle verdiepingen en vanaf 't dak. Snap je wat ik bedoel?'

'Kijk uit, dalijk schijt ze op je hand!'

'Laat 'r schijten. Mij kan 't niet schelen, zelfs 'r schijt is mooi. Alles aan 'r is mooi, niks smerigs aan, net 'n koningin, die, de koningin van alle vogels. Zeg es, heb je 'r wel es zien piesen?'

'Die? Die piest niet.'

'Hoe weet jij dat nou?'

'Omdat ik 'r de hele tijd in de gaten hou. Alleen maar witte schijt. Geef 'r nog even aan mij. Als jij denkt dat ik nog es wat aan jou afgeef, dan heb je 't goed mis. Je hebt beloofd dat we samsam zouden doen met 'r.'

'Dan pak 'r. Maar wel voorzichtig, oké? Kijk hoe ze op mijn hand zit, kijk, ik geef 'r de hele hand, ik doe 'm niet dicht omdat ik bang ben.'

''t Lukt niet. Ik kan 'r zo niet op de hand hebben. Pak jij 'r maar, Itzik, jouw handen, die zijn gemaakt voor d'r, ik zweer 't je. Omdat jij geen gevoel in die hand hebt, daarom kun je 'm zo open aan 'r geven. Ik zie de gaten die ze 'rin pikt met 'r snavel, en jij, of 't niks is, je geeft geen kik, je lacht alleen maar, of 't kusjes zijn.'

'Oké, oké, geef 'r maar aan mij. Jij moet van die hand-schoenen aandoen net als die achterlijken die ze de distels uit de grond laten trekken voor de bomenaanplant. Die regelen we nog wel. Pak es wat vlees voor d'r, 'n beetje maar, zodat ze niet went aan veel tegelijk. De rest hebben we straks nog nodig voor de training. Snij 't klein voor d'r. Niet vergeten, die eet of 't 'n koningin is, altijd met kleine hapjes. Nou moet ik bedenken hoe we 't gaan doen. Ik moet 'n leren koord hebben om 'r poot vast te binden.'

'Zijn schoenveters dan niet goed genoeg voor d'r? Ik denk we knopen 'n paar veters aan mekaar. Ik heb 'r 'n paar bij.'

'Toch geen schoenveters! Zij daar, da's 'n koningin, Doedi, je bindt 'n koningin toch niet vast met 'n schoenveter. Die snijdt in 'r pootjes. Ze is sterk, da's waar, maar ook fijntjes. Ik ga voor d'r zorgen, d'r met m'n leven beschermen. Niks in de wereld dat ik niet voor d'r doe! Wat we in die film hebben gezien? *Kes*? Alles wat ze nodig heeft, ze krijgt 't gelijk. Die wil van 'r leven niet weg uit 't paleis dat ik voor d'r maak. Snap je wat ik bedoel? Waarom kijk je nou zo?'

'Ik kijk niet zo, ik ga dood van de pijn, ik wed dat ik mijn teen gebroken heb toen ik die smak maakte.'

'Wat nou smak, je viel toch niet hard.'

'Niet met haar, maar toen ik met dat vogelboek naar on-der kwam. Ik dacht ik hoor jou fluiten en ik ben gauw in de bosjes gesprongen, heb nog niet gekeken waar ik met m'n voeten neerkwam. Ik was bang dat ik 't boek zou laten val-len, dus ik heb 't uit m'n mond gepakt, maar wist ik veel dat die klotestang daaronder in de grond op me lag te wachten.'

'Oké, oké, kom zitten. Rust even uit, maar niet gaan janken. Rust even uit, want je moet nog één keertje naar boven, 'n kleinigheidje.'

'Nóg 'n keer naar boven? Je zei dat we klaar waren! Zie je wel dat je de hele tijd de hele boel verdraait? Eerst zeg je: We gaan alleen haar pakken. Dan zeg je: Alleen nog dat boek, zodat we zeker weten of 't 'n meisje is. En nou zeg je: Nog 'n kleinigheidje. Dat zei je ook van dat boek, 'n kleinigheidje, en moet je m'n teen nou zien, net 'n worstje. En die nagel, ik ga dood van de pijn.'

'Ik zweer 't, dan is 't klaar. Alleen dit nog. Zodat we 'r vast kunnen houden. Verdomme, Doedi, hoe moeten we 'r trainen zonder koord? Meer hebben we niet nodig, alleen nog 'n leren koord.'

'We zijn net overgestoken. Waarom gaan we nou tien meter verderop weer naar de andere kant? Om Mordi? Alleen zodat jij niemand geen sjalom hoeft te zeggen? Doet 't nou ook al pijn als je iemand sjalom moet zeggen? Dalijk denkt ie nog dat we iets tegen 'm hebben, zegt ie 't tegen Kobi.'

'Nou en? Moet je jou horen. Hij is je vader niet.'

'Kobi wordt laaiend. En Chaim en Osjri, die denken …'

'Schei uit over die twee, dat zijn nog baby's. Die komen 'r nog wel achter wie Kobi is, geloof mij maar.'

'Itzik, doe nou es niet zo dwars over Kobi! Die wordt hartstikke laaiend en dan geeft ie ons geen geld meer voor de film. En ik, ik kan niet zonder de film.'

'Oké, oké, 'tissalgoed. Kijk haar nou, net of ze alles hoort wat we zeggen. Kijkt ze niet net of ze elk woord verstaat? Ze snapt 't allemaal, wat 'r geweest is, wat 'r nog komt, en ze geeft 'r niks om. Zoals ze m'n vinger grijpt met 'r klauw, ik smelt gewoon. Ze is sterk, maar ook fijntjes. Zeg es, denk je dat ze weet dat ze alleen van ons is? Wacht. Waar ga je heen? Je moet die kant op.'

'Nee, nee, Itzik, niet nog 'n keer 't huis van de soso's in. Ik zei toch dat ik daar nooit meer naar binnen zou gaan, van m'n leven niet, dat heb ik bij papa gezworen!'

'Wat mankeert jou, Doedi? Ik begrijp niks van jou. Wil je 'r nou of wil je 'r niet! Hoe moeten we 'r trainen zonder leren koord? Genoeg, doe nou eerst es rustig, waarom maak je je zo druk? Ik heb 't al van alle kanten bekeken. Op maandag zijn alle sociaalsoldates in 't gemeenschapshuis, geven ze die cursus waar oma heen gaat, die alfabetiseringscursus.'

'Hoe weet jij nou waar oma heen gaat? Die hebben we in geen eeuwen gezien.'

'Vorige week zag ik 'r daar naar binnen gaan met de andere oudjes. Begint om vier uur. Dus je hoeft nergens bang voor te zijn. En ik wil niet meer horen dat je bij papa zweert, Doedi. Wij, Doedi, wij hebben geen vader. Gesnopen? Je zweert niet bij wat je geeneens hebt. Snap je wat ik bedoel?'

'En als 'r nou es eentje d'reigen niet lekker voelt en thuisblijft? Daar heb je niet aan gedacht, hè? Of als ze gewoon 'n keer geen zin heeft in dat alfabetiseringsgedoe en zégt dat ze ziek is? Je komt zelf maar mee, dan kloppen we aan en zien we of 'r echt niemand is. Anders ga ik daar niet naar binnen. Hoe kom je 'r trouwens bij dat die 'n leren koord hebben?'

'Geloof me, dat hebben ze.'

''n Leren koord?'

'Ben je die sandalen vergeten? Die van die lange? Die staat 's morgens al om zes uur op om de kruisen tot aan 'r knie te binden.'

'Allicht ken ik 'r. 'n Vriendin van Liat. Sjoelamiet heet ze.'

'Die d'r sandalen, die moeten we hebben. Als we daar de leren veters van aan mekaar knopen, dan hebben we 'n superkoord. En zij doet ze toch niet aan. Niet sinds ze 'r zo uitgelachen hebben.'

'Eerlijk, ze zag 'rmee uit als zo'n rollade in de s'hina voor sjabbat.'

'Nou, die moet je voor me halen, da's met 'n minuutje gedaan.'

'Dan breng ik in elk geval 'r boek terug, Itzik, ik scheur onze twee bladzijden 'r wel uit en dan zet ik 't terug op de plank net of 'r niks gebeurd is.'

'Wat mankeert jou toch, Doedi? Echt, ik snap jou niet!'

'Maar je zei dat we 't terug zouden geven! Zie je nou, hoe je alles verdraait? Je zei: We zoeken de valken op en dan geven we 't terug. Je hebt gezworen dat we 't niet zouden pikken!'

'Hé, heb je kortsluiting in die bovenkamer van je? Als we 't nou terugleggen, dan weten ze gelijk wie 't gedaan heeft! Vergeet dat boek nou even. Op 'n dag, als ze wat anders aan 'r kop hebben, dan geven we 't terug. We nemen 't mee naar school, dan is 't net of hun 't hebben gedaan, of hun 't 'r hebben laten liggen. En neem nog wat vlees mee. Ze heeft weer honger. Hoor d'r schreeuwen! Wacht, ik denk net: die hebben 't rolluik gerepareerd nadat 'r radio kwijt was geraakt. Je kunt 'r langs die kant niet in, snap je?'

'Als Liat 'r is, besterf ik 't, Itzik! Ik besterf 't als ze mij aankijkt met die ogen van 'r. Dat overleef ik niet. Die gaat nog huilen als ze mij betrapt. Nooit van 'r leven zou ze 'r mond opendoen, maar die ogen, da's 't ergste. 't Allerergste, als ze me zo in de ogen kijkt. Dat wordt m'n dood, die d'r ogen.'

'Begin je nou weer? Wanneer snap je nou es dat ze jou aan het lijntje houdt? Liat 's morgens, Liat 's middags, Liat bij 't volksdansen, Liat bij de film, Liat op school, Liat in 't gemeenschapshuis en Liat 's nachts in bed in je dromen. Zo'n Indiase zwijmelfilm, dat heb je van 'r gemaakt. De hele dag jaag je op 'n halve lach van 'r, en je hebt 'r kamer geeneens vanbinnen gezien, ze sloeg de deur voor je neus dicht. Ik zweer 't je, Doedi, mij zul je van z'n leven niet zo achter iemand aan zien lopen. Snap je wat ik bedoel? En straks is ze uit dienst, dan gaat ze terug naar waar ze vandaan komt en dan zal jij 'r 'n zorg zijn.'

'Waarom moet je nou alles kapotmaken? Alleen omdat jij de mensen niet moet, daarom moet ik 'r ook maar bij uit de buurt blijven? Wat dondert 't jou of ik 's nachts van 'r droom? Gaat jou dat wat aan? En jij praat over die lach van 'r? Misschien heeft ze wel 'n lach waar Itzik niks vanaf weet, hè? Misschien geeft ze jou 'n halve lach, maar ik, ik krijg 'r hele gezicht als ze naar me lacht. Van zo dichtbij kijkt ze me in de ogen als ze lacht. En nou moet je es goed naar me luisteren. Ik ga hun huis niet in. Ik zeg je, ik ga 'r niet naar binnen, alleen nog door de deur, alleen als hun opendoen.'

'Je gaat daar niet meer naar binnen, hè?'

'Ik ga daar niet meer naar binnen!'

'Doedi, weet je wat jouw probleem is? Jouw probleem is, jij gaat altijd achter trekvogels aan. Ik meen het, ik snap niet wat je 'rmee moet. Die vrijwilligsters net zo. Na 'n half jaar gaan hun weer naar Amerika, en jij ziet ze van je leven niet meer terug. Zeg nou niet dat je 'rvan droomt dat zo'n vrijwilligster op de "Ik hou van jou, David"-toer gaat en jou meeneemt in 't vliegtuig. Jij, Doedi, jij ziet Amerika van je leven niet met je eigen ogen. Luister naar me. Hooguit, hooguit die foto met jou ergens op de achtergrond als hun gitaarspelen, dat is 't enige van jou dat naar Amerika vliegt. Geloof me, hooguit jouw foto. En wat moet je met die soso's, die niks liever willen als hier wegwezen? Al sla je me dood, ik snap jou niet. Vrijdags op school zitten ze van 's morgens vroeg af met hun ogen zowat aan de klok gelijmd de minuten te tellen. En als je ze in de stad treft, Doedi, dan lopen ze langs je heen of je lucht bent.'

'Ophouden, Itzik, genoeg!'

'Ik ben nog niet klaar. Luister naar je broer. Zelfs de meiden die voor twee jaar naar hier komen, twee jaar hooguit, wat heb je daaraan? Alleen omdat ze geen geld meer hebben voor de stad, alleen omdat je hier toekomt met nietalteveel, alleen daarom zijn ze naar hier gekomen. Kijken je aan of ze niet snappen wat ze hier komen zoeken. Komen hun blinkend schoon uit het *mikwa*, vergist de lieve God z'neigen en gooit ze zo op de vuilnishoop. Die tellen elke dag hoeveel ze hier verdiend hebben, hoe lang ze nog hier moeten blijven voor ze weer naar dc stad kunnen vliegen. De een vliegt 'rvandoor, de ander vliegt 'rvandoor en de derde, die vliegt 'r ook van- door. Luister nou naar je broer. Hun lachen zich rot om die achterlijke Doedi, dat ie denkt dat ie hier weg kan vliegen. Die snapt niet dat ie op z'n allerhoogst 'n haantje is. Op z'n allerhoogst fladdert ie 'n meter of twee de tuin in. Doedi, denk 'rom: ik geloof 'r niet in, in mensen die komen en gaan. Ik geef ze m'n hart niet op een blaadje, zodat hun 'r maar mee kunnen doen wat ze willen. Ze komen, zijn 'r 'n tijdje, gaan: niet mijn probleem. Ik ben ze al vergeten voor ze geko- men zijn. Je hebt niemand, niemand, helemaal niemand in deze wereld. Alleen je familie. Snap je wat ik bedoel?'

'Wat nou familie? Ik zeg: Papa, jij zegt: We hebben geen papa. Ik zeg: Kobi, en jij doet of 'n hond je gebeten heeft.'

'Hou op over Kobi, ik heb je al duizend keer gezegd: Kobi denkt alleen aan z'neigen, al duizend keer.'

'Hou op! Je maakt gehakt van m'n hart, dat doe je, met je gezwam. Dit is de laatste keer dat ik daar naar binnen ga, bij God, maar niet nou gelijk. Ik ga dood van de honger. Ik kan daar niet naar boven als ik honger heb.'

'Waarom haal je daar niet wat te eten? Ga daar gewoon de keuken in, je hebt tijd genoeg, ik hou de wacht wel achter Cohen z'n winkel. Eet even wat, maar haal die sandalen. Zeven, acht minuten, dan sta je weer buiten, heb je gegeten en al.'

'Waar moet ik wat te eten halen? Bij de soso's? Je maakt 'n geintje! Je kunt zo zien dat jij nooit bij hun thuis geweest bent. Niks hebben ze daar, helemaal niks. Die keuken van hun, die is hartstikke leeg. 't Ruikt 'r geeneens naar eten. Naar de zwarte schimmel die ze van de winter hebben gehad, daar ruikt 't naar. Zelfs nou ze de muren gewit hebben voor Pesach ruikt 't 'r nog naar. Wat hun de hele dag eten, geloof me Itzik, ik weet 't niet.'

'De moeilijkheid is dat Cohen ons niks meer op de pof geeft. Had Kobi 'm betaald, hadden wij 'r iets kunnen halen. Je ruikt z'n brood tot hier. Oké, dan gaan we naar huis, pakken daar wat te eten. Ik krijg 'r al honger van als ik 'raan denk dat die soso's de hele dag vasten. Dan halen we daarna de sandalen, we hebben tot zeven uur, dan is hun cursus afgelopen. We eten wat en we laten haar in de keukenkast. Heb je gaten in de kast gemaakt? Als je die toch niet gemaakt hebt, Doedi.'

'Heb ik wel. Vijf gaten.'

'Dan hoeven we ons geen zorgen om 'r te maken. We laten 'r in de kast, zetten de deur vast met 'n spijker, maar om zes uur moeten we weer hier zijn, voor 't donker wordt. Dat moest 'r nog es bijkomen, dat je daarboven 'n lamp aandoet.'

Doedi

Zonder Itzik had ik 'r nooit aan gedacht om huizen in te klimmen. Als Itzik niet van die handen en voeten had gehad, had ie 't wel zelf gedaan, denk ik. Maar da's Itzik, mijn grote broer, al zijn we net 'n tweeling. Kijk ons maar es in 't gezicht als ie z'n muts afdoet, dan kun je niet zeggen wie Itzik is en wie Doedi, alleen aan z'n handen en z'n voeten, God beware ons. Maar wat doe je 'raan? Zo is ie bij mama uit de buik gekomen. Itzik zegt hoe ik daarboven kom, zonder hem ben ik niks.

Honderd keer klim ik tegen huizen op, tegen rotsen, tegen hekken, en ik doe 't net als Itzik zegt, maar kom ik ergens nieuw, zou ik niet weten hoe je 'rtegenop moest komen. Gewoon, omdat hij de muren kan lezen en ik niet.

Hij bekijkt 'n flat van onder tot boven en verdiept z'neigen helemaal in wat 'r op die muur geschreven staat. Ik weet niet wat ie daar ziet, ik snap niet waarom niet recht tegen de muur op en klaar. Hij zegt niks. Ik loop wat rond, schop wat steentjes weg, haal m'n hand door m'n haar, loop de hoek om om te plassen, kom weer terug en hij ligt al op de grond, op z'n rug als 'n bakkerstor. Steekt z'n mismaakte handen en voeten in de lucht en doet of ie 'r zelf tegenop klimt, zonder dat ie van z'n plek komt. Hoe zou ie dat ook moeten. Beweegt alleen z'n armen en z'n benen net of ie klimt. Steeds kijken z'n ogen 'n stukje hoger en hij zet z'n handen en voeten percies op de goede plek, doet op de grond wat ik over 'n minuut of twee op de muur doe.

Daarna begint ie: 'Zie je die tralies voor Chazans raam? Daar zet je je rechtervoet tussen. Je klimt tegen de tralies op tot je boven aan z'n raam bent, maar pas op dat je je voet niet te ver d'rtussen zet, dat je schoen niet nog es blijft steken. Dan pak je met twee handen de goot 'rboven en je trekt je op tot je je linkervoet op de nieuwe kap van Edri z'n wasbalkon krijgt. Wel voorzichtig, hè, dat plastic is glad. En denk 'rom, nou zet je niet je andere voet op de kap, Doedi. Je houdt je vast aan de pijp, je hijst je nog hoger op en je werkt je rechterbeen over de betonrand en van daaraf is 't 'n eitje. Daar zitten de raampjes waar de vogels hun nesten bouwen, je zet je linkervoet in 't onderste raam, je grijpt 't volgende beet, dan zet je je andere voet 'rbij, je houdt je met twee handen vast en zo klim je net of 't 'n ladder is naar boven tot je bij de muurankers van de waslijnen van de soso's kunt. Daar klim je overheen, 't ene been na 't andere, en dan sta je al op hun balkon.'

Hij is nog niet klaar met praten of ik ga al tegen de muur omhoog net zoals ie gezegd heeft en wonder boven wonder heb ik Sjoelamiet 'r sandalen gelijk gevonden, in een hoek van 'r wasbalkon. Ik geef Itzik met twee vingers het teken en hij zegt met z'n lippen: 'God is groot!' Ik ga nog snel naar Liat 'r kamer, zie dat die op slot zit. Wat heb ik daar verder nog te zoeken? Itzik geeft me 't teken dat de kust veilig is, ik gooi de sandalen naar beneden, grijp de pijp en laat me 'rlangs afglijden.

Toen ik negen was, moest ik voor 't eerst iets voor 'm halen. Eerst vloog ik ergens tegenop en viel weer naar beneden, de hele wereld draaide dan om me heen en 't werd me zwart voor m'n ogen. Als ik viel en 'n opdonder kreeg, een keer brak ik zowat m'n arm, dan vertrok Itzik geen spier. Ik heb gehuild, gejankt van de pijn, maar hij, hij bleef ijskoud.

Niet dat ie me niet wou helpen. Hij kwam aanrennen, wou me helpen zo goed ie kon, maar die handen van 'm, die laten alles vallen. Als ik was uitgejankt, zei ie: 'Weet je wat jouw probleem is, Doedi? Nét als 't goed gaat, nét als je 'n meter echt goed geklommen hebt, dan raak je hoteldebotel van je eigen en vergeet je waar je bent. Stel dat John Wayne dat doet, schiet ie drie indianen dood, pang-pang-pang, ze gaan neer nog voor ze 'm gezien hebben, en hij raakt hoteldebotel, komt bij Doedi en Itzik in de zaal zitten kijken hoe goed ie 't in de film wel niet doet, en daar komt nog zo'n indiaan aan, nou, die legt 'm met één pijl om. Snap je wat ik bedoel?'

Dat zei ie elke keer, tot ik dat klimmen onder de knie had. Maar breng ik 't 'r goed van af, legt ie z'n hand op m'n schouder. Geen high five. Alleen die hand van 'm daar. Da's het beste ter wereld, z'n hand op m'n schouder. Alleen denk ik dan gelijk aan papa en dan kan ik wel janken. Zo gauw Itzik dat merkt, haalt ie z'n hand weg. We zeggen geen woord. We praten nooit over papa.

Wat moeten we ook over papa zeggen. Dood is dood.

De spullen van anderen, die leen ik alleen maar, en alleen maar voor Itzik, en ik denk elke keer: morgen hou ik 'rmee op. Gij zult niet stelen? Voor Itzik ligt 't zo zwart-wit niet. Altijd heeft ie wel wat te zeggen, hij verdraait alles. Denk je: rechts is goed en links is slecht, komt Itzik en die draait 't allemaal om.

En dan heeft ie nog z'n geboden voor wanneer je mag stelen:

1 Je mag wat stelen als je 't maar heel terugbrengt.
2 Je mag wat stelen van iemand als die 't niet nodig heeft.
3 Je mag van mensen stelen die zelf hun hele leven van

andere mensen stelen. Dan is 't nog 'n goede daad ook, want bij hun moet je iets terughalen. (Bijvoorbeeld Assouline van de supermarkt, die z'n prijzen zijn bezopen, omdat de mensen niet voor alles naar de stad kunnen. Weten hun veel dat 't daar de helft kost. 'n Maand geleden hebben we batterijen van 'm gestolen, Itzik had 'r nodig, ik weet niet waarvoor. Hij gooit met die handen van 'm 'n doos blikopeners achter in de winkel om, Assouline rent 'rheen om 'm te helpen en ik steek de batterijen in m'n zak. Toen ben ik die twee gaan helpen of 'r niks gebeurd was en we zijn naar buiten gelopen. We zijn de winkel nog niet uit of ik krijg de bibbers en Itzik zegt: Kom, ik laat je zien wat voor 'n villa hij voor z'neigen neergezet heeft in die chique nieuwe wijk. Hoe komt ie aan 't geld voor zo'n villa, als ie 't niet van iedereen bij mekaar pikt?)

4 Je mag stelen als 't voor 'n ander is. Da's dan ook geen stelen maar doorgeven. (Itzik zegt: Je mag wat weghalen bij iemand als 't 'm niet te veel zeer doet, als je 't maar doorgeeft aan iemand voor wie 't heel belangrijk is.)

5 Soms stelen we wat terug. Dat mag ook. (Itzik zegt: Dat boek, dat ís helemaal niet van die soso's van jou, die hebben 't ook niet gekocht. Kijk maar wat voor 'n stempel 'rin staat, da's van de school waar ze op gezeten hebben.)

6 Je mag van iemand stelen die jou 'n streek geleverd heeft.

7 Je mag stelen voor 'n belangrijk doel. (Doedi, denk es aan al die mensen die aan terroristen doodgegaan zijn. Stel, we gaan naar Sjoelamiet en we zeggen: Als jij ons die sandalen geeft, gaat je beste vriendin niet dood aan de terroristen. Zou ze ons 'r sandalen dan niet geven, voor Liat?)

Hebben we samen wat van iemand gepikt en zeur ik 'r te lang over door, komt ie met de lieve God aanzetten: 'Wat is recht en wat is krom? Wie beslist daarover? Heeft iedereen soms 'tzelfde gekregen van de lieve God? God laat toch zelf zien dat 'r niks recht is. Nooit geeft ie iedereen dezelfde kaarten, maar iedereen krijgt wel dezelfde tien geboden van 'm. Of kun jij me vertellen waarom de een in 'n paleis geboren wordt en de ander in 'n tent? Weet je waarom? Omdat de lieve God ook steelt bij de een en dat 'r bij de ander bij doet, zodat 't voor Hem daarboven niet saai wordt. Dus pikken wij wat mee, is God 'r blij om. Dan ziet ie dat we z'n spelletje snappen.'

Zo verdraait Itzik m'n gedachten. Zijn we bij mekaar, geloof ik elk woord dat ie zegt, maar ben ik 'n minuut op m'neigen, kan ik niet meer zo denken als hij. Ik ga naar huis, kijk naar papa op de foto en ik kan wel janken. Papa kijkt me aan en zegt: En dat is er van jou geworden, Doedi? 'n Dief? Wat moet ik dan zeggen? Moet ik zeggen wat Itzik vandaag tegen me zei? 'Je kunt niet de hele tijd binnen de wet leven, Doedi. Je moet zelf beslissen wanneer je 'rbinnen blijft en wanneer je 'rbuiten stapt. Want wat is 'n goed mens? Iemand die naar de wet leeft, zodat God 'm maar goed vindt? Laat me niet lachen. Wie 'r doet of ie aan God denkt, die denkt toch almaar alleen maar aan z'neigen. Luister naar Itzik: zo eentje denkt alleen maar aan z'neigen. Dat ie naar de hemel gaat als ie een keer dood is.'

Itzik

Vanaf dat ik klein was, pieker ik over wat God in zijn kop had, toen ie in de buik van m'n moeder tegen m'n handen en voeten zei: Jullie mogen niet meer groeien. Niks, niks wat ie niet ziet, God. Nergens waar ie niet binnenkomt. Voor z'neigen heeft ie geen ogen gemaakt net als de onze, die alleen naar voren zien en maar 'n klein stukje van de wereld. Voor z'neigen heeft ie 't beter geregeld. Geen idee hoe ie 't doet, maar d'r is niks wat ie niet ziet. Hij ziet alles, God, en van kilometers ver.

Hij heeft 't ook zo geregeld dat 'n moeder – daar helpt geen rechtbank aan – niet kan zien wat ie 't kind in 'r buik aandoet. Ze heeft geen keus. Ze moet maar op God vertrouwen. Net als de blinde Soeleika. Steekt zij in 'r eentje over, kan ze alleen maar bidden: God, behoed mij. En net zo kan 'n moeder 't kind in 'r buik niet helpen. Pas als ze met pijn en moeite 'n kant-en-klaar kind op de wereld zet, dan pas ziet ze 'm, als 't te laat is en 'r niks meer te fiksen valt. Ze kan d'reigen 'r ook niet uit kletsen en zeggen: Dat is niet van mij. Iedereen heeft gezien dat ie uit haar buik kwam en hij zit nog met de navelstreng aan 'r vast ook. Zo leert God 't 'r van begin af aan: zij is klein en blind, maar Hij, Hij is groot en ziet alles.

Toen ik klein was, lag ik vaak op de vloer of ik 'n tapijt was. De vloer en ik, we plakten de halve dag aan mekaar. Van 's morgens af probeerde ik dingen te doen net als alle andere kinderen in de crèche, maar niks kreeg ik voor mekaar. En als ik weer es wat niet voor mekaar had kregen, ging ik stilletjes op de vloer liggen, deed m'n ogen dicht en zag mezelf in mama's buik, hoorde God, die elke dag weer tegen 'n andere vinger zei, tegen elke vinger apart: Nou hou je op met groeien. Ik heb God zien rondgaan, met dat lichte loopje van 'm dat niemand hoort, en 'm naar mij zien wijzen, elke week naar 'n andere vinger. En de engel die achter 'm aan vliegt, die schreef op m'n blaadje wat 'r moest gebeuren, wat God had gezegd. Ik heb de tekening van m'n handen en voeten gezien op 't blaadje van de engel en dat ie had opgeschreven: de vingers die bij mij begonnen, moesten ophouden met groeien.

Had ik dat allemaal gezien, barstte m'n hart zo zeer deed 't en ik werd wild beukte met m'n kop tegen de vloer bonkbonkbonk sloeg met m'n armen en benen om me heen zo hard als ik kon bonkte met m'n knieën en schreeuwde schreeuwde net zo hard net zo lang tot ik de gedachten in m'n kop niet meer kon horen. Tot m'n lijf meer pijn deed als m'n hart. Pas als m'n lijf zo doodzeer deed, hield ik op. Ik bleef op de vloer liggen, hoorde m'n hart kloppen als 'n razende en dan langzamer en langzamer. Hoorde de voetstappen van de mensen op de vloer. Ik werd net als de vloer, die hoort ons ook de hele tijd. Dat deed me goed. Daar liggen en elke stap voelen, voelen hoe m'n wangen de koude tegels proberen op te warmen, hoe de vloer 't wint en mij afkoelt. Ik rook m'n zweet. Ik ademde hardop. Voelde ik dat m'n zweet koud was geworden, stond ik op van de vloer, en met dat ik opsta, probeer ik weer net-als-alle-andere-kinderen te zijn.

Als ik daar dan zo lag, wouen hun me oppakken, met me praten, ze hebben tegen me geschreeuwd en me aan m'n arm overeind getrokken. Aan 't eind lieten ze me met rust. En als ik daar zo lag en tekeerging, kwamen 'r in 'n kring om me heen zitten, die staken de vingers in de oren en schreeuwden: Itzik! Itzik! Of ik 'n voetballer was op 't veld, zo juichten ze dat ik door moest gaan. En allemaal schreeuwden ze, ook de meisjes, tot 'r 'n leidster kwam die ze bij me weghaalde, hun ergens anders neerzette.

Op 'n dag kregen ze 't in de kop om me 'n vaste plek op de vloer van de crèche te geven. De leidster pakte m'n hand en zei: 'Itzik, als je op de grond moet liggen, dan kom je gewoon altijd naar hier,' en ze legde me in de hoek naast de keuken, waar de bezem, de dweil en de emmers stonden. Ze zei: 'Je hoeft je maar in te houden tot je hier bent. Hier stoor je niet. Hier ziet niemand het als je zo bent.' Ze legde 't net zo uit als ze 'r eentje die in z'n broek plast of schijt, uitlegt waar je daarvoor naartoe gaat en wat 'n schande 't is om 't te doen waar anderen bij zijn. Daarna ging ik altijd daarheen om op de grond te liggen. In plaats van m'n zweet rook ik elke dag de dweil en 't poetsmiddel. Ik denk dat ik toen zo dol ben geworden op die geur. Nou nog, moet ik afkoelen, ga ik naar de badkamer, giet wat allesreiniger in de wastafel, ik adem 'm in en dan word ik rustig, denk ik nergens meer aan.

In het begin haatte ik God. Gehaat heb ik 'm, dat ie me zo gemaakt had, alleen maar voor z'n eigen lol. Alleen maar om 'n mens te zien wie alles uit z'n handen valt. Om te zien hoe ie om zich heen maait en bloedt bij alles wat ie voor 't eerst probeert. Hoe ie valt als ie probeert te lopen met die voeten van 'm, die ook niet zijn als bij de rest. Misschien wou ie 't zweet zien dat ie 'r bij die mens in heeft gestopt, hoe 'm dat gelijk uitbreekt als ie probeert net zo te zijn als de rest.

Elke keer als ik daaraan dacht, vervloekte ik 'm in m'neigen. Vloekte ik, kwam Gods naam altijd vanzelf mee. Ik vervloekte 'm in 't Hebreeuws, vervloekte 'm in 't Arabisch en in 't Marokkaans heb ik 'm ook vervloekt. En ik bedacht speciale vloeken. Met sjabbat ging ik niet meer naar de synagoog, zodat ie snapte dat ik niet meer meedeed met z'n spelletje. Want wat wil ie nou helemaal? Toch alleen maar dat ze met z'n allen naar z'n synagoog rennen en liedjes voor 'm zingen over hoe geweldig ie wel niet is?

Wijs me 'r es één aan die 'r niet voor zou tekenen dat iedereen 'n boek oppakt waar alles over 'm in staat. 'n Boek dat ze gelijk oprapen als 't op de grond valt, of 't 'n baby is die ze voor de voeten valt. En gelijk kijken of 'r niks mee is, 'n kus geven, zó op alle drek van de grond. Wijs me 'r es eentje aan die niet wil dat alle mensen samen op 'tzelfde moment in dat boek lezen, waarin staat dat iedereen alleen over hem mag zingen, over hoe goed ie is en hoe sterk. En dat iedereen altijd alles moet doen wat ie zegt. Naar zo eentje kun je lang zoeken, je vindt 'r zo nog geen halve.

Wanneer viel me die nieuwe gedachte in de kop? Vier maanden geleden, toen ik dertien werd zonder bar mitswa zonder niks. Weet niet hoe ie me zo ineens inviel, misschien had God gezien dat ie zo niet met me kon omspringen en heeft ie me daarom die nieuwe gedachte aan de hand gedaan. Eerst dacht ik: God wil misschien zien hoe zo'n mens 't redt in de wereld, eentje met 'n ander soort handen en voeten. Misschien wou ie gewoon wat uitproberen, 'n nieuw soort mens.

Maar misschien wou ie ook een mens op de wereld maken voor wie alles wat de mensen van vroeger af uitgevonden hebben, al hun bestek voor bij 't eten, al hun werktuig, al hun wapens en ook al hun kleren en de veters van hun schoenen, potloden, gummen, 'n scheerapparaat, voor wie dat allemaal niks waard was.

Waarom niet? Hij wou vast en zeker zien wat zo eentje zou bedenken, hoe ie al 't gereedschap opnieuw uitvindt voor z'neigen.

Zelfs de *tefilien*, die ze gemaakt hebben om 'n mens aan God te binden, zelfs daar kan ie niks mee, die ene mens. Wil die zich aan God binden, moet ie eerst zelf verzinnen hoe. En 'n gebedsriem is niks wat je broer even bij je om kan doen.

Om heel eerlijk te zijn, ik weet niet wat God 'rmee voorhad. Had ie me dom gemaakt, zou ik denken dat ie zich alleen maar vrolijk wou maken om mij. Maar omdat ie al die hersens in m'n kop heeft gestopt om over alles in de wereld na te denken, dacht ik: misschien wil God toch wat met me uitproberen. Want wat vindt God 'r nog aan om naar al die mensen op de wereld te kijken? Die ziet ie al miljoenen jaren en ze doen altijd hetzelfde. Ik denk dat ie de hele tijd naar mij kijkt. God heeft me expres zo gemaakt, daarom heeft ie me in de buik van m'n moeder uitgekozen, mij, Itzik Dadon. Dat wordt 't eerste kind ter wereld van 'n nieuwe soort mensen.

Doedi

Vandaag gaan we naar onder in de wadi, over 't pad met de grote rotsen. We zijn al 'n eind weg van de huizen. We hebben 't niet warm en ook niet koud. Itziks muts is groot en zit als 'n helm over z'n kop, tot aan z'n oren. Die doet ie van z'n leven niet af, slaapt 'r 's nachts nog mee. Hij wast 'm alleen onder de buitenkraan bij de wadi en zet 'm gelijk weer op, nat en al. Ik zou 'r wat voor geven als ik 'm van z'n kop kon halen, want dat ding maakt 'm lelijk. Dat ding en z'n vingers. Niet dat Itzik 'raan denkt hoe ie 'ruitziet. Nooit van z'n leven kijkt ie in de spiegel. Buiten loopt ie rond of niemand 'm ziet.

Itzik en andere mensen, dat gaat niet samen. Maar mij, geef mij 'n wereld met alleen maar mensen, verder niks, alleen mensen op de wereld, en ik neem 'm gelijk.

Als je 't hem vraagt, zijn alle mensen verraders. En niet alleen alle mensen, ook alle dingen. Op 'n keer kwam ie bij me aanzetten: Neem nou die kleren van ons, hoe die ons verraden. Weet je nog dat Kobi jou met Pesach z'n blauwe T-shirt gaf? Ik keek naar jou, in 't begin, toen ie 't net aan je gegeven had, en ik zie 't om je heen hangen net of Doedi in Kobi's T-shirt rondloopt, net of ie zich verkleed heeft als Kobi. De volgende dag: percies 'tzelfde, Doedi loopt rond in Kobi's T-shirt. Nog 'n dag, weer 'tzelfde: Doedi loopt rond in Kobi's T-shirt. Dat T-shirt is nog niet vergeten van wie 't eigenlijk is. Maar na 'n maand is 't af. 't T-shirt is weg bij Kobi, heeft z'neigen aan Doedi gegeven. Ik zie 't als je 'rin rondloopt. Jouw T-shirt, doodzeker. Je ziet 't 'r geeneens aan af dat 't van de ene mens overgelopen is naar de andere! En neem nou auto's, Doedi, met auto's is 't net zo'n werk. In 't begin, toen Ruben Amar z'n bestelwagen aan Machloef had verkocht, als die bestelwagen onze straat in reed, wat dacht je dan? Daar heb je Ruben Amar, dat dacht je. Ook al zag je Machloef z'n kop achter 't stuur. Je geloofde 't gewoon niet en je dacht: Machloef rijdt rond in Ruben z'n wagen. Twee, drie maanden later zie je die wagen in onze straat parkeren en je zegt bij je eigen: Machloef. Punt uit. De auto is vergeten wie 'r drie jaar lang mee gereden heeft. Ik kijk naar de dingen waarvan we denken: die zijn alleen van ons, naar hoe die d'r geen moeite mee hebben om ons te verraden. En vertel mij es, Doedi, als auto's en kleren je al zo'n loer draaien, waarom zouden dan mensen nou net geen verraders zijn?

We gaan nog verder naar onder in de wadi. Ik voorop, ik zoek een pad waar Itzik kan lopen zonder dat ie valt. Ik loop zo dat je zou denken: we hebben allebei 'tzelfde probleem met de voeten. Als ik hoor dat ie hijgt, doe ik of ik moet plassen of moe ben of dat m'n voet pijn doet, en dan zoeken we 'n flinke rots op, eentje waar we met z'n tweeën op kunnen zitten.

Ineens begint ie te praten. Langzaam. Die woorden van 'm zijn net als de rotsen, en hij heeft de kracht niet om 'r 'n boel in één keer op te hijsen. 'Zeg es, Doedi,' begint ie. Dat 'zeg es, Doedi', dat ken ik. 't Begint met 'zeg es, Doedi' en je weet niet waar 't ophoudt. Eén keer was 't voor mij zowat opgehouden in de cel. 'Wat zeg je 'rvan, Doedi?' Hij geeft me nog 'n paar zware woorden. 'Stel, je bent 'n terrorist. Waar zou jij dan heen gaan? Naar ons blok?'

'Weet ik veel. Wat heb ik gedaan dat je 'n terrorist van me maakt?'

'Denk nou es na, Doedi, denk nou es een keer na. Stel, wij zijn terroristen. Waar gaan we heen?'

'Hoe kom je 'r nou bij om dat te vragen?'

'Luister nou es, Doedi. Ben je 'rbij? Ga nou es op die rots zitten. Doe je ogen dicht en denk na.'

M'n ogen vallen vanzelf dicht. Zo'n macht heeft Itzik over me. Met m'n handen win ik 't van 'm, al ben ik ziek. Zijn handen, die zijn kapot, maar begint ie te praten, heeft ie me met twee woorden in z'n zak.

'We zijn nou terroristen, Doedi. Jij en ik, terroristen. Zie je 't voor je? We hebben al duizend oefenmissies achter de rug. Ons hart is zo sterk als ijzer. Dat gaat niet als 'n razende tekeer van angst. En nou is 't onze dag. Vannacht zijn we door de grensafzetting gebroken en ze hebben ons niet te pakken gekregen. Zo onder de neus van 't Israëlische leger, nog geen tweehonderd meter tussen ons en hun wachtpost, en met al hun zoeklichten hebben ze niks gemerkt. Ben je 'rbij?'

'Je moet 't in 't Arabisch zeggen. In 't Hebreeuws kan ik niet denken dat ik 'n terrorist ben.'

'*Ahlan wa-sahlan, tefadaloe, Allahoe akbar! Allahoe akbar! Roech min hon! Itbach el Jahoed!*'

'Oké. Nou zie ik 't. We zijn terroristen, met 'n *kaffiya* over onze kop.'

'En nou, Doedi, is 't middernacht. We lopen al de hele avond, twintig, dertig kilometer hebben we gelopen, met alle geweren en bommen op onze rug. Soms kruipen we, we kruipen stilletjes. Ze krijgen ons niet te pakken. We komen hier. We hebben 'n kaart mee, maar die pakken we 'r niet bij. Wij, wij weten de weg in 't donker, hebben 'm dagenlang in onze kop gestampt. We komen bij de wadi, bij die grote rots hier. We klimmen 'rop, we voelen z'n kou als we 'roverheen kruipen. We gaan tot voorbij die rooie boom. Zie je 't?'

'Ik zie 't.'

'Nou begint 't al 'n beetje licht te worden. Doe je ogen open, niet helemaal, meer dicht dan open. Jaaa, per-cies. Nou zien we de eerste huizen, de straten, we zien de watertoren daarboven. Alleen, we kennen 't hier niet. We kennen hier helemaal niks. Snap je wat ik bedoel?'

'Wat? Waarom kennen we hier niks?'

'We zijn hier voor de eerste keer, hoe moeten we 't hier nou kennen. We weten niet waar de Roemenen wonen of de Sefarden of de Tunesiërs of in welk blok de Marokkanen. We hebben geen idee waar wat is. We zijn toch niet van hier. Helemaal niks weten we. Wie die lui zijn, wie die kinderen zijn, wie die oudjes, niks.'

'We weten niks.'

'Nou moet je goed naar me luisteren, Doedi. Als je nou de gezichten ziet van de mensen daar in de stad, dan is alles naar de kloten. Want als je de mensen ziet, dan denk je bij je eigen: hem mag ik, bij hem daar ga ik niet naar binnen, of: met die heb ik nog wat te schaften. Je bent nou 'n terrorist, je hebt hier geen familie, geen vrienden, niks. Gesnopen?'

'Gesnopen!'

'En nou is 't tijd, nou moet je 'n huis kiezen. Jíj beslist waar je naar binnen gaat, jij alleen. Dus wat zeg je 'rvan? Waar ga je naar binnen?'

'Ik zeg: Als ik 'n terrorist ben en ik loop hier rond bij de wadi, dan neem ik de kortste weg. 't Eerste 't beste huis dat ik zie, daar ga ik op af, hoef ik geen twee keer over na te denken. Daar, bij de rijtjeshuizen, daar ga ik naar binnen. Niet, Itzik?'

'Nee, Doedi, niet.'

'Waarom niet? Al sla je me dood, ik snap niet waarom niet, waarom kan ik niet gewoon bij die rijtjeshuizen naar binnen gaan, punt uit?'

'Oké, ik zal je zeggen waarom niet. Nou ben ík 'n terrorist. Ben je 'r nog bij? Goed zo. Ik zoek het gebouw heel goed uit. Ik weet: hier ga ik dood, en doodgaan, dat wil ik niet zomaar ergens. Je gaat maar één keer dood in je leven, waar of waar? En ik weet ook dat ze me op de foto zetten, ik kom in de krant.'

'Jij in de krant?'

'Doodzeker kom ik in de krant. Wat dacht jij, na zo'n stunt kom ik niet in de krant? Wie wil 'r nou niet in de krant? Dus ik kijk naar de flatblokken, welk 't beste is. Niet elk blok staat even goed op de foto. En ik wil ook wat aanrichten. Wij zijn terroristen, dat was je vergeten, denk ik, dat we terroristen zijn. Wat moeten wij nou bij de rijtjeshuizen? Da's de moeite toch niet. Daar leggen we één gezin om en krijgen gelijk iedereen op ons dak, punt uit. Voor we bij 't volgende huis zijn, hebben hun ons al gehoord, stromen ze naar buiten. Snap je wat ik bedoel?'

'Wat? We gaan niet naar de rijtjeshuizen? Maar kijk dan, die sterven daar van angst, met van die huizen die op de grond staan en allemaal hun eigen voordeur. Bij Rafi thuis, als ze maar "infiltrant" op de radio horen, pakken hun 'r de bijlen al bij. Rafi z'n vader houdt ze onder 't bed. Die slapen 'r 's nachts mee. Heeft ie vast van de bomenaanplant gepikt, Rafi z'n vader. Zeg op, Itzik, ben je doof geworden? Waar gaan we dan naar binnen? Dat heb je nog niet gezegd, waar we wel naar binnen gaan. Bij de huizen op de berg? Wat schud je nou van nee? Waar dan? Dalijk zeg je nog bij ons eigen blok.'

'Ik zweer 't je, Doedi. Van z'n leven kies ik ons blok niet uit! Nooit van z'n leven. Al zou ik 't willen, bij onze flat zou ik niet naar binnen gaan, vanwege de vuiligheid. Was het 'r onder bij de ingang schoon, zat 'r geen graffiti op de muren en stonk 't 'r niet zo, dan zou ik 't heel, heel misschien kiezen. Misschien, da's niet zeker. Kom, dan gaan we tot aan de carobeboom. Net zover tot we 'm zien.'

We lopen tot aan de carobeboom, gaan de hoge bomen met de eikels voorbij en langzaam 't pad op tot we ons blok zien.

'Ik zou die flat van m'n leven niet kiezen, Doedi,' zegt ie. 'Zie je dan niet wat 'n vuilnisbelt 't 'r is! Alle zooi van al die grote gezinnen bij ons, die ligt daar onder bij de ingang. Als ze 'r de bezem doorheen halen, zou ik 'r nog over denken, maar zo? Van m'n leven niet. Dat ze 't 'r eerst maar es schoonmaken. Dat eerst. En dan 'n lik verf 'roverheen. Wat zou 't? Die wachten daar maar tot Onderhoud 't komt doen. Hun kunnen 't toch net zo goed. Veel water bij de verf, dan is ie niet zo duur, koop twee emmers, heb je genoeg voor de hele ingang. Maar niet te veel water. Waarom? Omdat ie dan niet dekt, daarom.'

'Wat wil je nou?! Dat de terroristen bij ons in de flat komen, hè, wil je dat, Itzik? Man, je bent hartstikke getikt. Wacht tot Kobi 't hoort. Hier hou ik m'n mond niet over. Zo gauw ie thuis is van z'n werk, ga ik 't 'm zeggen.'

'Zanik niet zo over Kobi. Wat kan Kobi nou helemaal? Heeft ie je al ingepalmd met die groesj die ie je voor de film in de hand drukt? En komen de terroristen, wat heb je dan helemaal aan Kobi? Als ze 't blok maar in komen, rent ie al naar de kleerkast, net als ie steeds oefent. Die blijft geen tel bij ons. Is dat nou 'n vent? Eentje die oefent hoe ie z'neigen moet verstoppen? Trouwens, het is je vader niet, die zou zeggen: Kom jongens, de kast in, liever dat ik 'raan ga als jullie!'

'Weet jij dan wat beters dan je in de kast verstoppen? Zeg op, dan!'

'Maar ik ben tenminste niet bang voor hun. Ik bibber niet

voor de terroristen, net als de rest van de stad. Laat maar komen. Itzik heeft z'n plan klaar. Geloof me, Doedi, doe wat ik zeg en die berouwen de dag dat ze hierheen gekomen zijn. Die berouwen de dag nog dat ze geboren zijn.'

Daarna heeft ie me z'n plan uitgelegd. De wijfjesvalk, zegt ie, kan ze natuurlijk niet doodmaken, maar ze kan ze dood-zeker wel de ogen uitpikken. En ze hoeft ze niet allemaal aan te vallen, alleen de leider is genoeg. Want met terroris-ten, dat weet iedereen, als je hun leider omlegt, zijn ze ver-loren.

Toen ie zag dat ik snapte wat ie bedoelde, zei ie: 'Een me-daille, dat krijgen we 'rvoor. Op z'n allerminst 'n kruis van verdienste. Jij hoeft alleen maar met die vrijwilliger te pra-ten, die hoeheetie, die de schuilkelders schildert en de be-tonmuren rond de vuilniscontainers ... Hoe heet ie nou? Dat ie bij ons ook 'n schilderij maakt. Da's nog beter dan de boel witten. Dan krijg je al die krassen 'ronder en de stront die Motti op de muren gesmeerd heeft toen die schijters van Bejtar de competitie hadden verloren.'

'Micha?'

'Wat Micha? Hoezo Micha? Motti Abarjil heeft dat ge-daan.'

'Niet Abarjil, ik heb 't over de vrijwilliger die die schilde-ringen maakt. Micha heet ie. Ik ben wel duizend keer bij 'm thuis geweest. Ik kreeg zelfs 'n keer koffie van 'm. Laat Micha maar aan mij over, Itzik. Ik zeg 'm wel wat ie moet schilde-ren. Je hoeft 'm maar te zeggen: Maak daar es bergen met sneeuw 'rop, en hij maakt bergen met sneeuw 'rop of bomen met water dat van de rotsen naar onder gaat, net als in de film, dat heeft ie op 't blok van Sjimi gemaakt. Of zeg je: 'n Zee met boten, dan schildert ie 'n zee met boten. Als 't aan mij ligt, schildert ie voor ons de Klaagmuur als ie wil.'

'De Klaagmuur? Wat klets je nou over de Klaagmuur?'

'Met Pesach is ie naar Jeruzalem geweest en van toen af wil ie per se 'n keer de Klaagmuur schilderen. Hij heeft 'm in het klein op z'n kamer gemaakt. Geef hem 'n grote muur, Itzik, en hij geeft jou de Klaagmuur. Je zou bij je moeder zweren dat 't echte stenen zijn. Raak je 't aan, merk je pas dat 't allemaal gelogen is. Hij schildert 'r ook de heel vromen op, die in 't zwart. Van achter, met van die ronde hoeden. En de briefjes en 't gras op de muur, wat je 'm ook vraagt, hij maakt 't.'

'Hoe lang heeft ie nodig voor de Klaagmuur?'

'Drie, vier dagen. 'n Week op z'n hoogst. En hij doet 't voor niks. Je kunt 'm bij zonsondergang krijgen of met 'n strakblauwe lucht. Met vogels. Jij zegt 't en z'n hand schildert 't, geloof mij maar.'

Itzik luisterde naar me, hij liet me uitpraten, maar daarna zei ie dat ik niet zo'n drukte moest maken over de Muur.

'Wat is de Klaagmuur nou helemaal. Gewoon 'n hoop stenen. Wat heeft die Muur nou te maken met de lieve God?'

En daarna zei ie dat ie 'n probleempje had.

'Ik heb 'r de hele nacht niet van geslapen, Doedi. Ik zit 'r maar mee in m'n kop dat ik 'n naam voor d'r moet bedenken. 't Kan niet, 't is godsonmogelijk, dat iemand zo bij je leeft en dat je die geen naam geeft. Ze slaapt bij me, en ik weet geeneens hoe ze heet?! De stoppen branden dalijk bij me door en ik heb nog steeds geen naam. Niks. Ik zit 'r echt mee. Zo makkelijk is 't ook niet. 't Is geen hond. Ze is 'n roofvogel. Tegen 'n hond kun je zeggen: Blacky, hier, of noem 'm Fikkie en ie komt nog, maakt niet uit hoe je 'm noemt, hij komt gelijk aanrennen en kwispelt met z'n staart. Maar zij, zij is trots. Haar plek is in de hemel. Zij schijt nog in de hemel.'

'Moet je 'n naam hebben? Ik geef je 'r zo honderd. In meisjesnamen ben ik de beste!'

'Maar maak geen Liat van 'r. En kom me ook niet aanzetten met de namen van die vrijwilligsters in 't opvangkamp. Je geeft me nou niet de naam van eentje op wie jij 'n oogje hebt, gesnopen? Ik moet 'n naam hebben met eer. Niet van zomaar iemand.'

'Liat is niet zomaar iemand! Zelfs Kobi en Mordi, toen hun d'r bij 't gedenkfeest zagen ...'

'Zaag toch es niet zo door over Kobi en Mordi! Ik moet 'n naam hebben waar je aan denkt als je ziet hoe ze vliegt en hoe ze d'reigen op 'r prooi stort en 'm aan stukken scheurt en hoe ze je handen openhaalt met 'r klauwen als ze boos wordt van de honger. Want al is ze sterk en voor geen meter bang, je hoeft maar naar d'r veren te kijken en je ziet gelijk dat 't 'n vrouwtje is. En hou op over Kobi. Geen woord tegen Kobi over wat Itzik zegt of wat Itzik van plan is. Da's onze broer niet meer, punt uit. Mama heeft in één klap de vader van Chaim en Osjri van 'm gemaakt. Wijs mij 'r es eentje aan die twee dingen tegelijk kan zijn. Is ie God of zo?'

'Delila.'

'Wat nou Delila?'

'Delila. We noemen 'r Delila.'

'Is dat 'r niet eentje uit de Bijbel?'

'Ja, allicht komt ze uit de Bijbel. Samson z'n vrouw Delila. Twee maanden niet naar school geweest en je bent Samson en Delila al vergeten?'

'Vergeten. Is me helemaal door de kop geschoten. De-li-la. Ik vind 'm mooi. Die heeft eer en ie is niet te zwaar. Heeft ook wat edels, Delila. Niet slecht, Doedi, hé, en gelijk de eerste die je noemt. Daar was ik nooit van m'n leven opgekomen. Delila. Goed, man! Yallah, we gaan naar de slager, vlees voor d'r halen. Heb je 't 'r nog met Mosje over gehad, dat ie voor ons 't vlees opzijlegt dat hun anders weggooien? Man, je bent echt geweldig. En dan trainen we 'r op 'r naam, weet je nog, die jongen in de film, dat die naar de hemel Kes! Kes! riep? En dat ze dan kwam aanvliegen? Dat moet ook eerst geoefend worden, Doedi, daar is veel training voor nodig, snap je wat ik bedoel?'

We gaan terug naar de stad. Weer zie ik Itziks gedachten, hoe zwaar die zijn. Z'n kop werkt als 'n betonmolen. Elke gedachte uit Itzik z'n kop, komt ie 'r na 'n dag of twee, drie uit, staat ie in de wereld als 'n huis.

Maar bij mij, komt 'r bij mij 'n gedachte uit, zo gauw ik 'm zie, is ie al wind. Net of ie in 'n plastic zak slaat die iemand op straat weg heeft gegooid, en 'm hoog opwaait tot je alleen nog maar 'n spikkeltje ziet. En dan zie je ook 't spikkeltje niet meer. En na nog es vijf minuten is 'r geen ziel die nog weet dat 'r 'n gedachte van Doedi op de wereld is gekomen.

Itzik

Word ik 's morgens wakker, wil ik maar één ding: dat ze me
'n berg brengen, dat wil ik.
Dat 'r naast m'n bed 'n grote berg staat. 'n Bruine berg vol
witte brokken rots. Doe ik m'n ogen open, zet ik m'n voeten
op de grond, staat daar die berg, en ik, Itzik Dadon, zonder
d'r 'n woord aan vuil te maken sta ik op en maak 'm kapot.
Met m'n blote handen ram ik 'm kapot. Met die handen van
mij, waar God van besloten heeft: zo moeten die ter wereld
komen, 'n nieuw soort handen.
Ik denk aan de berg daar 's morgens naast m'n bed. Ik heb
'r niks tegen. Hij heeft me niks gedaan, me niet dwarsgeze-
ten of niks. Hij kent me geeneens. En denk nou niet dat 't
'n bijzondere berg moet zijn, de Sinaï, waar Mozes de tien
geboden gekregen heeft. Ik bedoel 'n berg waar geen naam
op staat, een die niet iedereen kent. En ik kom zo uit m'n
bed en sla 'm in tweeën, met één klap. Daarna ga ik terug
naar bed. Ik slaap nog 'n tijdje, rust nog wat uit en ben ik
uitgerust, sta ik op net als 't hoort, ben ik net als de mensen
me 's morgens willen hebben. De mensen met wie je onder
één dak woont, die willen dat je opstaat als 'n zacht, pas
gebakken brood dat ze nog in elke vorm kunnen kneden die
ze willen.

Neem nou Etti, staat die op, zie ik 'r als 'n muis die d'r neus
uit 't hol steekt: komt ze naar buiten of gaat ze terug naar
waar ze de hele nacht geweest is? D'r dromen heeft ze nog

niet afgeschud. Staat daar maar, beweegt niet. D'r mond staat 'n beetje open, net of ze halverwege 'n woord is, en 'r vingers, die staan ook open, die slapen allemaal apart van mekaar. Ik zie 'r twee stappen doen en blijven staan. Ze gaat naar de wc, vergeet dat ze 'r nog uit moet komen. Je denkt al bij je eigen: die is daar in slaap gevallen. Pas als ze zowat de deur in beuken, dan komt ze naar buiten, en dan staat ze weer te staan, naast het bad. Allemaal lopen ze zo langs 'r heen. Ze zegt geen woord. Doet ze 's morgens 'r mond open, komt 'r 'n vogelstemmetje uit. Vraag je 'r wat, al zegt ze maar ja, klinkt 'r stem als 'n vogel.

Ik kan de hele morgen naar Etti kijken. Voor één keer in m'n leven wil ik net zo opstaan als Etti. Zie je 'r, denk je: die zit midden in 'n film, in 'n donkere bioscoopzaal, en Sjoesjan is nog niet geboren om 'r in de pauze 'ruit te gooien omdat ze maar 'n half kaartje heeft. Ik zou wel es willen weten welke film 'r in Etti's dromen draait. Was ze maar 'n jongen, dan ging ik met haar naar de wadi, kon zij me helpen met Delila, had ik Doedi niet nodig, die ik alles duizend keer uit moet leggen en daarna nog in de gaten moet houden om te zien of ie 't wel gesnapt heeft.

De afgelopen maanden, sinds ik niet meer naar school ga, sta ik 's morgens alleen voor Etti op, kijk ik alleen maar naar haar, en al die koppijn waar ik mee wakker ben geworden, die gaat vanzelf weg. Maar gelijk daarna word ik hartstikke mesjokke, zie ik 'r ineens de mama van Osjri en Chaim worden, bedenken dat ze ze nog snel-snel naar de crèche moet brengen voor ze zelf naar school kan. Net of 't niet genoeg is dat Kobi hun papa geworden is, nou is zij ook nog hun mama. D'r dromen zie je al niet meer aan 'r af. Ze is al 'n oude vrouw. Rent alleen nog maar van hot naar her, net als de rest.

Als ze dan met de kleintjes van huis gaat, denk ik bij m'neigen: wat kan ik voor d'r doen om 'r blij te maken.

Ineens weet ik het. Ik breng nog es batterijen voor d'r mee, voor d'r radio. Hoeft ze es 'n minuut niks, zie ik 'r onder de dekens wegkruipen met de oude transistorradio uit de falafelkraam, daar luistert ze stilletjes naar. 's Nachts, als ze ligt te slapen, pak ik 'r tas, kijk ik hoe lang ze nog heeft tot 'r batterijen leeg zijn. Zie ik 'n dag of twee naderhand dat ze leeg zijn, breng ik met Doedi batterijen mee. Ik haal uit 'r radio uit 'r tas de oude, stop 'r de nieuwe in en 's morgens ziet ze 't, en zie ik 'r lachen. Ze weet niet wie dat voor d'r gedaan heeft. Misschien denkt ze wel: de kabouters zijn 's nachts langs geweest.

Doedi

Elke donderdag, midden in de nacht, zitten Itzik en ik te wachten tot alles in huis slaapt. Dan gaan we zachtjes naar de badkamer, zodat ik 'm kan scheren.

Eerst maak ik z'n gezicht nat, dan smeer ik schuim over alle haartjes die d'r die week gegroeid zijn. Ik ken ze stuk voor stuk, elk haartje. Zolang je niet iemand scheert, zou je denken: alle haartjes groeien dezelfde kant op. Maar kom je dichtbij, zie je: elk groepje haren heeft z'n eigen kant. 't Ene gaat naar rechts, 't andere naar onder, weer 'n ander naar links. En dan heb je nog 'n haar die in z'n eentje beslist welke kant ie op groeit.

Je pakt 't heft van 't scheermes en je gaat 'rmee naar de andere kant als waar de haartjes heen buigen en je snijdt ze 'r zo af.

Als ik 'm scheer, houdt Itzik z'n ogen dicht, geeft ie me z'n hele gezicht. Ik kan 'm links of rechts draaien, hij laat me doen.

Ik moet uitkijken, 't is geen kunststofplaat waar ik snel-snel overheen kan. 't Mes mag alleen de haren snijden. Niet de huid. Alleen, de haren en de huid zijn telkens op dezelfde plek. Toen ik Itzik voor 't eerst schoor, had ie vijf, zes bloederige plekken van 't mes. Nou gebeurt me dat niet meer. Ik hou 't mes recht op de huid en mijn hand, die danst naar waar 't nodig is. We zeggen geen woord onder 't scheren en daarna ook niet, de hele week doen we of 't scheren niet gebeurt. Itzik doet z'n ogen en z'n handen dicht en ik zet m'n lippen op mekaar en wij tweeën kleven aan mekaar vast als één man die z'neigen scheert, in z'n eentje in de badkamer. Waar wij staan, tussen de wastafel en de muur, is trouwens ook maar ruimte voor één. Zelfs toen ik 'm gesneden had, gaf ie geen kik. Ik heb 'n papiertje tegen de plek gedrukt tot 't ophield met bloeden, en hij gaf geen krimp. Maar ik, toen ik 'm gesneden had, was ík degene die d'rom brulde. Als iemand me had gehoord, zou ie gedacht hebben dat 'r in mij gesneden was. Als ik Itzik scheer, hangt de geur van 't schuim in m'n neus. En komt die geur m'n neus in, slokt ie in één hap alle geuren op die ik voorheen rook: de lucht van de schimmel op 't plafond van de badkamer, de lucht van bleek, die verbruikt mama met liters tegelijk, de lucht van Itzik, die is al samen met die van Delila.

Toen ie z'neigen voor 't eerst moest scheren, had ie 'n elastiek om 't heft van 't scheermes gedaan. Midden in de nacht kwam ie aan m'n bed, of ik 't elastiek heel strak om z'n hand wou doen, anders bleef 't mes niet stil. Hij dacht dat ie 't zelf kon. Tien minuten later was ie terug, z'n hele gezicht wit van 't schuim, z'n ogen zwart en woest, net als wanneer ie ontploft omdat ie iets niet gedaan krijgt. Hij hoefde niks te zeggen, ik ging achter 'm aan naar de badkamer en heb 't voor 'm gedaan. Hij stond daar met die ogen van 'm wijd open, die zagen niks en boorden zowat twee gaten in de spiegel. En ik, mijn hand beefde en ik sneed 'm en schreeuwde in m'neigen, heb 't bloed afgedept met wc-papier. Geen idee hoe lang 't duurde voor we klaar waren en weer naar bed gingen. De rest van de nacht heb ik niet meer geslapen. Mijn hele lichaam was 'n steen, m'n handen trilden. Om ze warm te krijgen stopte ik ze onder m'n oksels, en daar zijn ze gaan slapen, prikten naderhand of 't distels waren. Ik dacht bij m'neigen: hoe moet dat nou? Moet dat elke dag zo? Moet ik 'm elke nacht scheren? Daarna heb ik gehuild, om mezelf, dat ik 'n broer had die zo geboren was. De hele nacht heb ik liggen denken: was ie maar dood. En ik maakte 'm kleiner, almaar kleiner, tot ik zo ver was dat ik bij mezelf dacht: was ie maar dood bij mama uit de buik gekomen. Was ik maar geboren zonder zo'n broer. Soms zie ik Kobi ook zo naar 'm kijken, net of ie van 'm walgt. Misschien heeft ie daarom geen bar mitswa voor 'm gehouden. Maar volgend jaar ben ik aan de beurt, voor mij houden ze 'r zeker te weten wel een. Ik ben Itzik niet. Voor mij moeten ze 'r wel een houden.

's Morgens ben ik naar school gegaan zonder dat ik Itzik gezien heb. Ik heb de hele dag over straat gelopen, geen idee wat ik gedaan heb, en 's avonds naar huis en gelijk naar bed. Heb gewacht of ie me wakker kwam maken, maar hij kwam niet. Zo nog 'n nacht en nog een. Ik zag zijn haar weer beginnen te groeien, tot ie de donderdag d'rop kwam en we weer naar de badkamer zijn gegaan. In de badkamer deed ie z'n ogen dicht, hij had een gezicht of ie sliep. En ineens merkte ik: ik doe 't graag voor 'm. Weet niet hoe 't kwam. Ineens sloeg ik om.

Itzik haalt altijd langzaam adem. Ik ken z'n adem. Drie keer ademt ie gewoon en ik adem met 'm mee, mijn buik raakt zijn buik als ze d'reigen allebei uitzetten, maar de keer d'rop adem ik in mijn eentje uit, ik schrik me rot: houdt ie nou op met ademen? Is de lucht 'm daarbinnen blijven steken? Ik word 'r gek van. In plaats van dat hij ademt, adem ik als 'n gek drie, vier keer, dat ik denk: zit ík nou zonder lucht, tot ik hem ineens hoor uitblazen, en dan adem ik weer gewoon met 'm mee.

Itzik z'n huid en die van mij, die zijn uit dezelfde lap gehaald, we hebben allebei mama's kleur. Itzik z'n neus en die van mij zijn ook 'tzelfde, die van papa. Als ik 'n meisje zie dat ik leuk vind, dan laat ik me eerst van opzij zien, dat ze 'n beeld heeft van mijn voorhoofd, dat helemaal tot 't puntje van m'n neus doorloopt. Itzik z'n mond is ook 'tzelfde, behalve dat hij 'm altijd dichthoudt, net of anders iemand 'r met z'n tanden vandoor gaat. Maar ik, ik krijg m'n mond geen moment dicht, en ook m'n tong beweeg ik de hele tijd, van boven naar onder, net als papa bij 't poetsen van de werkbladen in de falafelkraam. Onder 't scheren steekt m'n tong naar buiten, draait ie langzaam in alle mogelijke hoeken, net of ie me wil helpen bij 't scheren. 't Liefst scheer ik de botten naar z'n kin, daarna de kin zelf, want die is 't moeilijkst omdat 'r geen centimeter is die vlak gaat. Ik laat 't mes kringen maken, maar ik kijk 'r niet naar. M'n hand weet beter wat ie met 't scheermes aan moet, als ik niet kijk.

Ik kijk naar Itzik z'n ogen. D'r is niks mooiers aan 'n mens dan de huid van z'n ogen als ie ze dicht heeft. Dan zie je de baby in z'n mama's buik. 't Oog dat daarbinnen beweegt, dat is de baby in z'n water, en de huid van 't oog is de buik van de mama. Soms wil ik m'n hand 'rop leggen en voelen hoe 't daarbinnen beweegt.

Ben ik klaar met de kin, was ik z'n gezicht met veel water, droog 't af, kijk of ik geen plekje heb overgeslagen, haal m'n hand over z'n gezicht om te voelen of 't helemaal glad is. Kon ik 'm maar dat luchtje opdoen dat Kobi gebruikt, maar ik durf niet. Itzik maakt me af als ik dat doe. Je hoeft maar Kobi te zeggen en hij zet z'n stekels al op. Geen idee wat ie tegen 'm heeft. Sowieso praat Kobi niet met ons. Is ie klaar met eten, gaat ie naar z'n kamer en slaapt 'r samen met mama. Voor Osjri en Chaim, die moeten denken dat hun papa en mama zijn. Die kleintjes, die slikken alles wat je ze voert.

Is Itzik weg, kijk ik es goed naar mijn gezicht in de spiegel. Bij mij valt 'r nog niks te scheren. Ik ga naar bed, leg m'n vingers op m'n ogen, druk op de buiken van de moeders en voel de baby's daarbinnen. Dan van de buik naar onder, naar de haartjes die daar onderaan hangen. Dalijk plof ik, ik hou 't niet meer uit, maak van m'n handen 'n deken, leg die over de moeders en de baby's en val in slaap. Gewoon omdat ik ze heb toegedekt, komen 'r dromen over me heen, en die vertel ik weer aan Itzik. Die droomt niet over meisjes. Die z'n dromen komen 'r altijd krom uit. Toen ie nog bij mij op de kamer sliep, werd ik steeds wakker als z'n dromen 'm in bed weer es van de ene zij op de andere smeten.

Itzik

Ik voer Delila nog 'n keer voor de nacht. Twee muizen heb ik uit de vallen gehaald. Ze krijgt 'r nou eentje, de andere bewaar ik voor morgen. Ik zet de muis met val en al in de keukenkast en staat ie 'rin, tik ik tegen 't stokje dat de val openmaakt. Gauw trek ik m'n hand terug en doe de kastdeur dicht. Drie muizen heeft 't me gekost voor ik 't onder de knie had, en eentje heeft me in m'n hand gebeten toen ik die terugtrok. Nou gaat 't alleen tussen Delila en de muis daarbinnen, ik ben buiten en hoor alles.

Hoe ze de muis aan stukken scheurt.

Wie aan de grens woont, heeft andere oren dan de rest. Kattenoren heeft ie. Hoort alles. Hoort wanneer d'r bij ons iets afgeschoten wordt en bij hun naar onder komt en wanneer 't hun katjoesja's zijn die bij ons naar onder komen en wanneer 't de dreun van 'n vliegtuig is. Hij hoort waar 'n katjoesja naar onder gekomen is. Hij hoort 'm zelfs als ie nog in de lucht is, herkent 'm aan 't gefluit. Alleen, na 'n paar dagen katjoesja's husselen mijn oren de zaken door mekaar omdat ze zo moe zijn. En een dag of twee naderhand, nadat 't klaar is met de katjoesja's, als 'r dan 'n fikse wind staat, klinkt elke deur die dichtknalt of 't 'n katjoesja is. Je schrikt overal van. 't Harde praten op de radio klinkt of 't de luidspreker is van de auto die op straat rijdt en ons naar de schuilkelders stuurt. Blaft 'r maar 'n hond, denk je nog: da's de luidspreker voor de schuilkelders. Of als 'r geschoten wordt bij 'n bruiloft in 't dorp van de Arabieren. Die oren van je, die moet je in 'n ziekenhuis voor gekken doen tot ze weer normaal zijn.

Bij Aliza thuis, Aliza van de crèche waar mama werkt, daar is 's nachts in de woonkamer 'n hangkast van de muur gevallen. Met allemaal mooie borden, die hadden ze met hun trouwen gekregen. De hele nacht hebben ze in bed liggen rillen van angst, omdat hun dachten dat 'r 'n katjoesja in huis was of 'n terrorist. Pas de volgende morgen zagen ze die hangkast daar op de vloer liggen. En alles wat 'rin zat, was aan gruzelementen.

In Delila d'r kast is 't stil. Ze heeft die muis verslonden of 't niks was.

Niet lang meer, dan begint de nacht in ons blok.

Tot de dag van de terroristenoverval hadden we nooit 'n vaste tijd waarop de nacht begon. Iedereen begon z'n nacht wanneer ie wou. Vanwege die terroristen begint de nacht nou voor ons hele blok tegelijk. Ik zit op m'n bed en hoor de nacht binnenkomen.

Eerst bij de Dahans op de bovenste verdieping. Die roepen vanaf 't balkon naar onder: Mosje moet zo onderhand es boven komen. Dan trekken ze de stekker van de koelkast 'ruit en schuiven 'm voor de voordeur. 'n Zware koelkast hebben hun, en 'r zitten geen wieltjes onder, net als Kobi 'r bij ons onder heeft gemaakt. De vloer van hun keuken is 't plafond van mijn slaapkamer. Voor ze 's avonds met hun koelkast gingen zeulen, dacht ik: mijn plafond, da's de hemel en 'r is niemand boven m'n hoofd. Behalve God. Toen kwamen de terroristen, hebben m'n hemel kapotgemaakt. Praat ik nou met God, komen de Dahans 'rtussen. 'n Sik krijg je 'rvan. Maar wat doe je 'raan? Met die herrie kun je niet meer denken dat boven jou de hemel is. Ze krijgen 'm maar moeilijk door de keukendeur, die koelkast; óf je hoort 'm de vloertegels breken óf je hoort hun tegen mekaar schreeuwen omdat 'r weer es eentje vergeten heeft om de deur op tijd open te maken. Allemaal zweren ze dat hun 't hele gewicht te sjouwen hebben en allemaal willen ze de baas zijn over 't gesjor, op de keukenvloer zitten en de rest van z'n broers vertellen hoe hun 't aan moeten pakken. Ik kan ze goed horen. Van hun kleine keukenbalkon komen de stemmen op mijn keukenbalkon. Dan schreeuwt de vader iets en zijn ze eindelijk stil. Na 'n minuut of tien is 't sjorren gedaan. Nou zitten ze in hun gevangenis, niemand komt 'r meer in of uit. Tot 's morgens. Soms werken ze me zo op de zenuwen, dan stel ik me voor dat de kogels van de terroristen dwars door hun deur gaan, door de achterwand van de koelkast, alles wat 'rin staat wordt omgesmeten, de melk ontploft, de matboecha sproeit alle kanten op, in 'n grote kool blijven de kogels steken. Steeds zie ik weer wat anders uit mekaar spatten en in klodders op de wanden komen.

Na de koelkast van de Dahans, waar 't hele blok van meegeniet, hoor je Iloes en Cohen, die zetten 'n ijzeren stang op de voordeur. Knallen met de stang overal tegenaan tot ze 'm in de ijzeren ringen geschoven krijgen die ze links en rechts van de deur in de muur vast hebben gezet. Bij hun is de nacht ook begonnen. Hun zitten nou ook in de gevangenis. De Bitons kijken tv en Albert zit 'r met z'n kalasjnikov op z'n knieën bij. Voor de zekerheid. D'r zit geeneens 'n kogel in, maar dat weten hun niet, z'n moeder en z'n zussen, dat heeft ie alleen aan Doedi verteld. Z'n moeder kon 's nachts de slaap niet meer vatten tot ie die kalasjnikov tevoorschijn gehaald had en naast 'r was gaan zitten. Ik heb Albert Biton voor de geest en weet: nou gaat m'n broer naar de kast.

Doodzeker gaat ie daar nou heen. Dat weet ik ook zonder dat ik 'm hoor. Net of ie 'r toevallig langskomt, zodat niemand 't merkt. Blijft met z'n rug naar de kast staan, leunt 'r met z'n volle gewicht tegenaan of ie 't wel houdt, draait 'm van 't slot en weer dicht, denkt dat ie de hele kast voor z'neigen heeft. Als 't aan hem ligt, kan de rest verrekken. Gaat weer bij de kast weg, kijkt 'r geeneens meer naar, loopt verder. Nou gaat Etti naar 't raam. Dat raam kijkt uit over de wadi, waar de terroristen de vorige keer vandaan kwamen. Ze staat 'r net of 'r niks aan de hand is, doet net of ze gewoon zin heeft om uit 't raam 't donker in te kijken. Ik kan 'r zien. Ik wil 'r graag zeggen: Rustig maar, ik heb m'n plan klaar voor die terroristen. Maar komt 't 'ropaan, zeg ik 'r nooit niks. Ik wil niet zien dat ze bang wordt voor mij en Delila.

Vroeger stond ik ook aan 't raam. Maar toen merkte ik: ga je 'r 's avonds staan, kom je 'r niet meer weg. Al sta je maar even bij 't raam, dan is de kans al verkeken dat je die nacht nog slaapt. Je staat voor 't raam te kijken tot je ogen branden of 'r daar in 't donker geen terrorist geboren wordt. Van dan af zie je van alles. Je ziet 'n boom en denkt: daar beweegt 'r eentje, en je hart begint te bonken. Daarna zie je: 't is maar 'n boom. Je ziet: 'r is niks te zien, en je gaat bij 't raam weg. Maar zo gauw je bij 't raam weggaat, weet je zeker, doodzeker: gelijk op dat moment zijn 'r 'n stel terroristen daar in 't donker geboren. Of 't niks is, zo gauw jij daar wegging, zijn hun gekomen. Je gaat terug naar 't raam, je moet ze te pakken krijgen voor ze onder je blok kruipen met al die bommen. Nou begint je buik ook als 'n gek te werken, doet in vijf minuten 't werk van 'n hele nacht. Je rent naar de wc en terug naar 't raam en zo gaat 't de hele nacht door. Je wilt weg bij dat raam, maar je kunt niet. Je gaat 'r alleen bij weg om je angst door de plee te spoelen.

Van de dag af dat ik Delila thuisbracht, heb ik niet meer aan 't raam gestaan. Ik heb 't gehad met angst. Zo gauw ik hoor:

ze is klaar met eten, haal ik 'r uit de kast en roep ik Doedi, die moet 'r vastzetten en opruimen wat ze van de muis over heeft gelaten. Hij bindt 'r aan de kraan, doet de stop in de gootsteen, laat 'r 'n beetje water in lopen, dan kan ze 's nachts drinken als ze wil, maakt 'r 'n kleine beek van. Wat hebben we niet voor d'r gemaakt in de gootsteen. 'n Klein bos hebben we daar aangelegd, Doedi en ik, zodat ze 't gevoel heeft dat ze buiten is, dat ze niet gaat denken dat ze 'n mens is. Wie wil 'r nou nog meer mensen hebben? D'r zijn 'r al meer dan zat. We hebben wat cement in de gootsteen gegoten en 'r 'n mooie tak in gestoken. En ik heb ronde keien voor d'r meegebracht uit de wadi, alleen de mooie uit de bron. En grote bladeren. En eikels. Delila staat daar in 'r wadi in de gootsteen d'reigen te poetsen. Eerst 'r snavel, die haalt ze langs de tak, ene kant andere kant, ene kant andere kant, net Edmond de kapper als ie 't scheermes langs 't leer haalt, zo wet zij 'r snavel. Als ze dat doet, als die vleugels van 'r zo naar achteren staan, moet ik aan Sjmoeël Cohen denken als ie op sjabbat na de synagoog met z'n handen op z'n rug rondloopt.

Dan tilt ze 'n poot op, krabt tussen de veren van 'r hals. Die staan eerst alle kanten op, dan zakken ze weer op d'reigen plek, helemaal opgepoft, net als mam d'r haar op Kobi z'n bar mitswa. Maar 't mooie van Delila is dat 't bij haar niet zomaar voor een avond is. Die komt niet van de kapper en alles is met een keer douchen weer weg. Bij Delila, kijk je naar d'r, zie je dat 'r veren altijd zo zijn. De kleuren op 'r kop gaan niet weg, bij haar komen 'r geen grijze haren net als bij mama. Ze verandert niet de hele tijd.

Als ze d'reigen helemaal opgepoft heeft, brengt ze 'r veren weer op orde. De beste show van de wereld is dat. D'r snavel strijkt snel-snel langs de veren, geen haartje slaat ze over. Aan 't eind doet ze met 'r hals wat ik 't liefste zie: dan gaat ze met 'r kop hoog en naar onder, net of 'r iets in 'r hals zit wat 'm lang of kort maakt. Wij kunnen dat niet met onze kop. Misschien dat 't 'r gedachten op orde brengt, net als 'r veren op orde gebracht zijn. Misschien dat bij haar in 'r kop alle gedachten netjes op 'n rijtje staan, gedachten die nog geeneen keer drek over d'r heen gekregen hebben, nog geeneen keer door mekaar gehusseld zijn.

Zo gauw we klaar zijn met Delila d'r training, zet ik 'r de hele nacht bij 't raam dat op de wadi uitkijkt. Daar wacht zij op de terroristen en ik, ik ga slapen. Net als God, toen ie de wereld een keer klaar had.

Nou komt 't laatste geluid van dat de nacht begint. Nou gaat Biton naar onder, naar de ingang, doet de stalen voordeur van het blok dicht, met 'n ketting en 'n hangslot. Net zo'n hangslot als 'r op 't kippenhok van oma zit. Die stalen deur, die hebben ze 'r ook pas na de terroristenoverval ingezet. Nou weten we 't zeker: de nacht is begonnen. Niemand die 't blok nog in of uit komt tot kwart voor zes, als de eerste bus naar de fabriek rijdt. En de angst komt 'r hier vannacht ook niet meer uit. We zitten met onze angst in 't blok, net als Delila met de muis in de keukenkast.

Doedi

Zo gauw papa dood was en de tweeling werd geboren en we met z'n zevenen in huis waren, kregen we de flat van de Elmakija's 'rbij, die zijn naar Tiberias verhuisd, hun voordeur is tegenover de onze. Iedereen hier is verhuisd, iedereen heeft z'n huis wat groter gemaakt. Op straat zag je de mensen rondlopen met dozen en stoelen. Kobi zei: Da's alleen maar vanwege de verkiezingen dat nou iedereen 'n groter huis krijgt. En hij zei ook: Toen we met z'n zessen waren, toen papa nog leefde, hadden ze ons 'r al zesenvijftig meter bij moeten geven, maar papa had niet 't goeie briefje in de stembus gedaan en daarom hebben wij niks gekregen. Toen papa dood was, heeft Kobi met de mensen gepraat met wie je moet praten en tegen hun gezegd: Mama is oké. Toen kwamen de lui van de aannemer van *Amidar*, die hebben bij ons 'n muur doorgebroken en van twee huizen eentje gemaakt.

Ons huis heeft de vorm van 'n vlinder. Van alles hebben we 'r twee: twee keukens, twee grotere kamers en twee kleine. We hebben ook 'n lange gang. Sta je aan 't einde van die gang, denk je dat je in 'n spiegel kijkt, je ziet alles dubbel.

In 't begin, toen ze ons huis net groter hadden gemaakt, dook iedereen in z'n eigen hoek. Zo ver uit mekaar als we maar konden, iedereen z'n eigen slaapkamer. Na 'n maand waren we allemaal weer bij mekaar. Wie wil 'r nou, als ie gaat slapen, alleen maar de muren van z'n eigen slaapkamer zien? Als ik 'r niet nog twee of drie naast mij hoor ademen, kan ik 's nachts niet slapen.

Tot de dag dat ie Delila mee naar huis bracht, sliep Itzik ook bij ons op de kamer. Maar toen ie met Delila thuiskwam, zei ie: 't Is beter als ik 'r in de oude keuken zet. Daar heeft ze water en dan hoort niemand 'r 's nachts. Mama en Kobi schreeuwden dat ie 'r 't huis uit moest doen. Toen ze zagen dat schreeuwen niks uithaalde, hebben ze op 'm in proberen te praten. Wat hebben ze niet allemaal tegen 'm gezegd. Dat 'r in de Thora staat: Het is verboden om in de keuken te slapen. Dat 'r aan de keukendeur geen *mezoeza* hangt. Itzik hield z'neigen stokdoof. Op 'n dag, toen hun op 't werk waren, heeft ie z'n bed naar de keuken gesjord, in z'n eentje, met z'n eigen handen. Niemand heeft 'm geholpen. We hebben 'm zien vallen, z'n hand zien bloeden van de stangen van z'n bed en dat ie met z'n bed tegen de muur in de gang bleef steken. We wouen 'm wel helpen, maar we waren bang voor Kobi.

Toen Itzik z'n bed in de oude keuken had geschoven, stond 't 'r vol. Je trekt de schuifdeur opzij en je valt gelijk op z'n bed. Hij bindt de vogel vast aan de kraan en slaapt naast 'r, en van z'n hele kamer zie je geen halve meter vloer meer.

Itzik

De halve dag lig ik op m'n rug in bed. Beweeg me niet. Vannacht heb ik over de terroristen gedroomd. Geen maand dat ze niet in m'n dromen komen. Elke keer hoor ik geschreeuw en explosies, en dan staat 'r eentje met z'n geweer over me heen. Ik lig op de vloer en hij trapt met z'n laars tegen m'n kop. De modder van z'n laars komt in m'n ogen. Ik zie ze Etti bij de keel grijpen, 'r 'n vod voor d'r mond binden, 'r radio aan diggelen slaan. De hele familie ligt dood in bed. Allemaal met 'n kogelgat in de kop, en de kussens druipen van 't bloed. M'n vader zie ik ook, die is bij ons thuis, ook met 'n gat in z'n kop, net op de plek waar de bij 'm gestoken had. Hij leefde nog es, alleen maar zodat ie samen met ons dood kon gaan door de terroristen.

Vannacht heb ik niet gezien wat ik anders zie. Voor 't eerst droom ik dat hun buiten voor ons blok staan te wachten en dat ik blij ben. Ik kan 't niet geloven. Ik heb ze hierheen gelokt! Die zijn naar ons blok gekomen of 't niks is! Alles wat ik voor hun uitgedacht had, heeft gewerkt. Delila en ik, wij staan naar hun te kijken vanuit ons raam op de vierde verdieping.

Drie dikke terroristen staan 'r onder de straatlamp. Hoe hun 't hele eind van de grens naar hier zijn gelopen, zo vet als ze zijn, geen idee. Ze kijken naar de vaantjes die ik voor m'n raam heb hangen. De kop van de middelste ziet 'r net uit als die van Sjoesjan van de bios, maar dan met 'n kaffiya 'rover. De twee anderen ken ik niet. Allebei hebben ze 'n walrussnor. Weten niet wat angst is. Wijdbeens staan ze daar te lachen. De tranen lopen hun over de wangen, zo hard lachen ze, doen 't dalijk nog in hun broek. De terrorist met de kop van Sjoesjan heeft z'n armen om de schouders van de twee naast 'm en hun houden hun buik vast, die schudt van 't lachen. Ik verwacht dat Delila ze aanvliegt. D'r gebeurt niks. Ze geeft 'r niks om, om dat stel. Ineens haalt die ene die d'ruitziet als Sjoesjan, z'n handen weg en draait z'neigen om. Zo gauw ie z'neigen omdraait, doen de anderen 't ook, die gaan ook weg. Ze zijn geeneens bang zo met de rug naar mij toe. Hun hele rug is één ketting van handgranaten. Ik zie ze op de rug, zie ze lachen met al die granaten, tot ze in 't donker verdwijnen.

Ik draai zowat door. Hun staan daar te lachen en Delila valt ze niet aan? Ik hou 'r in m'n hand. Ik voel die is van staal. D'r veren zijn niet zacht, ze steken in m'n hand. Ik bekijk 'r es goed. D'r ogen zijn van glas. Ze kent mij niet. Ik word woest en smijt 'r 't raam uit. En zo gauw ik 'r gooi, zo gauw ze in de lucht is, zie ik: ze wordt weer 'n echte vogel. Ze vliegt bij me weg. Gaat 'r in 't donker vandoor tot ik niks meer zie.

Ik hoor m'n moeder in de keuken. Ik doe m'n ogen open en zie: dit is 't eerste begin van 't einde van de nacht. Delila zit bij mij op m'n kamer vast. Geen terroristen, geen granaten of niks.

Gelijk als m'n droom stopt, vraag ik me af: hoe krijg ik 't nou bij Delila aan 'r verstand dat ze de leider van de terroristen z'n ogen uitpikt? Tot vandaag heb ik daar nog niet over nagedacht.

Ik doe m'n ogen dicht. Denk aan alle dieren in ons land, niet alleen aan de vogels, aan allemaal. Ik zie ze, de heel grote dieren, de kleine, de vogels, de vissen, die doen helemaal niet mee met ons spel. Die rennen niet naar de schuilkelder als hier de katjoesja's naar onder komen. Ineens denk ik bij m'neigen: misschien kun je bij ons beter 'n mier zijn als 'n mens. 'n Mier is niet bang voor de oorlog. Die weet nergens niks van, krijgt ie 'n katjoesja op z'n dak, is ie dood, krijgt ie 'r geen, is 't 'm ook goed.

Ik hoor mama naar de crèche vertrekken. Ik slaap weer in. Doe ik m'n ogen open, is 't licht fel in m'n kamer. En 't is stil. Iedereen is weg.

M'n mond is droog tot onder in m'n keel. Ik moet nodig plassen, wat eten. Ik kijk naar 't plafond. Allerlei vragen draaien daar rond in de lucht. De soldaten van 't leger, waarom vechten hun? Uit angst? Uit eer? Of uit haat?

Angst: kent Delila niet. Doodzeker. Wie zo door de lucht vliegt, waarvoor moet die nog bang zijn? En eer: bij Delila zit die vanbinnen, die hoeft 'r niks extra's voor te doen. Ik denk na over haat. D'r schieten me gelijk duizend vragen door m'n kop: wat is haat? Waar begint die bij 'n mens? Waar zit ie in 't lichaam? Hoe krijg je 'r haat in bij de soldaten? Doe je haat 'r in één keer bij hun in, net of 't 'n spuitje is, en hebben ze dan 'r leven lang genoeg? Of is haat net als eten en blijf je 't aanslepen?

En Delila, kent die dat wel, haat of liefde? Ik til m'n kop van 't bed en kijk 'r in 't gezicht. Aan 'r gezicht zie ik niet af of ze verdrietig is of blij. Haar gezicht ziet 'r de hele tijd boos uit, daar zit geen verandering in. Dat je denkt: ze is boos, dat komt door d'r ogen. En door de zwarte veertjes 'r midden tussenin. Dat ziet 'r voor jou net uit als 'n boos mens met rimpels in z'n voorhoofd. Maar 't is alleen maar de kop die jou zegt dat ze boos is.

Trouwens, de vogel die jou met 'n lach op z'n gezicht aankijkt, die moet nog geboren worden. Dat gedoe met gezichten heb je alleen bij mensen. Net 'n filmdoek in de bios, 't gezicht van 'n mens. Je ziet 'r de film op die d'r vanbinnen draait. Maar Delila, die heeft 'r trots. Wat die daarbinnen heeft komt 'r niet uit, dat kun je mooi vergeten. Maar de mensen, zo gauw hun weten hoe je 'n gezicht moet trekken, beginnen ze te liegen. Binnenin brandt 't van woede en aan de buitenkant plakken ze 'r 't plaatje op van iemand die 't naar z'n zin heeft. Binnenin zijn ze blij dat ze iemand treffen die ze aardig vinden, misschien dat ze op straat 't meisje van hun dromen tegenkomen, en aan de buitenkant laten ze iemand zien die d'r niks om geeft. Geeft God de mensen 'n gezicht waar ie zonder woorden alles mee kan zeggen wat 'r in 'm zit, en wat doen de mensen? Die gaan 'rmee aan de haal. Plakken 'r plaatjes op die d'rover liegen.

Delila, die vraagt je ook niet dag in dag uit: Hoe gaat 't met je. Voor haar hoef je die woorden niet te zeggen en 'r 't plaatje op te plakken. Haar zal 't 'n zorg zijn hoe 't met jou gaat. Die maakt d'reigen niet vuil aan de drek van de mensen. Zeven maanden ben ik al met 'r samen, en nog weet ik niet wat 'r in 'r omgaat. Ik weet geeneens of ze ook van mij houdt. Kom ik ook niet te weten. Van m'n leven niet.

Snapte ze onze taal maar. Dan nam ik 'r mee om Rav Kahane te horen, als ie hier komt. Dat zou 'r spuitje haat kunnen zijn. Alleen, stel dat ze snapt wat ie zegt, vliegt ze dalijk ook Hassan nog aan, de onderdirecteur van de bank. Voor Kahane zijn nou een keer alle Arabieren terroristen, die zijn één pot nat wat hem betreft. Toen ik 'm voor 't eerst zag, hoe oud was ik toen, net zeven, we waren aan 't spelen op 't plein en ineens rent iedereen naar de falafelkraam. Ik ga 'r ook heen met Doedi. Wisten niet wat we 'r te zien zouden krijgen, hoe moesten we dat ook weten? M'n vader lag op de grond, met 'n bijensteek net onder z'n oog. 'n Kleine berg had ie daar onder z'n oog. Als je 't niet met je eigen ogen gezien hebt, zou je niet geloven dat 'n bij 'n mens tegen de vlakte krijgt.

Ik kom uit bed. Moet me aan 't aanrecht vasthouden om niet om te vallen. Ik heb koppijn of 't Jom Kipoer is. 't Loopt vast al tegen twaalven. Ik ga plassen, doe m'n broek en onderbroek naar onder. Al m'n kleren zijn met elastiek, zonder knopen, zodat ik ze zelf uit kan trekken. Ik heb één lange vinger, die heeft 'n goeie grootte, alleen is ie 'n beetje krom aan 't eind. Ik noem 'm Elia, omdat ie 'ruitziet als Elia, Rafi z'n opa, die loopt altijd krom. En de nagel op m'n vinger zit scheef, net als de *kipa* bij hem op z'n kop. Met Elia trek ik m'n broek ook weer omhoog.

Ik ga naar de keuken. Mama heeft drie potten voor ons klaarstaan voor tussen de middag. Ik licht 't deksel van eentje op, tel de stukken kip, neem 'r twee, eentje voor mij en eentje voor Delila. Zie ik 'r in de gootsteen 'rop aanvallen, heb ik 't antwoord: niks wat die niet doet voor vlees.

Doedi

Drie slingers met vaantjes heb ik meegebracht voor Itzik. Uit 't opvangkamp voor nieuwkomers. Eén wil ie 'r voor z'n raam hangen en de twee andere in de bomen bij de wadi, om de terroristen naar ons blok te lokken. Ik weet niet hoe ie 'rbij kwam, mij vragen om tegen de muur van Werkverschaffing op te klimmen. Niet te doen! Alleen salamanders komen daartegenop. 'n Geluk voor mij, ik wist hoe ik 'raan kon komen toen ie over die vaantjes begon. Ik ben naar Sally gegaan, 't hoofd van de vrijwilligers in 't nieuwelingenkamp, en heb gezegd: Jehoeda van Onderhoud die stuurt me. De vaantjes moeten 'raf van 't gemeentebestuur. Je hoeft Gideon niet te roepen, ik haal ze wel even naar onder. Ze maakte 'r geen problemen over, haalde 'n ladder en hield 'm voor me vast omdat ie zo wiebelt en daarna bedankte ze me nog ook.

We zijn terug naar huis gegaan. Naar de keuken waar Itzik slaapt met Delila. Hij zegt: We maken 'n terroristenmasker voor de training. Ik moet van papa's witte schaal 't gezicht van 'n Arabier maken voor 'm. De plastic schaal waar ie altijd water in deed om dat ding af te wassen waar je falafelballetjes mee maakt. Ik zeg: Maar wit klopt toch niet, en hij zegt: Geeft niks, we laten 'n paar lucifers afbranden, dan kleuren we 'm daarmee.

De spullen van papa's falafelkraam staan in de kast van de oude keuken, waar Itzik met Delila slaapt. Toen mama alles naar de nieuwe keuken verhuisde, heeft ze de falafelspullen laten staan. Wat moest ze 'rmee in de nieuwe keuken? Ze wou ze niet meer zien. Twee gaten heb ik in de schaal gemaakt, met 'n mes, voor de ogen van de terrorist. Itzik heeft 'r de handen niet voor. En ik heb 't hele Arabierengezicht met lucifers zwart gemaakt en 'r 'n neus op getekend met 'n viltstift van Etti. Ik heb 'r ook 'n zwarte baard op geplakt, van de staalwol waar mama 't fornuis mee poetst. En wenkbrauwen. De contactlijm hebben we bij Assouline vandaan. Op 't laatst heb ik nog 'n grote snor gemaakt om z'n mond achter te verstoppen, omdat ie 'ruitziet als die van 'n clown. Wat doe je 'raan, zo is ie met 't mes nou een keer geworden. 'n Mond die overal om lacht, die prakkiseert nog niet over 't eind van z'n leven. Met de snor d'roverheen lijkt ie al meer op eentje die aan z'n laatste dag denkt, die weet wat 'm wacht. Ik heb ook 'n kaffiya gemaakt van 'n wit hemd, met 'n zwart koord om de boel op z'n plek te houden en ook op mijn hoofd, zodat ik de schaal en de kaffiya maar niet zelf hoef vast te houden. Maar 't eind van 't liedje was dat ik alles toch zelf vasthield.

Daoed heeft alleen 'n gezicht. Z'n lichaam krijgt ie van mij. Toen ik in de badkamer in de spiegel keek, heb ik Daoed in z'n baard gekrabd en geoefend om z'n woorden in 't Arabisch te zeggen en z'n haat te hebben, ook al zie je m'n ogen niet. Ik heb alle vloeken die ik ken gezegd. Ik heb de kraan opengedraaid zodat niemand me zou horen.

Om 'r te leren naar de ogen te gaan, hebben we wat vlees gepakt en 't door mama's vleesmolen gehaald samen met wat oud brood, dat hadden we eerst 'n uurtje in 't water gelegd, en toen was 't wel zo vast dat we 'r de gaten mee vol konden plakken. Aan één ding hadden we niet gedacht: hoe ik met die schaal voor m'n kop wat moet zien buiten. Binnen is 't geen probleem, daar weet ik alles. En aan de lucht hadden we ook niet gedacht. Is dat vlees 'n paar uur buiten, steek je je kop liever gelijk in 'n plee vol schijt.

Doedi en Itzik

'En ik zeg je Itzik, waarom doe je 't niet zelf? Dan ga ik wel op die rots staan en laat 'r koord los, zet die schaal maar op je eigen kop!'
'Waarom? Dacht je soms dat ik bang voor d'r was? Kom hier. Hou jij 'r dan vast. Maar denk 'rom dat je 'r veel koord geeft, dat ze in een keer tot aan m'n gezicht komt. Snap je wat ik bedoel?'
'Laat maar. Hoeft niet. Ik doe 't wel. Beter dat jij 'r laat vliegen. Bij jou weet ze beter wat ze moet doen. Net of ze aan je hersens vastzit. Oké, ik ga 'r al staan, maar die lucht, van die lucht ga ik nog over m'n nek.'
'Hou es op met dat gejammer. Ik tel tot zeven, dan laat ik 'r los. Nou blijven staan, en hou dat ding vast. Een, twee …'
'Bechajat Itzik, moet 'r echt zoveel vlees op?'
'Hou op met jammeren. Doe je 't al in je broek? Dalijk vliegt ze je aan. Ik laat 't koord in één keer los, dat ze maar kan gaan, dat ze niet hoeft in te houden. Sta nou es stil, Doedi, en rechtop, zo recht als 'n elektriciteitspaal ga je staan en wee als je beweegt, vier, vijf …'
'Wacht, d'r komen allemaal vliegen. Hun maakt die lucht niks uit. Oké. Ik sta. Ik beweeg niet.'
'Zes, wee als je beweegt!'
'Maar ik beweeg toch niet!'
'Zeven! Delila, Delila, pak 't vlees, pak 't vlees!'

'Sukkel die je bent! Alles naar de kloten! In één tel alles naar de kloten. Had ik Etti maar meegenomen. Die had me beter geholpen.'

'Etti kan Delila niet uitstaan, heeft ze dat niet gezegd?'

'Ik heb 'r laten vasten, 'n echte Jom Kipoer heb ik 'r vandaag bezorgd, de hele dag werkt ze me op de zenuwen met 'r hongergekrijs. En moet je 'r nou zien. Vreet 't vlees zo van de grond, net of 't 'n koningin is, geeft niks om die lucht. Geeft nergens niks om. Die lacht ons alleen maar uit.'

'Ik zei toch "Ga d'r zelf staan"!'

'Jij zei "Laat maar, hoeft niet"!'

'Maar Itzik, nog even en ik was hartstikke dood. Ik heb toch met m'n eigen ogen gezien hoe ze d'reigen op me stortte. Weet je wel wat dat is, zo'n klauw in je oog? Eén haal is genoeg, dan had ik van m'n leven geen film meer kunnen zien! En trouwens, wat denk je nou, die komen hier en staan zo stil als 'n elektriciteitspaal? Had je gedacht. Ik zie ze nog niet die bommen afleggen en in 't Arabisch tegen mekaar zeggen: Itzik heeft gezegd: Niet bewegen. Itzik heeft gezegd: Sta zo stil als 'n paal. Itzik heeft gezegd: Hier netjes wachten tot Delila komt, geduld. En Itzik, 't vlees is op. Ik zeg 't nog een keer, meer vlees is 'r niet.'

Hij zegt: Ik moet vlees halen bij Mosje. Al drie dagen zeg ik 'm: Mosje doet niet meer mee. Maar hij luistert niet. D'r zit ook niks in de val. Ik wil 'm nog 'n keer zeggen dat Mosje 'n aandeel in Delila wil, maar dan wordt ie dalijk weer woest. Voor mijn part delen 'r vijf mee in 'r, maakt 't mij uit.

Ik doe m'n mond maar open en hij begint al: 'D'r wordt niet gedeeld in Delila! Helemaal niet! He-le-maal niet! Voor de laatste keer: in Delila wordt niet gedeeld! Hebben we niet met onze eigen ogen gezien wat 'r gebeurt als 'r anderen mee gaan doen? D'r was maar één falafelkoning, d'r is altijd maar één koning, waar of waar? Delen ze de zaak op, wat blijft 'r dan over? Geen donder. Hak de kroon van 'n koning maar es in vijven!'

'Maar waarom, Itzik, waarom? Is 't dan beter dat onze training mislukt? Dat Delila verhongert?'

'Die verhongert niet! Die gaat zo snel niet dood! Luister goed wat Itzik zegt. Die, da's de koningin van de vogels! Wijs me 'r nog es een aan die zo in de hemel vliegt! En dan daarbij, hoe moet ik je dat uitleggen? Dat moet je toch van-eigens snappen. Stel, jij trouwt morgen, en je krijgt 't niet voor mekaar om je vrouw te eten te geven, de vrouw die voor jou de koningin van alle meisjes is. Daarom heb je 'r ook gekozen, ben je met 'r getrouwd. Je gaat in de fabriek werken. Alleen, die fabriek, die wordt ineens ziek. Daar komen de dokters aangereden in hun dure auto's en hun dure kleren, en die zeggen: Gooi 'r twintig arbeiders uit, dan wordt de fabriek weer gezond. En jij, Doedi, jij bent 'r als laatste bijgekomen, dus jou gooien hun 'r als eerste weer uit. Na twee dagen ontslaan ze je, zodat je niet in de weg loopt terwijl de fabriek weer gezond wordt. Ga je naar de sociale dienst, zeggen hun: Ben je gezond? Dan ga aan 't werk. En jij zoekt werk, 't is niet dat je niet zoekt. Elke dag ga je naar 't arbeidsbureau, maar je komt nergens aan de bak. Je vrouw zit thuis met de kleine, allebei hebben ze honger. Wat doe je dan, Doedi?'

'Weet ik niet.'

'Ik zal je zeggen wat je doet. Je komt naar mij. Jankt dat jullie niks te eten hebben. Ik ben je broer, en wat zeg ik? Geen probleem, ga naar Mosje, die geeft jullie wel wat. Alleen heeft ie tegen mij gezegd dat ie 'n aandeel in jouw vrouw wil. Nah, wat zeg je daarvan, Doedi? Is dat wat je wilt horen van je broer als je in de moeilijkheden zit? Zou je 'm laten delen in je vrouw? 'n Klap op z'n smoel zou je 'm geven, je zou 'm in mekaar rammen.'

'Hou nou op, Itzik, hou op, hoe wou jij 'm nou in mekaar rammen? Ben je soms Samson? Kom, ram mij maar es in mekaar. Hier, ik sta hartstikke stil, net 'n elektriciteitspaal. Wat wou je doen?'

'Wee als je me nou wat voorliegt. Heb je 'm nog meer over d'r verteld?'

'Ik heb 'm verteld … niks heb ik 'm verteld … weet niet wat ik 'm verteld heb. Wat moet ik 'm verteld hebben? Over de training heb ik echt niks gezegd. Erewoord. Daar hoef je niet bang voor te zijn, daar vertel ik 'r geneen wat over.'

'Zie je nou, nou eet ze alles op.'

'Maakt 't uit, laat 'r eten. Smakelijk!'

'Als je iemand ziet, Doedi, verstop je 't masker in de struiken tot ze voorbij zijn, zodat ze 't niet zien, dan haal ik 'r gauw bij 't vlees weg.'

'Wat valt 'r te zien? Die denken: die vogel eet bedorven vlees. Daar snappen hun toch verder niks mee.'

'Reken me nou niet op de mensen, Doedi. Niet op wat ze snappen en ook niet op wat ze niet snappen! Hun willen geneens dat je op ze rekent.'

'Man, voor jou zijn alle mensen 'tzelfde. Je gooit ze 't liefst allemaal op de vuilnishoop!'

'Doedi, hoe wil jij nou rekenen op 'n vent die zelf nog niet weet waaraan of waaraf? Hij weet geneens of ie over 'n minuut nog leeft. Zo is 't toch. Nou staat ie daar en dan valt ie om. En die laatste minuut dat ie nog staat, waar denkt ie dan aan? Help, dit is misschien de laatste minuut van m'n leven? Welnee, die denkt aan heel andere dingen. Ik moet plassen, dat denkt ie. Of ik heb 't warm of ik heb dorst. Alle mensen hebben de kop vol van dat soort klets. Alleen wij, Doedi, alleen jij en ik, wij hebben grote gedachten. Wij zijn niet net als de rest hier. Wie hoort 'r nog van hun? Wie schrijft 'r over hun in de krant?'

'Wat kan mij de krant schelen? Wat heb ik aan m'n foto in de krant met 'n haal door m'n oog?'

'En als ik je nou es zeg: God heeft ons gestuurd dat wij wat op poten zetten voor de terroristen? Heb je daar al es aan gedacht? Heb je eigenlijk wel ooit es aan God gedacht, Doedi? Dat die me dat plan in m'n kop heeft gezet? Wat moet ik dan doen? Jankend bij 'm aankomen dat ie me 'r geen leren koord bij heeft gegeven, of vlees voor d'r, of vaantjes? Ik ben 'r niet een die gaat janken, Doedi, snap je wat ik bedoel? Ik ga niet staan janken bij God. Zo kom je 't verste met 'm. Lacht ie om jou, lach jij om hem. Aan 't eind heeft ie dan meer respect voor jou als voor al die lui die bang voor 'm zijn.'

Itzik

Als ik wil snappen wat God is, ga ik buiten bij 'n mierenhoop zitten. Dan zoek ik 'r eentje uit en die verlies ik niet
meer uit 't oog. Geen probleem, denk je, eitje. En nog terwijl je denkt: niks zo makkelijk, merk je dat 't zo simpel niet
is.

Die ene rent rond en 'r zijn 'r nog duizend die net zo
rondrennen, en je ogen willen 'r de hele tijd vandoor naar
'n andere. De hele tijd naar die ene kijken wordt ook gauw
saai. Die rent alleen maar. Ineens zie je 'r eentje die sleept
wat mee en je wilt zien wat ie meesleept. Kijk je 'r maar één
tel naar, ben je jouw eigen mier kwijt, je vindt 'm niet meer
terug tussen de rest. Je neemt 'n tweede. Je wilt denken dat
je 'm kent. Je ziet dat ie door 'n gaatje de mierenhoop in
gaat en je wacht tot ie 'r weer uit komt. De hele tijd komen
'r mieren uit, jij denkt: misschien is die daar de mijne of die,
maar zeker weten doe je 't niet, voorheen sleepte ie met
eten, daar herkende je 'm aan, maar waar moet je 'm nou
aan herkennen?

Ik zit 'r 'n halve meter vandaan en ik weet: ze zien me niet.
Zo is 't ook met God. De hele tijd denken we: die verstopt
z'neigen of: die is ver weg. Waarom zou ie z'neigen verstoppen?! Waarom ver weg? Alleen al omdat ie zo groot is, zien
we 'm niet. En die mieren, al kijken ze omhoog, zien ze 't
eind van m'n schoenzool nog niet. Nou zeg ik: Ze moeten
wel weten dat ze op 'n halve meter afstand 'n god hebben.
Hoe pak ik dat aan? Daar heb ik maar twee spelletjes voor.

't Spel van de lieve God en 't spel van de gemene God. De moeilijkheid bij die spelletjes is dat je wel echt bij hun in de kop moet gaan zitten. Je moet weten wat goed voor ze is en wat is slecht in hun leven.

't Is makkelijker om te weten wat ze geen goed doet. En leuker, om een of andere reden. Geen idee waarom. Net als met Chaim en Osjri, hun hebben 'r lol in als ze op de crèche de blokken op mekaar zetten tot ze 'n hoge toren hebben. Maar ze hebben nog meer lol als ze 'r 'n schop tegenaan geven zodat ie instort. Bouwen ze 'n toren, is hun kop zwaar. Maken ze 'm kapot, joelen ze, staan ze te springen van plezier.

Je denkt bij je eigen: ik giet 'n fles water leeg in 't gat van die mierenhoop. Ik geef ze geen keus, sommige gaan gelijk dood en andere komen met moeite naar buiten gekrabbeld en gaan daar in de modder dood. En hun d'romheen, die niks overkomt, die blijven misschien even staan en vragen: Wat rennen die daar nou? Wat is 'r 'n halve meter verderop? Dat soort dingen vragen ze dan. En misschien denken ze daarbij ook aan mij, dat ik hun god ben. Had ik iets goeds voor ze gedaan, stel, ik zet 'n hele berg eten vlak naast de mierenhoop, waren hun echt niet blijven staan. Waarom ook? Dan hadden ze gewoon gelijk alles mee naar binnen gesjouwd. Eentje die de loterij wint, jammert toch ook niet: Lieve God, waarom ík? Pas als 'r jou wat ergs overkomt, dan gaan je gedachten rennen.

Zeg maar: Dat is wreed, zeg maar: God is gemeen. Welnee, die is niks gemener als ik met de mieren. Hij is gewoon te groot voor ons. Stel nou es, ik wil met zo'n mier praten. Hoe pak ik dat aan? Kan ik 'r wel mee praten? Kan ik 'n hand op z'n schouder leggen en zeggen: Warm vandaag, hè? Ik heb ze geschapen maar ik kan 'r niet mee praten. Waarom heeft God ons zo anders gemaakt als z'neigen? Geen idee. Misschien wil ie in één klap alles zien wat ie gemaakt heeft, dat ie ons daarom zo klein gemaakt heeft. En dus is ie nou alleen. 't Eind van 't liedje is dat ie 'r niks aan heeft dat ie de mens uitgevonden heeft. D'r zijn 'r sowieso meer die niet geloven dat ie bestaat als die 't wel geloven.

Wil ik nou 'n mier uitzoeken voor m'neigen, moet ik zorgen dat ie niet dezelfde vorm heeft als de rest. Ik moet wat doen aan z'n lijf, anders kan ik 'm niet herkennen, hij mag 'r alleen niet dood aan gaan. Hoe ik 't ook draai of keer, altijd komt 'r 'tzelfde uit, God heeft, toen ik nog bij m'n moeder in de buik zat, besloten om me 'n merkteken mee te geven zodat ie me al van verre ziet, waar ie ook is, zodat ie me niet verwart met 'n ander. En soms zie ik Hem ook, 's nachts, dat ie 't 'r moeilijk mee heeft dat ie helemaal niet in de wereld is die ie geschapen heeft. Ik vecht niet met 'm. Iemand die door God uitgekozen is, die kan Hem ook zien, en wat 'm zeer doet.

Dat ie me uitgekozen heeft, daarvoor zeg ik 'm dank. En zet ie me iets in de kop om te doen, vraag ik niet waarom. Ik pieker me alleen suf, dat ik 't ook net zo doe als ie 't gedaan wil hebben.

Doedi

Ik lig in bed en opeens voel ik Itziks hand. Ik draai me op m'n buik, hij laat me niet met rust, ik roep dat ie weg moet.

'Man, schreeuw niet zo, je maakt 't hele huis wakker! Hou stil. Maak ik je soms elke nacht wakker, dat je zo tekeergaat? Ik maak je alleen wakker als 't belangrijk is, toch Doedi?'

'M'n hele droom heb je kapotgemaakt, Itzik, en ik zeg je, 't was me 'n droom ...'

'Hoezo, waar droomde je dan over?'

'Weet ik niet meer, ik weet 'r niks meer van.'

'Wat zeur je dan?'

'Daarom juist, als ik 'm nog wist, had ik niks te zeuren. Wacht, wacht, 't komt terug. 't Paard. Ik had 'n paard, 'n pracht van 'n paard heb ik, helemaal zwart, alleen 'n wit plekje voor op de kop, ik stijg op en 'r begint 'n liedje; als ik 't maar hoor, springen de tranen me al in de ogen. Verder weet ik 't niet meer. De hele droom is weg.'

'En, had je 'r ook 'n pracht van 'n meid bij? Met zo'n zwarte rok tot op de grond en 'n wit schort 'roverheen en lange haren, nog langer als die van Etti? Stond ze op 't balkon te huilen omdat je wegging?'

'Hoe weet jij dat nou? Hoe weet jij mijn droom? Zeg me nou niet dat we ook samen zijn als we dromen, wij tweeën?'

'Hoezo "als we dromen". Ik heb vannacht nog geen oog dichtgedaan. Maar ik ben samen met jou naar de bios geweest, daarvan weet ik 't. Uit de film die we gezien hebben,

Doedi, die hele droom van jou heb je uit de film, en dat meisje, dat huilde voor de pauze net zo. Daarna heeft Sjoesjan ons 'ruit gegooid. Jammer dat ie jou 'r niet eerder uit gegooid heeft, dan had je 't nou niet in je kop.'
'Wallah, je hebt gelijk. Ik heb alles door mekaar gehusseld. Maar waarom maak je me wakker? Denk ik es 'n keer nergens aan, slaap ik als 'n blok, kom jij me wakker maken. Wat is 'r? Zeg nou es wat 'r is. Wat bazel je nou over 'n film. Je zei toch dat 'r wat gebeurd was?'

Ik moest van 'm zeggen welke kleur de veren van Delila hadden. Ik dacht: nou spoort ie echt niet meer. Had ie me niet beloofd, als alles zover was en we hadden getraind met Delila en we hadden 'r bij 't raam gezet, had ie me niet beloofd dat we dan konden slapen als koningen? Als koningen, had ie gezegd. En nou is 't ineens stervesbelangrijk dat ik 'm vertel welke kleuren Delila op 'r kop heeft? Hij grijpt me bij de hand of ie zelf 'n roofvogel is, met die kromme vinger van 'm. En hij laat me niet gaan tot ik 'm gezegd heb: Op 'r kop heeft ze dezelfde kleuren als op 'r hele lijf, net dezelfde. Toen nam ie me mee naar z'n kamer, dat ik 'r es goed kon bekijken, met m'n eigen ogen.
'In 't begin had ze toch dezelfde kleuren over d'r hele lijf?' vraagt ie. 'Zo wisten we toch uit 't vogelboek dat 't 'n meisje was? Kijk dan nou es! Dat gaat nou al 'n paar dagen zo, maar ik geloofde 't gewoon niet, nou krijgt ze jongenskleuren op 'r kop! Nog 'n dag of twee en dan is 't de kop van 'n mannetje. Kijk es goed en zeg op: ben ik nou blind of wat?'
'Ik zie dat ze grijze veertjes op 'r kop krijgt en 'r zit ook wat blauw bij, maar 't is niet fel.'
'Wat is 'r dan loos met 'r, Doedi, wat heeft ze? Toen ik zag: ze wisselt 'r staartpennen, toen dacht ik nog: dat komt misschien omdat 't 's zomers zo warm is. En toen kreeg ze 'n

rode buik, en ik dacht: nou vooruit, zo zijn meiden, 't ene
moment 'n rode jurk met zwarte stippen, 't volgende trekt
ze die weer uit, wordt ze weer net als eerst. Maar nou zie ik:
die wisselt niet meer terug, die wordt langzaamaan 'n mannetje! Zomaar. Ze bedriegt me. Zomaar ineens. Waarom?
Waarom doet ze dat, Doedi, wat denk jij?'
   'Rustig nou, Itzik, kijk nou, je staat helemaal te trillen, en
je weet heel goed waarom die d'reigen verandert!'
   'Niet waar!'
   'Wel waar. Je hebt me uit m'n mooiste droom gehaald,
dus nou krijg je de waarheid te horen ook: die verandert
d'reigen alleen maar vanwege die training van jou. Omdat
jij 'r nooit es 'n keertje naar buiten laat, gewoon voor de lol.
Je beult 'r maar af. Zo spring je nog niet om met 'n rekruut.
Eerst zei je: Die, da's 'n koningin, die woont in de hemel.
Koningin van alle vogels, zo noemde je 'r. Die en God, die
zijn mekaars buren daarboven. Zelfs 'r schijt was schoon,
zei je. En wat heb je nou van 'r gemaakt? 'n Grenswacht!
Wijs mij es 'n koningin aan die de godganse dag krijst van
de honger! Ik zeg je, Itzik, had ze die leren veter niet om 'r
pootje, dan was ze 'r allang vandoor gegaan, terug naar de
hemel. Maar zo, waar kan ze zo naartoe? Naar de gootsteen?
Die laat jou zien: ze laat niet meer met d'reigen sollen. Die
doet niet meer wat jij van 'r wilt. Vanaf vandaag beslist die
voor d'reigen. Daarom heeft ze d'reigen veranderd! Haal jij
je wat in je kop, zie je alleen nog maar dat fantastische plan
van je, nog geen millimeter ga je 'rvanaf, wat 'r ook van
komt. Maar die, die heeft geen mond. Hoe moet zij nee tegen je zeggen? Zo, dus.'

Zeven uur 's avonds. Itzik en ik zijn alleen in 't schoolgebouw. De hele dag is 't luchtalarm afgegaan, de hele dag al
wouen we hierheen voor 't vogelboek, dat had ik in de lera-

renkamer teruggezet, en we konden 'r niet in. Alles zat pot-dicht. Om halfzeven 's avonds komt Zion, de conciërge, die gaat naar binnen en laat de deur open. Wij zijn achter 'm aan naar binnen gegaan en hebben ons verstopt tot ie weer weg was. Itzik was de hele tijd bang dat Delila 'n keel op zou zetten. Zo gauw Zion buiten was, zijn wij naar de leraren-kamer gegaan, 't boek halen, 't stond nog net zo als ik 't had neergezet, en we hebben gezien dat 't echt zo is: de kleuren van Delila veranderen in die van 'n mannetje.

De hele tijd zie ik 't aankomen: dalijk gaat Itzik door 't lint, en ik was echt bang voor 'm. Heb van alles gezegd. Mis-schien dat Kes in de film ook van 'n wijfje in 'n mannetje veranderde, want we hebben 't eind toch niet gezien. Stel, Sjoesjan was niet in de pauze 't toneel op gegaan en hij had niet geroepen 'Die jongens van Dadon, d'ruit!' misschien hadden we dan gezien: met Kes is 'r 'tzelfde gebeurd.

Ik weet nog, we staan daar voor de deur, met een bio-scoopkaartje voor ons tweeën en als we buiten naar de filmposters staan te kijken, zegt Itzik tegen me: 'Geloof me, Doedi, ga je naar de film, ben je niet meer in deze wereld. Da's de hemel, echt, de hemel. Lucht zo blauw en sneeuw zo wit, en die paarden, dat zie je nergens op de wereld, da's al-leen in de film. Alleen is de wachter bij de hemelpoort geen engel, maar Sjoesjan, dat hoerenjong. Kom, dicht achter me blijven, dan gaan we in één keer samen.'

Hij is als eerste binnen, met 't kaartje, en ik gauw achter 'm aan, ik kijk ook nog de andere kant op. Sjoesjan scheurt 't kaartje af en laat 'm door, maar mij grijpt ie bij m'n broek, mij houdt ie tegen. 'Niet zo snel, monsieur Dadon, waar denk jij dat je naartoe gaat? Heb je dan nooit gehoord, Dadon, dat er geeneen de bioscoop in komt die niet eerst z'n zakken wat lichter maakt?' Itzik is ook blijven staan, gaat niet alleen naar binnen. Sjoesjan ziet 'm wachten en gaat verder: 'Het is maar dat je het weet, mijn smalle monsieur Dadon, ik tel de lui die naar binnen gaan bij hun benen. Daarom zit ik op 'n kinderstoeltje. Vroeger was je er zonder problemen doorgeglipt, toen telde ik de koppen en glipten er daaronder drie of vier mee naar binnen. Maar nou weet Sjoesjan: op elke twee benen die hij telt, scheurt hij een kaartje af. Net of het de ark van Noach is, zo marcheren ze hier naar binnen: rechterbeen, linkerbeen, zelfde broek, zelfde schoenen. Waarom? De kop, Dadon, de kop kun je steken waar je wilt, maar de mens die hier langsgevlogen komt, die moet nog geboren worden. Niks aan te doen, ze plakken allemaal vast aan de grond, zodat ze niet vergeten waar hun reis begon en waar ie dalijk ophoudt.'

Ik trek 'n gezicht of ik wil gaan huilen, hij denkt aan papa en voelt z'neigen 'r niet prettig bij. Gauw stel ik voor: 'n half kaartje voor ons tweeën en in de pauze gaan we 'ruit. 'Twee halve, da's toch net zo goed als een hele.' Hij vergeet papa, en iedereen die al binnen is, lacht met 'm mee: 'Rekenen kan ik als de beste, mijn smalle Dadon. Twee keer een halve film op één kaartje? Bestaat niet, vroeger niet en nou nog niet. Zeg eens, toen jullie op de wereld kwamen, hebben jullie toen ook tegen God gezegd: Laat ons met z'n tweeën op één kaartje erin, we zweren dat we maar een half leven blijven?' En ik zie Itzik, die vindt 't niks zoals ie over God praat, die ontploft daarbinnen dalijk. Ik zeg tegen Sjoesjan: 'Maar waarom dan niet? Voor jou is 't toch 'tzelfde geld, Sjoesjan, doe 'n *mitswa*.' En daar begint ie, Onze vader, dat was echt een arme drommel, die zou zich schamen als ie ons zo zag, dat was er tenminste eentje die nooit van z'n leven zijn hand ophield voor iets wat 'm niet toekwam en zelf had ie ook nooit wat voor niks weggegeven.

Ik sta daar zowat te janken, maar Itzik grijpt me vast, zodat ik niet naar buiten ga, die maakt 'r nou 'n erezaak van. En

Sjoesjan houdt maar niet op: 'Ik ben er geeneen een verklaring schuldig! Dat is nou de moeilijkheid in dit land. Overal moet je een verklaring voor geven. Zelfs een grote moet een verklaring geven aan een kleine. Waar zag je dat vroeger, dat een kind zijn kop heft om een volwassene tegen te spreken? Toen wist een kind: zijn kop zit net op de goeie hoogte, die ziet net wat ie moet zien. Toch, Sjoela? Nee, hij is nog niet begonnen. Twee minuutjes, dan begin ik, hoe is het met Zion? Waar was ik, Dadon? Komt een kind zijn vader tot aan de knie, ziet ie een jaar lang alleen maar die knie, dan is dat ook wat ie moet zien. En alles wat hem van het hart moet, kan ie kwijt aan de knieën van zijn papa. Zo ging dat vroeger. En waarom? Omdat het allemaal onrijp geleuter is, het aanhoren niet waard. En de wijze dingen die zijn vader zegt, die krijgt ie niet langs zijn oren, die vallen 'm recht van boven in zijn kop. Dertien jaar op de wereld, en nog heft ie zijn kop niet om zijn vader in de ogen te kijken.'

Ik zie op Sjoesjans horloge dat dalijk het journaal begint, en nog altijd laat ie ons niet naar binnen. En Itzik, ik ken mijn broer toch, nog even en ie barst los, en 't eind van 't liedje is dat ze ons 'r allebei uit gooien. Ik zeg tegen Sjoesjan: 'Laat ons nou voor deze ene keer zo d'rin, je hebt ons kaartje al afgescheurd, kan 't jou schelen?' Maar die is net ijzer. Nou hebben ze de deur vanbinnen al dichtgedaan, je kunt 't begin van 't journaal horen. Hij kijkt me recht in de ogen: 'En, monsieur Dadon, wat heb je besloten? Misschien maak je nou een groots gebaar naar je broer, laat je hem naar binnen gaan. Jammer, als hij het begin moet missen.' Gelukkig voor ons kwam Rachel 'r toen aan.

'Heb ik geen gelijk, Rachel?' zegt ie tegen 'r, en gelijk klinkt z'n stem al anders, vanwege haar. Ik denk: nou laat ie ons naar binnen, maar nee, hij moet ons nog wat laten smoren. 'Kom, tellen jullie eens met me mee: twee kousenbenen, twee nieuwe schoenen met hoge hak, één kaartje. Kom, kom even hier, mooie Rachel en zeg eens, wat vind jij ervan. Je mist de film niet, het is nog maar het journaal. Ik heb hier die twee kinderen, die willen met z'n tweeën op één kaartje naar binnen tot aan de pauze. Wat vind jij daar nou van?' Rachel veegt 'm de mantel uit: 'Wat mankeert jou, Sjoesjan. Twee wezen, en jij hangt de vrek uit?' En ze gaat naar binnen. Maar Sjoesjan mompelt: 'Die heeft mooi praten.' Hij staat 'rop dat wij 'm zweren: 'Maar ik, ik wil jullie allebei hier zien in de pauze, dat jullie Sjoesjan vragen om jullie eruit te laten. Jullie moeten zo eerlijk zijn dat je op de ark naar Noach gaat en zegt: We hebben maar tot hier een kaartje, zet ons nou maar overboord, want wij flessen de zaak niet. Yallah, naar binnen met jullie. De film begint. Maar zachtjes doen, de rest niet storen. Zo goed is die film niet, gewoon over een joch met z'n vogel. Volgens mij hebben ze de verkeerde gestuurd.'

Wie had nou verwacht wat we om die film allemaal zouden meemaken? In 't begin was Itzik nog steeds boos en hij zei: 'Die krijg ik nog wel, dat zeg ik je. Zo praat ie maar beter niet over God. Je zou zeggen: Hij en God, dat zijn buren. Zeker te weten God heeft nog nooit van z'n leven naar 'm gekeken.' Tot 'r lui naar 'm schreeuwden dat ie z'n muil moest houden. Nog even en ze waren opgestaan, hadden 'm 'n klap verkocht. Gauw zocht ik 'n goeie plek voor ons. Ik ruilde van stoel met 'm, dat ie achter 'n kleintje zat en 't goed kon zien, en pas toen ik zag: hij is afgekoeld, toen ging ik 'r ook in op, in de hemel van de film. Maar wat voor 'n hemel was dat! Dat joch kreeg de hele tijd op z'n lazer: van z'n leraar, van z'n broer, van z'n voetbalcoach, van wie niet? Van iedereen kreeg ie op z'n lazer, en alleen maar omdat ie geen vader had om 'm te beschermen. Maar dat was niet wat Itzik zag. Was die een keer afgekoeld, zag ie alleen nog maar dat valkenjong, en dat de jongen 'r trainde en dat ie ging jatten, nog geeneens volgens onze geboden. Ze konden 'm allemaal verrekken, hij greep wat ie wou.

Buiten begint 't al donker te worden en alleen wij tweeën zijn in de school. Ik praat en Itzik geeft geen antwoord. Hij gaat voorop, ik achter 'm aan. Geen idee waar ie naartoe wil. Dan gaat ie het handvaardigheidslokaal in, pakt Simsja's grote schaar en één tel later, ik zweer 't, één tel maar, staan we daar met dat ding en met Delila, slaan 'r twee heftige katjoesja's in. Bij ons in de stad. Doodzeker. Bij de eerste valt gelijk alle stroom uit.

In 't donker gaan we naar onder, naar de schuilkelder van school, de gymzaal eigenlijk, en daar zitten we bij de nieuwe noodverlichting, die is 'r nog maar net geïnstalleerd en ik ben al blij met die katjoesja's. Ik denk bij m'neigen: nou vergeet ie wat ie van plan was, nou vergeet ie ook wat ik allemaal over Delila gezegd heb. Mooi niet. De katjoesja's doen 'm niks. De stroom doet 'm niks. Ik zeg: Zo gauw we uit de schuilkelder komen, vraag ik iemand hoe de film is afgelopen, maar hij hoort me nog niet, hij heeft weer wat in z'n kop. Bij geeneen film interesseert 't eind 'm. Hij zegt altijd: 'Ik beslis wel voor m'neigen hoe ie afloopt.' Hij beslist altijd alles voor z'neigen. En heeft ie een keer wat in z'n kop, wil ie niks anders meer horen. Ik zeg: Misschien komen 'r veren met 'n dag of twee, drie terug, wordt ze weer net als eerst. Misschien verandert ze d'reigen weer terug. Hij geeft geen antwoord. Ik weet verder niks meer te zeggen. Ik hou m'n mond.

Hij geeft me 't leren koord en zegt: Bind 'r aan de bank. Ik bind 'r vast. Hij zegt: Pak nou m'n muts van m'n kop. Ik pak 'm van z'n kop en leg 'm op z'n knie. Hij pakt Delila aan allebei de kanten stevig vast, stopt 'r in de muts en ik moet van 'm de veren van 'r kop knippen en ook van 'r lijf, net als ik hem altijd scheer. Hij zegt: 'Kan me geen moer schelen of de veren van de rest veranderen, kan me ook geen moer schelen wat 'r in 't boek staat. Zij is niet net als de rest. Haar heb ik uit alle andere gekozen en ik heb 'n koningin van 'r gemaakt. Ik wil niet hebben dat ze d'reigen verandert.' Ik pak de schaar en m'n handen, die beven, die willen niet knippen. Sterk maar fijntjes, dat is ze, dat heeft ie zelf gezegd. Ik zeg tegen 'm: 'Dit is gevaarlijk. Wat heb je tegen 'r? Laat 'r met rust.' Hij staat op, houdt 'r voor me op en schreeuwt: 'Knip ze 'raf, alles 'raf. 't Kan me geen moer schelen!' Ik zeg: 'Ik kan 't niet, dat kan ik niet!' en hij schreeuwt: 'Knippen nou! Maak 'r kaal!' Ik doe 'n paar stappen terug en hij komt op me af tot ie niet meer verder kan vanwege dat leren koord aan de bank. Ik gooi de schaar op de grond en hij pakt 'm op. 'n Eeuwigheid probeert ie 't voor ie de schaar goed op z'n vinger heeft. Aan 't eind gaat ie op de bank zitten en begint 'r kop te bewerken. Zijn hand zo groot en haar kop zo klein als 'n ei. Met die hand van 'm, waar ie niks mee kan knippen, wil ie aan 'r kop werken. En zij, zij hakt met 'r snavel op z'n andere hand in, die waar ie geen gevoel in heeft. De hand die hij Osjri en Chaim altijd geeft om 'r naalden in te steken, hij doet of ie slaapt en hun raken door 't dolle heen omdat de naalden 'm niks doen.

Ik stond 'rbij te kijken, kon niks doen. Geeneens niks kleins, zo snel is 't gegaan. Ik heb alleen gedacht: stond ik hier maar niet, hoefde ik dit maar niet te zien. Ik heb alles gezien. Dat 'r kop niet meer hield, hoe moest ie ook houden, de kop van 'n mens had nog niet gehouden. Ik heb 'r kop gezien, dat ie in de muts viel en dat die vol zat met bloed, in één tel viel ie, en ik heb gezien hoe Itzik keek en keek en om 'r begon te huilen, zacht, heel zacht in z'neigen huilde ie, en dat 't even duurde voor de tranen 'm in z'n ogen stonden. En daarna, toen die naar buiten kwamen, veegde ie ze gelijk af

met z'n vuisten, die zaten nog onder Delila d'r haar, d'r veren, en ik dacht: Delila is dood. Delila is dood. Hij heeft 'r
doodgemaakt. Ze is dood. En ik ben naar de deur gegaan. Ik
ben weggegaan, heb hem daar gelaten.

Onder in de wadi bij de beek wist ik wat ik moest doen, ook
al was 't donker. Delila is dood.

Delila was dood en dus 't hele plan. De vaantjesslinger,
geeneen die weet waar we 'm opgehangen hebben, alleen ik
kan 'm naar onder halen. Ik ben gaan zitten en heb gewacht
tot ik de kracht had om naar boven te klauteren. Ik dronk
wat uit de beek en ging op weg, langzaam, dat ik niet in een
of ander gat zou vallen, en ik kwam bij de rooie boom. Geen
idee hoe ik daarin moest klimmen in 't donker en ze naar
onder halen, dus ik spring en grijp, spring en grijp. Wel honderd keer spring ik voor ik 't eerste vaantje te pakken heb
en 'raan trek, maar 't volgende vaantje zit vast aan 'n tak
en scheurt, en ik weer springen. Ik kreeg een tak te pakken
en heb die naar onder getrokken en 't touw van de slinger
losgewerkt, en toen zwiepte de tak me in 't gezicht, hij kraste,
maar dat kon me niks schelen. Ik trok de slinger naar onder
tot ik 'm helemaal in m'n handen had, met maar één vaantje
gescheurd, van de streep van de zee tot aan de streep van de
lucht. Had ik nog wat harder getrokken, was ie doormidden
gegaan. M'n hele lijf trilde, ik wist: daar moet je sorry voor
zeggen, maar tegen wie? Je kunt toch geen sorry zeggen tegen 'n stuk stof met 'n plaatje 'rop?

En in 't donker hoor ik Itziks stem in m'n kop: Je zegt toch
geen sorry tegen 'n stuk stof met 'n plaatje 'rop, Doedi, snap
je wat ik bedoel? Ik word boos op 'm omdat ie net doet of
hij die gedachte had bedacht, ook al zat ie al in mijn kop
voor Itzik z'n mond opendeed. Aan 't eind dacht ik: Herzl,
tegen hem kan ik sorry zeggen, en ik riep: 'Herzl, sorry!

Sorry, Herzl!' Ik hief m'n kop en wou 't recht naar z'n balkon daar in 't buitenland schreeuwen, op elk plaatje van 'm staat ie daarop. Ik maak 'n nieuw vaantje voor je, Herzl. Voor elk vaantje dat ik hier kapotscheur, maak ik tien nieuwe voor je. En de hele weg terug hield ik niet op met roepen: Sorry, sorry!

Ineens stak 'r 'n gemene wind op, zo eentje die de hele tijd van richting verandert, maar ik ben verder uit de wadi omhoog geklauterd. De grote rotsen lagen daar rustig op me te wachten, pikzwart, en ik wist niet meer hoe ik daar de eerste keer tegenop ben gegaan, toen ik de vaantjes ophing, en zo gauw ik op de eerste afliep, werd ie nog groter. Misschien lag 't ook aan de wind die d'rin sloeg, of aan 't donker. Toen ik 'r vlakbij was, lachte ie me uit: Wie kent jou nou niet? Itziks kleine broertje. Laat maar es zien wat je kunt, nou je hem niet hebt om te zeggen hoe je naar boven moet! Maar ik keek naar de hemel en ik zag de sterren, die waren de hele tijd met me mee gegaan, en toen ik weer voor me keek, merkte ik dat hun me van daarboven 'n lijn omdeden en op me pasten.

Ik keek recht voor me uit en ben over de rotsen van de een naar de ander geklommen en ik heb geeneen keer m'n kop geheven om naar de sterren te kijken. Die moesten es denken dat ik geen vertrouwen in ze had. En ik kwam vlot vooruit. Hoefde niet te luisteren naar Itzik, of ie achter me begon te hijgen, ben niet blijven staan om op 'm te wachten, merkte geeneens dat ik al bij de carobeboom was, pas toen ik de vaantjesslinger zag die ik daar in de hoogste takken had gehangen. De maan stond 'rboven en ik was blij dat ik die zo met de vaantjes zag, ik ging naar de boom en sloeg m'n armen om de stam. In 't donker was 't makkelijker om te klimmen, als je met je handen voelt waar d'r gaten zitten en waar wat uitsteekt. Ik ben tot in de hoogste takken geklommen en dacht: ik haal die slinger naar onder met alle vaantjes heel, maar d'r zaten al scheuren in van al die tijd dat ze 'r gehangen hadden en bij elk vaantje dat scheurde, zei ik sorry tegen iemand anders, tegen Herzl, tegen koning David, tegen Abraham, Isaak en Jakob en de vier aartsmoeders, en Hagar rekende ik 'r ook bij, omdat ze haar met Ismaël zo in de woestijn hadden achtergelaten, en ik zei sorry tegen al onze soldaten, waar die ook waren, hier in 't noorden of daaronder in 't zuiden, in 't oosten of in 't westen, waar dan ook, ook tegen de soldaten die niet hier of daar waren maar al onder de grond of in de hemel, en daarna heb ik zacht maar duidelijk gezegd: Sorry, Liat. Maar in m'n hart wist ik: die vergeeft me nooit van 'r leven.

En ik dacht: maar goed dat ik dit doe, voorbij de carobeboom ben ik ook al bijna thuis. En: zijn de katjoesja's niet genoeg, moeten we ook nog es terroristen recht naar ons huis lokken? Nou Delila dood is, pikt 'r geeneen ze meer de ogen uit. Die nemen ons allemaal in één klap te grazen, mama en Osjri en Chaim, en Etti en Kobi ook. En ik zei: 'Kobi', hardop zei ik 't, 'Kobi', en Itzik zette niet z'n stekels op.

En ik dacht aan mama, die had mij gekregen, 'n gezonde baby, en aan Itzik, die weet doodzeker: ik ben alleen maar op de wereld om zijn reserveonderdeel te zijn. God had dat zo geregeld, dat mijn handen zijn reservehanden zouden zijn. En net toen ik me kwaad begon te maken, ging de wind nog veel feller tekeer en floot ie, net of ie z'n hele familie naar de wadi riep, broers, zussen, ooms, neven, nichten, van alle kanten kwamen ze. En ik liep 't pad op waar we altijd langs naar onder gaan vanaf ons huis naar de wadi, langs de grote bomen met de eikels, en ik hoorde de wind geeneens meer, voelde geeneens de schrammen op m'n lijf, op m'n voeten, m'n handen, m'n gezicht.

En ineens was de stroom terug. Ik was nog in de wadi en de stroom kwam terug en ik zag onze stad boven aan de helling, net 'n beeld op 'n televisie in 't donker, als de lichten 'r rond omheen uit zijn, ik zag onze flatblokken al dichterbij komen en ik voelde m'n benen weer, m'n armen en m'n gezicht en ik zei hardop: 'Doedi's gedachten zijn niet alleen maar wind! Mijn gedachten, daar gaat 'r geeneen nog mee aan de haal!'

Ik zag 'n blok aan de rechterkant en eentje aan de linker en ons eigen blok, dat stond in 't midden, net 'n bruid die d'reigen de hele dag in de bruidssalon mooi gemaakt heeft voor d'r bruidegom. Bij de ingang Micha's bergen met de sneeuw en 't vallende water en achter alle ramen licht en in ons raam zag ik de slinger met de vaantjes wapperen in de wind, die hoefde ik niet meer naar onder te halen, waarom ook, nou lokten we geen terroristen meer, nou waren 't gewoon vaantjes, vergeten, nog van Onafhankelijkheidsdag.

M'n gezicht was net 'n klomp ijs, ik wou alleen nog maar naar onze schuilkelder, neerploffen op 'n matras. Maar ik begreep vaneigens al: kom ik nou, midden in de nacht, opeens die schuilkelder in waar alles ligt te slapen, met m'n smerige kleren en zo onder de schrammen, dan sterven hun van angst of ze slaan me verrot. Ik, wat ik nou wil? De hele wereld zweren: Ik klim geen huis meer in, nooit meer, nooit meer langs 'n raam, ik ga alleen nog langs de deur naar binnen. Bijna zweer ik 't bij papa, bijna, schieten me Itziks woorden te binnen, die zegt: We zweren niet bij 'n vader, die hebben we niet. En ik pak 'm aan: Wel waar, die hebben we wel! Die hebben we wel! We hebben 'n dode vader! Ik ben 'm niet vergeten. Geen dag dat ik niet aan 'm denk. Geen dag dat ik z'n hand niet op m'n schouder voel. Net 'n kussen zo lag ie daar, warmde ie mij. En ik weet ook nog hoe ie 't papier van 't ijs af haalde, heel voorzichtig, dat de chocola niet zou breken, en dan gaf ie 't stokje met 't papier d'romheen in m'n hand, net 'n banaan, dat 't ijs niet zou druppen, en ik weet ook nog dat ik 'm aan 't eind zag. Ik heb alles gezien. Hoe kan Itzik nou denken: ik ben 't vergeten?

Hoe kan ik 't vergeten, papa die daar lag, zo knap, knapper als hun allemaal die om 'm heen stonden en schreeuwden en mij de hele tijd wegduwden. Me wegduwden uit die kring van mensen, dat ik 'm maar niet zag, maar ik kroop elke keer terug en heb 'm heel goed bekeken. De knapste van allemaal was papa, ook al waren hun levend en lag hij dood op de grond.

En dat bracht me op 'n nieuwe gedachte, over z'n zesde gedenkdag, dat we nou geen feest voor 'm houden vanwege de katjoesja's. En zonder dat ik 't iemand vraag, besluit ik, Doedi, helemaal voor m'neigen: als 'r geeneen 'n gedenkdag houdt voor papa omdat hun bang zijn voor de katjoesja's, dan doe ík 't! Ik ben nou toch al buiten, en op zo'n dag loop je niet buiten rond, ga je niet naar de begraafplaats, niet als je nog in de schuilkelder zit. En als ik voorbij 't voetbalveld ben en langzaam de berg op ga, denk ik: hier zweer ik 't nog 'n keer, wil je bij papa zweren, is dit de beste plek. Dat ik nooit meer, nooit van m'n leven meer iets pik, dat ik nooit van m'n leven meer bij huizen naar binnen ga langs de ramen. Alleen nog door de deur. En de hele weg naar de begraafplaats zeg ik: Papa! Ik wil m'n eed zweren, daarom zeg ik papa, maar ik kan verder niks meer zeggen. Ik doe m'n mond open en 'r komt papa uit. M'n hele mond is 'r vol van: Papa, papa, papa, steeds maar weer: Papa, papa, weet niet wat mij mankeert: Papa, papa, papa, papa, ik kan 'r niet mee ophouden: Papa papa papa papa papa papa

KOBI DADON

1

Kobi Dadon. Teken maar eens met zo'n naam, probeer het maar. Kobi Dadon: alle middenletters hebben een gat. Mijn naam hangt van gaten aan mekaar. Zat er nou een L in met een flinke lus, knapte mijn hele handtekening ervan op. Die kon ik mooi hoog optrekken, dat zou al die gaten eronder goedmaken. Net of er niet genoeg namen zijn met een L erin, Aflalo, Almakias, Iluz, Amsalem, Lilo, oké, het hoeven er niet gelijk twee te zijn, eentje is al zat, daar zou ik al mee geholpen zijn, dan had ik een handtekening die wat voorstelde. En dan dat handschrift van mij, weet niet wat ermee is, maar ik krijg het niet zo dat het meer ruimte inneemt. Meet ik mijn hele handtekening met een liniaal, kom ik niet verder als drieënhalve centimeter. Die komt er bij mij zo dor en droog uit of het luciferhoutjes op een rijtje zijn. Duizend keer neem ik Israëls handtekening, trek hem na met een zwarte pen, Talmon Israël, hoe krijgt ie het voor mekaar, bij hem is het net de handtekening van een schilder!

Landt er een brief van hem op mijn tafel, haal ik er gelijk de liniaal bij, meet ik zijn handtekening op, eerst de lengte en dan van de hoogste punten naar de onderste. Ik heb er nog geen gezien die geen acht centimeter lang was en minstens drieënhalve centimeter hoog.

Dan zet ik mijn handtekening, ga net hetzelfde zitten als hij, hou mijn pen net hetzelfde vast als hij. Het wordt helemaal niks. Bij mij komen de letters nooit van z'n leven aan mekaar, en ik zou niet weten hoe ik ze groter moest maken.

Maak ik de D groter, maak ik alleen een groter gat, en maak ik alles groter, is het net of een kleuter het geschreven heeft. Linksom of rechtsom, ik krijg het niet goed. Vandaag moeten de papieren voor het magazijn binnenkomen met de interne post: formulier twee-drie-acht met de bestellingen van alle afdelingen en formulier vier-één-twee met de toestemming om spullen uit het magazijn te halen. Ik heb er zo hard aan gewerkt dat ik ze zou krijgen, en wat verpest het nou voor me? Mijn handtekening! Ik heb nog steeds net niet die ene, zekere handtekening, iets wat de fabriek rondgaat en mij eens wat respect oplevert.

Stel, de slimste mens op de wereld komt de fabriek bezichtigen, je laat hem de hele dag rondsjouwen en alles bekijken, en aan het eind van de dag vraag je hem: Wie is hier de baas na Israël? Dan noemt ie de afdelingshoofden, de voormannen of de lui van de administratie. Laat hem tien keer raden, dan nog heeft ie het niet goed. Vraag hem: Wie beslist er hier wat er binnenkomt en wat er uitgaat, van de kleinste dingen, de punaises voor het bulletinbord, tot de grootste, de mensen, wie er hier werk krijgt, wie er ontslagen wordt, wie er opslag krijgt, komt ie er nooit van z'n leven op om ook maar mijn kant op te kíjken. Zeg ik: Hé, dat ben ik, lacht ie me vierkant uit. Maar daarom hoef ik ook niet bang te zijn. Ik kan de hele dag rechtop lopen, geeneen voor wie ik me hoef te verstoppen.

In het eerste halfjaar, wie was ik toen voor hun? 'Die opdonder die in de plek kwam voor die arme Rosetta.' Mijn naam kenden ze geeneens. Maar de machine waar ik aan gewerkt heb, daar hadden ze een bijzondere naam voor: het monster. 's Avonds om tien uur, als we de werkvloer op gingen, liepen de meisjes er gauw langs en spuugden ze ernaar. Geeneen die eraan wilde werken. Ze gingen naar hun eigen plek en elke ploegendienst droop hun spuug langs mijn gezicht omlaag. Ik wilde ze zeggen dat ze ermee op moesten houden, maar ik had het lef niet, niet zoals die tekeergingen. Maar ook zonder hun spuug sta je al op een lelijke plek. Geen greintje schoonheid in die hele fabriekshal. Elke avond kleedde ik me aan of ik op stap ging, alleen maar om het gevoel te hebben: ik ben daar zo weg, ik kom hogerop. Ik blijf geen drieëntwintig jaar hier onderaan hangen. Ze zeggen toch kleren maken de man. Draag je je hele leven vuile kleren en stink je naar frituurolie, geen wonder dat je aan het eind tegen de grond gaat.

Maar van de nachtdienst kreeg ik het in mijn rug. Ik kon hem niet rechthouden en ik kon ook niet vragen of ik onder het werk mocht gaan zitten. Ik was bang dat ze me eruit zouden gooien als ik wilde zitten. Iedereen die met me praatte, die zei: 'Ach, jij bent die ene die in de plek van Rosetta gekomen is,' en dan trokken ze een gezicht of het mijn schuld was dat zij met haar kop tegen de machine geknald is.

Gelijk mijn eerste nacht in de fabriek heb ik geleerd dat de machines automatisch stoppen als er een gat in de isolatielaag van de kabels zit. De stroom slaat gelijk af. Maar werkt een mens zijn hele leven naar de verdommenis aan die machines, dan merken ze er niks van. Rosetta had daar om halfvier 's nachts gestaan, aan mijn machine. Halfvier 's nachts, dat is de tijd dat je doordraait, je gelooft niet dat je het nog een uur trekt. Tien keer in een halve minuut gaan je ogen naar de klok en van de klok naar de ramen in het dak om maar te zien of het al licht wordt en weer terug naar de klok. Alles staat stil, de klok beweegt niet, het donker beweegt niet. De klok beweegt niet, het donker beweegt niet en jij haalt je in je kop: dat is het, de tijd staat stil, God is gaan slapen en heeft vergeten er een opzichter neer te zetten om de wijzers verder te draaien. Stel, er was er eentje om een uur of twee 's nachts met een formulier aangekomen dat we nou mochten slapen als we een jaar van ons leven af zouden geven? Ze hadden in de rij gestaan om te tekenen. Maar sinds die toestand met Rosetta sliep er om halfvier geeneen meer. Telkens als het haar tijd was, was iedereen weer klaarwakker en draaiden ze hun kop mijn kant op. De hele fabriek stond onder stroom, elke nacht, net of ze een soort gedenkminuut voor haar hielden, ofschoon ze nog leeft. Wel duizend dingen schoten me om drie uur door de kop. Ik dacht: ik zet de machine stil, steek er een bijl in en zet hem stil, en samen met de rest dacht ik aan Rosetta.

Het gebeurde op een donderdag, Rosetta stond op de plek waar ik sta, het snoer ging door haar vingers. Iedereen heeft het erover wat een handen zij had, dat ze het nog voelde of een snoer een kwart millimeter te dun of te dik was. Misschien hield ze haar hoofd schuin om te zien of het achter de dakramen al licht werd. Plotseling kwam haar lange haar tussen de raderen, trokken het mee, net of dat haar ook snoer was dat door de machine moest. Ze trokken het helemaal tot het einde toe mee, tot haar kop tegen de machine sloeg. In vijf tellen trekt die er dertig centimeter snoer door, of haar, net wat het is. Wat maakt het die machine uit wat ie vreet? Wat erin komt gaat door een oerwoud van raderen en komt er aan de andere kant weer uit. Keer op keer stellen ze in de koffiepauze die vraag: Waarom zijn ze niet opgesprongen om haar machine uit te zetten, en weer worden ze boos: Als ze ons niet met de rug naar mekaar zouden zetten, zodat er geeneen in de ogen van een ander kijkt, zodat we als machines voor ze werken, dan hadden we het zeker gezien. Geheid. Maar zo? Hoe hadden we haar zelfs maar moeten horen met al die herrie hier, hè? Hoe?

Daarna vertellen ze over degenen die wel met hun gezicht

naar haar toe stonden, maar die waren veel te ver weg. Die zijn gelijk opgesprongen, vier zijn er gelijk opgesprongen, maar vijf seconden is geen tijd, wat kun je nou in vijf seconden? Dat is echt geen tijd, vijf seconden.

Toen ze wat gekalmeerd waren over Rosetta, toen begon ik de fabriek te zien zoals ie is. Met al zijn grappen in de koffiepauze, wat er zo omgaat, dat ze de waterketel op de zwakstroom van de machines aansluiten, zodat degene die een kop thee wil een schok krijgt. Het bandje van *De bloem in mijn tuin*, dat ze nooit wisselen, alleen almaar omdraaien. Na een tijdje zag ik: ze letten al niet meer zo op de veiligheid als in het begin. Na een halfuur werken zetten ze hun bril af, dan de gehoorbeschermers, geeneen die het er langer mee uithoudt, niet met die hitte. Alleen hun haar, dat houden ze opgestoken, dat durfden ze niet te laten versloffen. In het begin was er altijd wel iemand die Rosetta had bezocht en over haar vertelde, dat herinnerde ze er dan aan. Maar dat om halfvier 's nachts, dat stopte. Ze hielden ermee op. En op een gegeven moment begonnen ze om mijn machine te vechten. Op een gegeven moment bedachten ze dat het de beste machine van de fabriek was, waren alles vergeten, bij het begin van de dienst klokten ze gauw in en renden naar binnen, waren er als de kippen bij om eraan te werken.

Om kwart over zes kwam ik met de fabrieksbus naar huis. Mama was dan allang op, die gaf me een kop thee en dan plofte ik op bed. Dat was nog warm van haar, en haar geur hing er nog, maar niet meer zo zurig als toen ze de kleintjes nog aan de borst had. Tot laat in de middag sliep ik aan haar kant van het bed en 's avonds ging ik weer naar mijn werk. Elke dag, tien maanden lang, tot Israël bij de fabriek kwam.

Vandaag is er op de fabriek geeneen die me niet kent. En er is er ook geeneen die zijn hart niet uitstort bij Kobi. Toen ik klein was kwamen ze al naar me toe en vertelden me van alles. Geen idee waarom. Niet dat ik in ruil ervoor iets los-laat over mezelf, ik hou gewoon binnen wat ze me allemaal vertellen, klets het niet verder zoals de rest. Dat had Israël in zijn kop toen ie naar me toe kwam, me bij de machines weghaalde en me het magazijn bezorgde. Maar door de manier waarop ie me in zijn kantoor had geroepen, drie dagen nadat ie als chef was begonnen, daardoor dachten ze: die wil mij ontslaan. En nou nog zijn er die dat geloven. Van buitenaf zijn we net kat en muis. Hoe hebben we hem dat gelapt, dat ze dat slikken? Hebben die lui geen ogen in hun kop? Zien ze dan niet dat ik steeds hogerop kom?

In het begin, dat kon ik me nog voorstellen, hij haalt me uit de productie, laat me flink sjouwen, schappen inruimen, toen moest ik hard werken, gezweet heb ik. Ze dachten dat ik het helemaal verkloot had. Maar daarna, nadat ie een-maal een koffiehoek voor me had ingericht, me de beste kachel had gegeven en het bureau en de stoelen uit zijn eigen kantoor toen hij nieuwe kreeg, hoe konden ze toen niet zien dat hij en ik twee handen op één buik waren?! Ik verdien anderhalf keer zoveel als zij, ik zit in mijn eigen kamer, met een colbertje aan, ben al vergeten wat het is om te zweten, ik zit nou op kantoor, en hij heeft me de kleine Sisso bezorgd, die sleept de zware trommels voor me. En hun? Wat zien hun? Alleen omdat Israël er een beetje een show van maakt, omdat ie me naar de werkvloer roept en doet of ie niet tevreden is met iets wat ik besteld heb, of omdat ie in de deuropening van de kantine gaat staan en me grimmig bij hem roept als ik nog aan het eten ben, al-leen daarom denken ze dat ie me niet moet, dat ik vandaag of morgen ontslagen word. Ja hallo, wie wordt hier ontsla-gen? Hoezo ontslagen? Ik bespreek met hem wat ie bespre-ken wil, ga terug naar m'n plek, eet verder en tel ze een voor een, de lui die hier werken vanwege een goed woordje van mij en degenen die we ontslagen hebben, hij en ik samen, en dan weet ik weer: ik heb hier niks te vrezen.

Wat moet ik nou nog doen? Tot de bestellingen komen heb ik de tijd aan mezelf. Ik heb van het magazijn een apotheek gemaakt. Vanaf de dag dat ik Israël zover kreeg dat de deur op slot ging, komt er hier geeneen meer alleen naar binnen. Wie wat moet hebben, komt er alleen in als ik erop toezie wat ie van de schappen haalt. Koffie: graag buiten aan mijn tafel, daar kunnen ze bij Kobi zitten zoveel ze willen. Daar kunnen ze koffiedrinken en hun hart uitstorten, Kobi slikt alles voor zoete koek. Maar het magazijn, daar komen ze niet in hun eentje in. Vandaag komen de formulieren. Iedereen in de fabriek moet nou eerst opschrijven wat ze willen en wachten op mijn handtekening. Zo denken ze wel twee keer na voor ze ergens om vragen.

Zeven uur. Ik haal Israëls papieren uit de onderste la, de papieren van ons eerste gesprek. Duizend vragen stelde ie me voor ie iets over hemzelf losliet. Ik zat hem daar te vertellen over mijn leven en over mijn familie, dingen die de hele stad weet en dingen die er geeneen weet, en bij elk woord dat ik zei, dacht ik: is het echt zo gebeurd? Is dat echt mijn leven? Tot dat gesprek met Israël praatte ik er met geen mens over, en sinds dat gesprek met hem denk ik bij alles wat me gebeurt hoe ik het hem zou vertellen en wat hij dan zou zeggen.

Toen ie alles over mij en m'n familie had gehoord, begon ie: 'Luister eens, Kobi,' zei ie tegen mij, nooit van m'n leven vergeet ik die woorden, 'dadelijk zie je me al mijn kaarten op tafel leggen. Ik heb geen keus, ik moet me door iemand in de kaart laten kijken en ik heb jou daarvoor uitgekozen. Mijn grootste probleem is dat ik hier nieuw ben. Dat is een zwakke kaart. Een verdomd zwakke kaart. Ik ben hier nieuw in de stad, maar ik kan het me niet veroorloven om nog een dag langer nieuw te zijn. Kijk,' hij haalde een vel papier uit zijn aktetas, 'deze fabriek loopt vierenhalf jaar en hij heeft al zes managers gehad. Zes managers in vierenhalf jaar tijd! Ik ben de zevende. Een simpel rekensommetje: gemiddeld negen maanden per manager. Dat zit me flink dwars. Ze waren allemaal goed en slim. Allemaal waren het succesvolle afdelingshoofden bij het moederbedrijf, en allemaal waren ze hier weg voor ze ook maar wisten wat hier rechts en wat hier links was. Toen ze er hier uit vlogen, hebben ze ze afgescheept met een of ander baantje. Die hebben hogerop niks meer te zoeken. Ik ben hier drie dagen geleden begonnen en ik wil hier vijf jaar blijven. Dat is wat ik wil.'

Hij pakte nog een vel papier, schreef er het jaartal op van over vijf jaar en zette er zijn handtekening onder. Dat was de eerste keer dat ik zijn handtekening zag. Ook de eerste keer dat ik zijn tekeningen zag: op het vel met de namen van de vorige managers tekende ie onze fabriek, die staat op vaste grond met er rond omheen zee, en zes mannen die hunzelf met allebei de handen hun aktetassen boven de kop houden, vliegen door de lucht en plonzen hals over kop in het water.

In het begin dacht ik de hele tijd: gaat ie me nou ontslaan of niet? Nergens anders kon ik aan denken. Ontslaat ie me nou of niet? Daarna, toen ik eenmaal snapte dat ie me niet ging ontslaan, hield ik m'n kaken op mekaar en was ik bang dat ie uitgepraat zou zijn zonder dat ik wist wat ie van me wou. Ik zei tegen mezelf: Kobi, pas op. Dit is geen film. Die man zet een hele show voor je op, maar die z'n show is echt.

'Al twee dagen bel ik de hele wereld af, ik haal de onderste steen boven, en ik zeg je: Iedereen die er hier uit vloog, vloog eruit omdat ie het gemeentebestuur tegen zich in het harnas had gejaagd. Zoals ze dat zo mooi zeggen: Hoed je voor de overheid. Dat is niet makkelijk. Nee, dat is echt niet makkelijk. Wie denkt dat degenen die er vóór hem uit vlogen dom waren, die is zelf dom. Ik zeg je: Ze waren allemaal slim en toch hebben ze het niet gered, dus nou moet ik slimmer dan slim zijn. En jij, Kobi, jij moet me helpen om als de sodemieter een ouwe rot te worden en geen dom groentje te blijven.'

En terwijl ie zo praatte, kwamen er steeds meer vellen papier op tafel. Op zo'n vel tekende ie wat of hij schreef er één woord op dat ie onderstreepte. Het vel papier waarop ie het gemiddelde had uitgerekend, scheurde door de streep die ie eronder zette. Toen ie van de andere managers zei dat ze allemaal slim waren, schreef ie 'slim' op hun aktetassen. Hij zei ook: De arbeiders in de fabriek zijn net fruit in een kratje, er hoeft er maar één rot te zijn, die moet je er gelijk uit halen, anders steekt ie de rest aan. De hele tijd zei ie 'aan mijn rechterkant en aan mijn linker', of 'ik moet ook weten wat er achter mijn rug gebeurt, niet alleen wat er zich voor mijn neus afspeelt. Wie slim is, heeft zijn ogen overal, altijd. Denk maar bij jezelf: ik ben een blinde en jij helpt me de straat over.' Daar maakte ie ook een tekening van. Je gelooft gewoon niet dat een fabriekschef zo kan tekenen. Zvika, die hier voor hem manager was, die had nog niet de helft in huis van Israël. Die was zenuwachtig en de hele tijd moe. Israël is heel anders, die heb ik van m'n leven nog niet moe gezien. De hele dag door ziet ie eruit of ie net pas op zijn werk is.

Toen zijn bureau vol lag met vellen papier, veegde ie alles in de prullenmand en vertelde me over de kamer die ie voor me inrichtte. Hij zei: 'Je krijgt een kamer met je eigen bureau, een soort kantoor geef ik je, een falafelkraam is te klein voor iemand als jij.' Hij vertelde ook wat ik hem uit de fabriek moest bezorgen, van de arbeiders, en wat ik hem van buiten moest brengen, uit de stad, van het gemeentebestuur en de vakbondsraad en de mensen op de markt. Steeds als ie het over de mensen in de stad had, vroeg ie: 'Wat zeggen ze op de markt?' Tot op de dag van vandaag zegt ie: 'En vergeet de mensen op de markt niet.' Volgens mij denkt ie dat de lui in de stad de hele tijd niks anders te doen hebben als rondhangen en over mekaar roddelen als het donderdagmorgen markt is.

Ik heb daarna die hele stapel papier uit zijn prullenmand gehaald, toen ie zijn ronde maakte door de fabriek. Ook de tekening die hij aan het eind had gemaakt, nam ik mee, die met de twee kringen. In de ene zie je ons tweeën, aan mekaar gebonden met een touw, en we staan boven op een berg te lachen, en in de andere hangen we allebei dood aan ons touw, en daar heeft ie een groot kruis doorheen gezet.

Ik zou zo graag nog eens in zijn kantoor zitten, net als die eerste keer. Wat zou ik daar niet voor geven. Toen had ie zijn secretaresse Lea nog niet, die heeft ie pas vier weken later van zijn oude werkplek laten komen. Hij heeft haar in de plek van Rachel gezet, nadat ie van mij het oké gekregen had om haar te ontslaan. Jammer dat we haar ontslagen hebben, want met die Lea, probeer je één keer langs haar in het kantoor van de chef te komen, maakt ze je zo klein dat een vlieg naast jou nog een reus is, je probeert het geen tweede keer. Toen had ie ook nog niet al dat volk om hem heen dat ie van buiten meebrengt, waarmee ie de hele tijd rondloopt. Hij had nog niet dat zekere van eentje die stevig op zijn stoel zit. Ik haal zijn tekeningen tevoorschijn. Ze doen me eraan denken hoe ie me aankeek bij ons eerste gesprek, toen ie me al die vragen stelde over mijn leven, net of ik voor hem nummer één in de wereld was. Hij en ik, alleen in zijn kantoor, en zijn kaarten op tafel: om in het leven te slagen heeft Talmon Israël Kobi nodig. Zonder Kobi is ie nergens. Ook nou nog, merk ik, neemt ie veel van me aan. Niet alles. Zion heeft ie ontslagen, ofschoon ik hem gezegd heb dat ie daarmee op moest passen. Waarschijnlijk dacht ie: een vrucht die begint te rotten, die moet je gauw uit het krat halen, omdat ie over de overuren geklaagd had. Maar mijn woord betekent nog steeds veel voor hem. Hij laat mij de lijsten met lui voor de rotklussen opstellen, vraagt me hier en daar wat en zo merk ik de hele tijd dat ie nog steeds met mij verbonden is, met het touw uit zijn tekening, dat ie nog steeds geen weg weet, als zijn blindenstok hem de weg niet wijst.

Wat aan me vreet, is dat ik zo graag wil dat ie weer zo met me om de tafel zit, dat ie weer open kaart speelt. Dat ie Lea eens één keer laat zien wat ik voor hem ben, dat ie eens één keer bij de fabriekssamenkomst met Rosj Hasjana of Pesach met mij naast hem staat, als ie zijn plastic beker heft en de cijfers van de fabriek voorleest, hoeveel die gegroeid is sinds de vorige keer. Dat ie ze vertelt wie ik echt ben. Laat hem zeggen dat ie het hier zonder Kobi die twee jaar niet had uitgehouden. Zonder Kobi had ie de fabriek niet uitgebreid van vierentwintig naar drieënzeventig arbeiders, van één naar twee gebouwen, van vijftig orders naar tweehonderdtwintig, zonder Kobi was ie halsoverkop in zee terechtgekomen, was ie begraven in een of ander baantje waar ie van zijn leven niet meer uit geklommen was. Maar nee. Wat zo aan me vreet, is dat ie ze allemaal het gevoel geeft dat ze even belangrijk zijn. Hij hemelt er geeneen op en haalt er ook geeneen naar onder, zegt op het eind van de bijeenkomst altijd alleen maar: 'Wie in tranen zaait', en: 'Wie zijn werk doet voor de sjabbat', dat je denkt dat je weer op school bent. Hij zet zijn kipa recht op zijn kop en dan gaan ze allemaal terug naar hun eigen plek. En hij gaat ook, zonder ook maar één woord speciaal voor mij. Als ik er maar aan denk, weet ik niet meer wat ik nog voor goeds in het leven heb. Dan zie ik alles zwart.

Maar denk ik er dan aan dat ik niet alleen maar de witte stok in zijn hand ben, dan word ik gelukkig, omdat ik weet hoe ik stil moet zitten en afwachten, omdat ik geduld heb zoals er geeneen heeft. Het geduld van een steen. Want Israël is dan één bron, hij weet van z'n leven niet dat er onder zijn neus nog een is die me de kracht geeft om me rustig te houden als ie me in het zicht van jan en alleman als oud vuil behandelt, om niet op te staan en te zeggen wat ik allemaal voor hem gedaan heb.

2

Ik pak een doekje, veeg mijn bureau af. Het blad is leeg, nog geen papiertje laat ik er liggen. Alles ligt in de laden. Ik wacht nog even tot het precies halfacht is. Dat is mijn tijd ervoor. Ik haal de witplastic map uit de tweede la en loop de papieren erin door. Ik trek de lijnen van de plattegrond na met mijn pen, eerst alle muren, de boogjes die laten zien naar welke kant de deuren open- en dichtgaan, de bedden, de banken, de keuken, de tekening van de gootstenen, de cirkels van het gasfornuis, het vierkant van de koelkast, de tafel in de eethoek, alles trek ik na. En ik denk: misschien kan ik hem zelf wel tekenen, zonder te kijken. Neem ik een leeg vel, krijg ik het er volgens mij precies zo op.

We zijn een jaar en twee maanden samen. Toen ik er voor het eerst binnenging, wat wilde ik toen? Alleen maar wegrennen, dat wilde ik. Zo gauw we in Risjon LeZion aankwamen met de eerste bus en we iedereen hadden laten uitstappen, moest ik nodig naar de wc. Mordi zei: 'Kom, dan gaan we hier naar binnen. Ik doe of ik wil kopen, jij zoekt de plee op.' We gingen naar binnen. Mordi begint te kletsen met het meisje daar en ik vind zonder mankeren een wc met badkamer. Ik doe de deur open en ik sterf zowat.

Dit is een wc? Groen tapijt op het deksel en op de vloer ervoor nog zo'n kleed, precies zo uitgesneden dat het om de wc past. Ik wist niet wat ik moest doen. Heb mijn schoenen maar uitgedaan, zodat ik het niet vies zou maken. Langzaam ga ik zitten, heel voorzichtig zet ik mijn voeten op het kleed en voel hoe zacht het is, en ik jank. Ik zit er te schijten en ik jank, veeg mijn achterste af en jank, sta op, trek door en jank. Ik laat het deksel neer en ga op het tapijt op het deksel zitten. Ik heb de kracht niet om op te staan. In één klap ben ik honderd jaar oud. Ik kijk om me heen. Alles glimt nieuw, de wastafel is groot, zachtroze, en rondom de spiegel zitten allemaal lampjes en je kunt hem omhoog en omlaag schuiven, zodat je kunt zien wat je wilt zien. De tegels met rode, violette en roze bloemen, de handdoek in het groen van de blaadjes ervan en van het kleed. De zeep is nieuw, het bad is groot en glanzend, de kranen zijn goud, op de vloer naast het bad ligt ook weer zo'n dik kleed. Een vloerkleed in de badkamer! Wie denkt er nou aan een vloerkleed in de badkamer.

Het raam staat op een kier en laat frisse lucht binnen. Er staat daar geen boiler, helemaal zwart en met al zijn herrie, de vloer is niet zwart. Er zit ook geen schimmel tegen het plafond, niks, nog geen druppeltje water hangt er. Helemaal wit, helemaal nieuw. Ik kom overeind, ga naar de wastafel, was mijn handen en kijk mezelf in het gezicht, jankend, ik veeg mijn gezicht af en jank verder tot ik de spiegel zo draai dat ie naar het plafond kijkt, om mezelf maar niet meer te zien janken. Ik pak de handdoek, hou die even tegen mijn gezicht gedrukt, net of het een verband is. Dan doe ik mijn ogen open en poets de wastafel met de handdoek aan alle kanten tot ie weer glimt.

Ik trek mijn schoenen aan, ga naar buiten en zie Mordi staan. Die ziet eruit of ie de loterij gewonnen heeft, en ik denk alleen maar: ik kiep dalijk om. Ik probeer hem mee naar buiten te slepen, hij wil niet mee. Ik ga alleen, wacht voor de deur op hem. Na een tijdje komt ie eraan: 'Wat heb jij nou? Waarom zo'n haast? Ik begrijp jou van m'n leven niet. Nog even en ze had koffie voor me gezet.' We lopen een tijdje over de bouwplaats. Ik, ik draai me om de paar passen om, ik wil dat bord zien. Daar staat met groene letters op MODELWONING. Ik draai me weer om, Mordi kletst over dat meisje daar, en ik loop terug naar het bord, dat ik het maar niet vergeet. MODEL-WONING. Mordi kletst maar door, lacht, ziet een ton, gooit er alle papieren in die ze hem gegeven heeft. Ik ga dood. Ik zeg tegen mezelf: Steek je hand erin, haal die spullen er weer uit, maar op het laatste moment doe ik het toch niet. Mordi hoeft niet te weten wat ik in mijn kop heb. Ik zeg niks, neem een sigaret van hem aan en ga met hem mee de stad in.

Mijn eerste keer in Risjon, en ik heb niks van die stad gezien, want mijn ogen, die had ik daar gelaten. Ik had alleen nog maar het beeld van die badkamer uit de modelwoning in mijn kop, met mijn jankende gezicht in de spiegel. We lopen door de stad en ik zie mijn gezicht nog steeds huilen. Dan komt de rugpijn opzetten. Vanuit de schoenen kruipen eerst de kleine pijntjes op tot boven aan mijn benen. Dan komen de grote pijnen, die klimmen naar boven tot het midden van mijn rug en zoeken de plek waar ze hunzelf vastbijten. Klimmen en zoeken, klimmen en zoeken, en dan vinden ze een goed plekje. Wat dacht je dan? Eerst zwakjes, net als eentje die vanaf de grond de hoogte meet, met zijn potlood een kruisje zet waar ie het gat wil boren en dan zijn boor gaat halen. Voor het boren begint, zweer ik met m'n hele hart bij Osjri en Chaim dat die spiegel daar, die laat ik niet nog eens achter met mijn jankende gezicht. Kobi Dadon komt nog eens in de badkamer van de modelwoning te staan en dan lacht ie in de spiegel. Ik zweer het zo vurig dat ik zeker weet: degene die de boor is gaan halen, die komt niet meer terug. Ik blijf die eed zweren, in mezelf, net zo lang tot ook de pijn in de rug weggaat. Alleen heb ik daarna geen kracht over. Ik ben helemaal gesloopt door het gevecht tegen de rugpijn.

We gaan terug naar de bus en eten wat Fannie Mordi meegegeven heeft en ook wat zijn moeder voor hem ingepakt heeft. 'Ik zeg tegen allebei dat ik niks te eten heb,' zegt ie en hij lacht. 'Dan krijg ik op zijn minst het dubbele. De een schuift me hier wat toe, de ander daar en zo krijg ik ze zover dat ze me allebei verwennen.' Dan laat ie me nieuwe foto's zien van zijn zoon. 'Jij en ik,' zegt ie, 'alleen wij tweeën zitten zo op één lijn. Dat was nog eens mazzel dat ik je te pakken kreeg voor de dienstplicht. Je was echt van plan om het leger in te gaan, hè? Wijs ze me eens aan, de gasten die het leger in gegaan zijn. Dachten dat ze daar de held uit konden hangen. Kinderen zijn het, weten niks van het leven. Eentje die ze papa noemen nog voor ie zestien is, die speelt in een heel andere klasse. En, wat vind je van Lior? Zo gauw ie geboren was, zag je: da's een echte vent.' Ik kijk naar de foto's van zijn zoon en ik maak mijn eed nog groter: op een dag lach ik in de spiegel van de modelwoning en Osjri en Chaim lachen ook, op de foto's die ik van ze maak.

Eindelijk is het vier uur. We brengen de mensen terug die we 's ochtends mee heen genomen hebben. Ik zit achterin, wil slapen en hoor de naam als een lied: Mo-mo-mooi zo mooi die mo-mo-modelwoning. Ik heb een maand gewacht, tot ik weer een dag vrij kon nemen. Overuren en nachtdiensten heb ik daarvoor moeten draaien, toen stond ik nog achter de machine, had ik het magazijn nog niet. Ik ben op Mordi afgestapt en vroeg hem: 'Wanneer rij je weer op Risjon?' en Mordi lachte: 'Verliefd geworden op die stad, hè? Maar er is ook geen mooiere. Geloof mij maar, Tel Aviv haalt het nog niet bij Risjon. Ik rij er elke donderdag heen.' En ik heb hem gezegd: 'Elke laatste donderdag van de maand, pik me 's morgens maar op, rij ik mee.' Zo heb ik me aan twee kanten ingedekt, ik heb bij Osjri en Chaim gezworen en aan de andere kant Mordi zover gekregen dat ie me niet meer met rust laat.

3

Acht uur. Net als ik de sleutelbos pak om het schrift van het geld tevoorschijn te halen, komen ze zeggen: De fabriek gaat op slot. Het leger heeft een luchtalarm uit laten gaan. Vannacht was het weer hommeles. We hebben een paar granaten afgevuurd op een dorp over de grens. Bij hun op de radio zeggen ze: Een vrouw en vijf kinderen zijn daarbij gestorven, en nou zijn ze hier bang dat ze daar door het lint gaan. In de wijde omtrek sturen ze iedereen naar huis. Kwart over acht zit de fabriek potdicht. Ik ga met de rest mee naar buiten en wacht op de bus. Israël, die komt net aan, springt weer in zijn auto en start hem, of de fabriek in brand staat. Als een raket gaat ie ervandoor, mensen praten nog met hem en hij rukt aan het stuur en schreeuwt uit het raampje: 'Morgen, dat kan allemaal tot morgen wachten, waar is de brand!'

Allemaal zeggen ze: Deze keer is het ernst, ze gooien toch geen hele fabriek dicht om niks. Ze sturen bussen, sturen ons naar huis. Moet dat nou ernst zijn? Ziet ernst er zo uit? Ik snap echt niet waar ze met dit alarm heen willen, geeneen die er de schuilkelder in gaat. Niet met dit weer. Wie gaat er nou in een schuilkelder zitten op een dag als deze? De zon is de hele tijd precies goed. Of ze er een naar boven gestuurd hebben die de thermostaat precies op de goede temperatuur gezet heeft.

Met iedereen thuis van zijn werk, van school, van de crèche, met alle winkels dicht, lopen de straten ineens vol, je zou nog denken dat je in de grote stad bent. Bussen en taxi's overal vandaan brengen de leraressen, peuterleidsters en vrijwilligers zo snel mogelijk weg van hier. Sommige gezinnen ook, die hebben gauw hun koffers gepakt en zijn met een taxi of met de bus naar familie in het zuiden. Na een halfuur zijn alleen de bewoners zelf er nog. Ik ga met de rest mee de schuilkelder in en ik hou bij hoe lang ze het er uithouden. Vijfendertig minuten hebben ze braaf in de schuilkelder gezeten, al het eten dat ze bij hun hadden is op, de zonnebloempitten, de koffie, alles, dan gaan de eersten naar boven. De mannen voorop. Maken de deur open, roken er buiten een. Je ziet zo dat die er geen zin meer in hebben, met de kinderen binnen zitten. Na de mannen gaan ze een voor een allemaal naar boven. De vrouwen gaan bij elkaar zitten, sturen de kinderen naar papa, de straat op. Om tien uur zit er geeneen meer in de schuilkelder. Allemaal slenteren ze over straat of het miljonairs zijn, die hoeven niet te werken. Rafi's vader heeft zijn backgammonspel op het plein uitgeklapt en begint een potje met Sjoesjan, tien staan eromheen te kijken, hun kinderen rennen overal rond. En Reuben, de voorzitter van de vakbond, die staat er op zijn pantoffels bij, rookt een sigaret, glimt zo tevreden als ie is.

Wat doe je eraan. Tot er wat gebeurt, haal je het niet in je kop dat het gevaarlijk is. Elke minuut dat er niks gebeurd is, is de garantie dat er ook de volgende niks gaat gebeuren, denk je.

Halfeen, ik loop wat over straat, loop wat rond met mijn handen in mijn zakken. Niks wat ik zo moet beschermen als mijn handen. Geeneen, geeneen mag er mijn handen zien. Mijn mond, geen probleem, er komt geen woord uit zonder afhaalbriefje. Mijn ogen, die doen ook wat ik wil, maar mijn handen niet, die luisteren niet naar me, die doen wat ze willen, zouden alles verraden. Ik zie de mensen hier, geen idee wat ik met ze aan moet. Sinds ik in Risjon ben geweest, hou ik het hier niet meer uit, moet ik er niet aan denken dat ik een praatje met ze moet maken. Op Onafhankelijkheidsdag stond ik met Mordi en de kleintjes hier naar het vuurwerk te kijken, zegt ie ineens tegen me: 'Ik word er gek van, die dingen die maar hoger en hoger en hoger gaan. Je kijkt ze maar na dat hele stuk naar boven en je denkt bij jezelf: wat zal eruit komen, en aan het eind komt er helemaal niks uit, ze vallen gewoon naar onder, zonder dat ze opengaan.' Sinds Risjon denk ik bij mezelf: geen van die lui hier, ook mijn vader niet, komt zo hoog als dat vuurwerk.

Ik ga richting Mordi's huis, denk: bij hem kom ik de tijd wel door. Alleen, omdat ze me midden in mijn laden uit de fabriek geplukt hebben, kan ik niet naar Mordi. Omdat ik nog niet klaar ben met mijn laden. Elke dinsdag loop ik ze allemaal door, van boven tot onder, ik begin om zeven uur en om kwart over acht ben ik klaar, als ik in het schrift voor de woning heb geschreven hoeveel geld ik er de afgelopen week voor opzij heb gezet. Dat tel ik erbij op, ik reken uit hoeveel ik nog moet, leg het schrift weer in de la en begin mijn dag. Maar nou, nou ze me eruit halen voor ik het in mijn schrift geschreven heb, kan ik niet naar hem toe, dat kan gewoonweg niet, eerst moet ik dat doen, hoe moet ik anders aan mijn dag beginnen?

Ik ga te voet naar de fabriek. Vijfentwintig minuten en ik ben er. Een geluk dat ik alle sleutels heb. Zomaar een halve kilo aan sleutels. Het industrieterrein is zo doods dat je denkt dat het sjabbat is. Ik kijk naar de lucht, word een beetje bang. Die angst voel ik ook als ik de deur van het magazijn van buitenaf open wil maken, mijn hand laat het me niet goed doen, ik hou hem met de andere vast en ga naar binnen. Met Lag Baomer vorig jaar is er een op het industrieterrein naar onder gekomen. Als er nou een valt, wie vindt mij dan? De mensen zullen denken: goddank, hij is niet op de huizen gevallen. Geeneen die er mijn kant op komt. Ik ga maar vijf minuten naar binnen, schrijf het bedrag op en dan ben ik weer weg.

Ik ga naar mijn kamer, doe gauw de la open, pak het schrift, wil de datum opschrijven en hoeveel ik tot vandaag bij elkaar heb. Het is een goede week geweest. Een honderdtwintigdollarweek. Opgeteld bij wat ik al had, kom ik op zevenduizend dollar rond. Ik reken het een paar keer na. Precies zevenduizend dollar! Hoeveel moet ik nog hebben? Nog eens zevenduizend, dan kan ik hier weg! Vandaag ben ik precies op de helft. Ik schrijf de datum op en begin te beven. Vandaag, maar dat is mijn verjaardag. Negentien ben ik. Precies op mijn verjaardag ben ik op de helft. Ik zet twee strepen onder de datum. Wat een dag! Zevenduizend dollar, dat is de helft van de eerste aanbetaling voor de woning! Dat is net of je boven op een berg staat, je ziet de plek al waar je heen wilt, elke dollar die er vanaf vandaag binnenkomt, brengt je er dichterbij, zodat je je echte leven kunt beginnen. Een geluk dat ik het leger niet in gegaan ben. Waar had ik nou gestaan, als ik mijn tijd aan het leger verspild had.

Ik kijk op de kalender aan de muur. Elke dag die voorbijgaat, daar zet ik een kruis doorheen. Elke maand die om is, daar scheur ik een blad voor af en elk jaar, daar hang ik een nieuwe kalender voor op. De kalender, die laat me zien dat de tijd voorbijgaat, de klok, die niet. Wat mij betreft, liegt de klok. Als je op de klok kijkt, zou je denken: dat is de eerste keer dat ie die cirkel trekt, hij laat geen teken achter dat er tijd vergaan is, elk uur op de klok is het eerste uur ter wereld. Als ze een echte klok willen maken, moet de wijzer een mes zijn dat van binnenaf kringen uitsnijdt. Dan zie je dat

elk uur echt wat doet, niet zomaar een draai maakt en verder niks.

Ik ga naar de kalender, wil een kruis zetten door vandaag
voor ik naar buiten ga. Net als ik dat kruis zet, zie ik: vandaag is het ook mijn verjaardag volgens de Hebreeuwse
kalender, de veertiende *siwan*. Hoe is het mogelijk? Die
twee vallen anders nooit samen. Vandaag is het mijn verjaardag op de Hebreeuwse kalender en ook op de gewone,
en morgen is het de vijftiende siwan, vaders sterfdag. Waarom heeft ze er niks van gezegd? Anders zegt ze het altijd
twee weken van tevoren, zodat ik er rekening mee hou. Ik
denk aan haar, dat ze niks meer zegt. Al zowat een week heb
ik geen woord van haar gehoord. Ze is de hele tijd stil. Toen
ik vandaag wakker werd en haar gezicht zag, dacht ik: misschien heb ik in mijn slaap iets losgelaten over de modelwoning, maar dat bestaat niet, net een kluis zo zit ik op slot,
dag en nacht hou ik alles binnen. Wat heeft ze toch de laatste tijd? Kom ik de schuilkelder in, kijkt ze nog niet in mijn
richting. Misschien heeft ze gemerkt dat Itziks bar mitswa
voorbijgegaan is zonder dat we iets voor hem gedaan hebben en weet ze niet hoe ze daarmee bij me aan moet komen? Ze is vast bang dat ik nee tegen haar zeg, ze weet al dat
ik papa niet ben, die gaf haar alles wat ze vroeg.

Geen woord zeg ik tegen haar over de bar mitswa. Of tegen
Itzik. Maar ik snap niet waarom hij er niet over begint. Sinds
ie van school is en ie die vogel met hem mee naar huis gebracht heeft, kan het hem allemaal niks meer schelen. Alleen
die vogel, dat is nou zijn hele leven. Alleen vanwege die valk
van hem is ie in het oude huis getrokken, en waar? In de keuken, want de dame heeft een gootsteen nodig. En hij? Hem
maakt het niet uit, net of ie zelf ook een dier is. Een kooi met
twee dieren stinkt nog niet zo als die kamer van hem. Geef ik
haar nou geld dat zij het kan verbrassen aan een bar mitswa,

kom ik achterop met de modelwoning. Al doet ze maar de helft van wat ze voor mij gedaan heeft, loop ik zo vier maanden achter in mijn schrift. Een bar mitswa voor een koning, dat heeft ze voor mij gehouden. Geeneen hier, geeneen heeft er zo'n feest gehad. Is er ook maar eentje iets tekort gekomen? Geen mens! Maar zo gauw je denkt dat het leven je van alle kanten toelacht, verziekt je vader de godganse boel.

Twee dagen na je bar mitswa komen ze je zeggen: 'Je vader is ingestort in de falafelkraam.' Die hele bar mitswa door hebben de mensen tegen je gezegd: 'Van nou af ben je een man', en 'Nou ben je een man geworden, hè?' Ze geven je een klap op de schouders, slaan je zowat tegen de vlakte en jij staat er nog bij te lachen ook, als een echte idioot.

De dag na de bar mitswa ben ik de koning, er is er geeneen die niet van mijn feest gehoord heeft, overal hebben ze het alleen maar over mij. De hele familie is op chique, met nieuwe kleren en nieuwe kapsels, en het hele huis staat vol bloemen en cadeaus. Twee dagen erna loop ik over het plein in mijn nieuwe jasje van de bar mitswa, mijn schoenen glanzen, mijn nieuwe horloge zit om mijn pols en nog steeds zegt iedereen me mazzel tov, waar ik ook kom. Het plein loopt vol, de hele stad is op de been om Rav Kahane te horen. Ik kijk naar de lui die met hem mee gekomen zijn, schat wie van hun er de baas is en help ze met de voorbereidingen. Ik praat niet veel. Ik wenk twee sterke knullen, dat ze het platform waar de rabbijn op moet staan, naar zijn plek sjouwen, grijp de oudste van Aboetboel, laat hem zien dat ik een hele lira voor hem heb als ie opruiers onder de duim houdt, geef hem vast een halve, dan weet ie dat ik het meen. En ik roep Albert Biton erbij om ze te helpen met de stroom. Na tien minuten heb ik ze in mijn zak. Ze kunnen niet meer zonder Kobi. Ze weten nog niet hoe ik heet, maar komen om de haverklap op me af gerend om iets te vragen. Zie ik: met een paar minuten zijn ze klaar met opbouwen, fluit ik Doedi, die speelt met zijn vrienden bij de telefooncellen. Ik stuur hem eropuit, dat ie me van papa's falafelkraam een paar flesjes fris brengt. Ik had niet gedacht dat ie daar problemen over zou maken, wat zijn nou een paar flesjes fris? Maar mijn vader, die heeft van z'n leven niet gesnapt met wie ie in zee moest. Daarom is ie ook zo aan zijn eind gekomen.

Ik kom zelf met het drinken terug, maak de flesjes open en druk ze er allemaal een in de hand. Ze komen bij me zitten en we drinken samen. Het gesprek komt op gang. Zo terloops hoor ik alles over de rabbijn. Dingen die er geeneen weet. Ik doe net of het me niks interesseert, net of ik er zo eentje ben die elke dag verhalen over belangrijke lui aanhoort. Maar de waarheid is, ik ga uit mijn dak van wat ze daar vertellen. Ze denken dat ik bij de gemeente werk, ze vragen ook niet hoe oud ik ben. Toen schoor ik mezelf al, en ze hielden me voor vier, vijf jaar ouder. Ze zeggen: 'Zo helpen ze ons niet overal, sjkouch! Sjkouch!' Geen idee wat dat betekent. Ik laat het niet aan me afzien dat ik het niet weet. Daarna lach ik in mijn vuistje, nog geen druppeltje zweet heb ik gelaten.

Als de rabbijn uitgesproken is en ze gaan dansen, brengen ze mij naar hem toe, en hij zegent me ook. 'Jakob,' noemt ie me. De mensen van hier gaan langzamerhand op huis aan en ook de rabbijn en zijn lui pakken hun spullen bijeen en vertrekken. Ik kijk hun busje na tot het de stad uit rijdt, bij de bocht zwaait een van hun nog naar me vanuit het raampje. Ik geloof het bijna niet: hij rijdt weg en is me niet meteen vergeten, wie weet praat ie later nog over me, waar ie dan ook is. En dan roepen de mensen ineens: 'Kobi, kom gauw, je vader is ingestort in de falafelkraam!'

Ingestort? Hoezo ingestort? Ik ren erheen en zie het allemaal: papa op de vloer in de falafelolie, de pan er op zijn kop naast, het grote mes met de stukjes peterselie eraan in zijn hand, zijn ogen halfopen, en onder het linkeroog is het opgezwollen als een gek. Later vindt Albert Biton in de olie de bij die hem gestoken heeft. Zo leeg als het plein net was, zo vol stroomt het nou weer. Ik sta daar met de rest, zie mijn vader, hoe ze hem naar buiten slepen of het zo'n zak kikkererwten is die ie om de paar dagen naar de kraam brengt. Ze leggen hem op het plein op de grond. Van het slepen is zijn overhemd uit zijn broek gekomen, je kunt zijn buik zien. Zijn blote buik, helemaal. Ik dacht: ik ga dood. Ik weet niet waarom. Ik wilde zijn buik toedekken, maar ik kon me niet bewegen. Ik wou dat iedereen z'n muil hield en niet de hele tijd bewoog, hij deed me denken aan Jechiël, de leraar Bijbelkennis, die wachtte altijd met half zijn ogen tot wij stil waren, voor ie een mond opendeed. Ik wou zeggen: Zien jullie dan niet dat hij wacht tot het stil is? Geen minuut was het stil. Alleen papa lag daar zonder te bewegen, met zijn haar aan de zwarte grond van het plein geplakt van de olie, en al dat geschreeuw eromheen.

Toen kwam Tsjiko, die begon lucht van zijn mond in die van papa te blazen. De hele tijd zeiden ze: Dat is niks voor de kinderen. Die zouden hem zo niet moeten zien, neem ze mee. Maar geeneen deed er wat om ons daar weg te krijgen. Wie wilde er zijn plekje nou afgeven, waar ie alles goed kon zien? Elke minuut schreeuwde er een: Waar blijft die ziekenauto? Nog voor de ziekenauto kwam, wisten ze al dat ie dood was. Aan het eind hebben ze ons naar huis gebracht. Itzik was er ook bij. Ik, Doedi en Itzik. We komen bij ons blok, ik hoor mam krijsen, ze wil naar het plein rennen maar de vrouwen uit het blok laten haar niet gaan. Ze houden mama vast, brengen haar naar de flat, leggen haar op de bank in de zitkamer, sprenkelen haar water in het gezicht. Waar de begrafenis gebleven is, ik weet het niet. Uit mijn kop weg. Alleen dat we thuiskwamen, dat weet ik nog. Geen-een deur is er dicht als we de trap op gaan, het hele blok is één huis geworden. Ze beginnen alles overhoop te halen, ik kan nergens heen, overal jagen ze me weg en naar buiten mag ik niet. Aan het eind zetten ze me op een matras op de vloer, en er blijven maar mensen binnenkomen, ze staan, ze zitten, er komen er steeds meer, duizend gezichten zie ik van onderen, ze nemen de hele lucht in tot ik niks meer te ademen heb. Ik ga naar de plee. Daar staat al een hele rij, maar ze laten me voor. Ik doe snel-snel, was m'n gezicht, maak m'n haren nat, steek de kipa van de bar mitswa met de haarspeld weer vast, zeg in de spiegel: Papa is dood. Papa is dood. Ik zeg het om te huilen. Ik kan niet huilen, er komt niks uit. Nog geen druppel. Ik trek gezichten, besluit welk gezicht ik die dag ophou, dan weet ik tenminste wat ze van me zien. Ze kloppen op de deur, ik moet eruit. Ik hou het overhemd, dat ze bij mijn hart kapotgescheurd hebben, met m'n vingers bijeen, snap niet waarom ze die scheur nou moesten maken, het was een nieuw overhemd. Wat hebben ze eraan om het kapot te scheuren? Weer kloppen ze aan. Ik doe open, ga terug naar mijn matras. In plaats van de schouderklopjes en het lachen van de bar mitswa komt nou de een na de ander op me toe, met het allerernstigste gezicht dat ze hebben, schudden me de hand en slingeren me de woorden van de bar mitswa nog eens in het ge-zicht: 'Nou ben jij de man des huizes. Je moet je mannetje staan.'

Mama's broers zijn voor een dag uit Asjdod gekomen, ze zitten wel een beetje in de rats om haar, zo alleen. Zij zeggen het ook. Wat moet ik terugzeggen? Ik knik en laat mijn kop hangen, doe mijn hand voor mijn gezicht, dat ze maar doorlopen, laat ze met mama praten, met papa's broers, met oma. Mij moeten ze met rust laten. Bij de gebeden sta ik samen met papa's broers om het *Kaddiesj* te zeggen, daar voel ik me dan niet alleen. Wist ik veel dat ze een jaar later hun ware gezicht zouden laten zien, dat ze me alleen zouden laten en dat ik dan echt de enige man in huis zou zijn.

Een maand of anderhalf, twee later komt mam huilend thuis van de dokter, gaat naar haar kamer. Riki Amar, die samen met haar in de crèche werkt, die gaat met haar mee. Ze komt in haar eentje de slaapkamer weer uit, gaat naar de keuken en zet water op voor thee. Wij achter haar aan de keuken in. Ze zegt: 'Kom eens hier, ik moet jullie wat vertellen. Jullie mam is zwanger. Jullie moeten nou goed voor haar zorgen, dat ze niet te veel werkt.' In het begin snap ik het niet, hoe kan ze nou zwanger zijn? Dan weet ik het. Dat heeft papa nog bij haar gedaan voor ie doodging. Ik ben boos op hem, geen idee waarom, maar ik ben boos. En ik ga over m'n nek van hem. Al is het spel uit, toch over het veld blijven rennen en er nog even een zetten. Die gasten heb je erbij. Zolang er publiek in het stadion is, zien ze hun kans schoon, willen ze op het veld gezien worden. Ze rennen rond en schieten op het doel, zonder keeper, zonder andere spelers, maar ze hébben er een gezet. Heb ik de pest aan. Ga ik van over m'n nek.

4

Ik sla het schrift dicht, sluit het weg in de la. Nou wil ik alleen nog maar weg. De fabriek zonder de herrie van de machines, da's erger als een begraafplaats. De laatste keer dat ik zo'n stilte gehoord heb, was de dag dat ik hier voor het eerst kwam om het werk te bekijken. Zondagochtend, zes uur, ik was zestien jaar en twee maanden, de arbeiders gingen met de voorman naar de werkvloer. Als rotsblokken stonden ze daar in het donker, de machines. Ik dacht bij mezelf: waarom niet? Wat naast mekaar staan, wat kletsen, wat lachen en de dag is om. Tot ze ineens de machines aanzetten, allemaal in één keer, die van de vrouwen en die van de mannen. Ik dacht: de oren vliegen me van de kop. Net wilde dieren die de hele sjabbat geslapen hebben, zo kwamen de machines op gang en ik wilde alleen nog maar weg, mijn schooltas pakken die ik in de hoek gesmeten had en terug naar school. Die eerste nachtdienst wilde ik terug naar school. Die hele eerste maand wilde ik terug naar school, tot ik mijn eerste loonzakje kreeg en zag: nou ben ik een man, nou kan ik geld naar huis brengen. Na de vijftiende van de maand, toen ik bij de bank geweest was, hoefde ik niet meer terug naar school. Net of je een tijdje in de eerste klas geweest bent en op een dag loop je langs je oude kleuterschool, je ziet je oude juf met de kinderen in de tuin zitten en je weet dat je er niks aan verloren hebt. Later, toen de oproep kwam om in dienst te gaan, wist ik: aan het leger heb je ook niks verloren. Een geluk dat ik Mordi daar trof, die heeft me verteld wat ik moest doen en Israël heeft me ook geholpen. Geen idee met wie ie daar gesproken heeft, ze zeggen dat zijn broer een hoge officier is. De week daarop kwam de vrijstelling met de post.

Ik sta op, ga de gang door, kom langs de deur van Jamils kamer, Jamil, dat is mijn tweede bron, waar Israël nooit van z'n leven iets van zal weten. Jamil, de boekhouder van de fabriek, die heeft ons spelletje geen minuut geslikt. Bij zijn sollicitatiegesprek had ie het al helemaal door. De dag erna hield ie me aan toen ik op weg was naar het magazijn en hij bedankte me. Mijn gezicht werd er warm van. Ik stond daar en hij ging zijn kamer in. Alleen 'bedankt' had ie gezegd. Geen idee hoe ie erachter gekomen was dat ik bij Israël wat te zeggen had. Hoe is ie erop gekomen dat ie de baan gekregen heeft omdat ik hem geholpen heb? Wist ie misschien dat er ook een Jood op die baan gesolliciteerd had? Toen we nog op de kleuterschool het spel met de bewegingen deden, waarbij er eentje wat voordoet en de rest hem nadoet en eentje die buiten staat, moet raden wie de voordoener is, hadden we Motti Ipergan, die kwam de klas binnen, keek ons even aan, zei doodleuk wie de voordoener was en ging op zijn plaats zitten. De juf werd er zowat gek van. Wat die niet allemaal deed om hem van de wijs te brengen, maar hij liet zich niet van de wijs brengen. Later hebben ze hem bij de inlichtingendienst gehaald. Niet slecht. En Jamil, die is net zo. Die z'n kop werkt snel en zonder fouten. Hij snapt gelijk wat verder niemand snapt, en praten doet ie alleen als het moet. Hij heeft het diploma van boekhouder en van belastingadviseur en zo nog een paar, en op alle oorkonden staat MET LOF.

Bij zijn sollicitatiegesprek ben ik Israëls kantoor in gegaan, deed net of ik de kast opruimde en heb naar het plafond gekeken. Dat was ons teken, gelijk bij het eerste sollicitatiegesprek, kijk ik er bij eentje naar het plafond, dan nemen we die aan. Een week op voorhand geeft Israël me altijd een lijst met de namen van sollicitanten en dan doe ik mijn werk, ik ga eropuit, vraag hier, luister daar, kom tot in de binnenste kringen bij de vakbond, bij de voorzitter en de vicevoorzitter, zorg dat ik te weten kom hoe het met iemand zit. Ik weet wie ze naar ons sturen alleen maar zodat ie onderuitgaat, van wie ze willen dat Israël hem niet aanneemt, maar het mag niet naar buiten komen dat zij dat zo gezegd hebben. Bijvoorbeeld eentje voor wie ze een aanbeveling geschreven hebben omdat ze hem nog wat schuldig waren van de verkiezingen, maar in werkelijkheid is het er een die je niet moet aannemen, eentje die geen klus goed doet. Heb ik geen tijd om hem in alle rust een briefje te schrijven, roept ie me binnen en geef ik hem ons teken, en dan praat ie er verder niet meer over.

Soms is het echt simpel, als het bijvoorbeeld de zwager van de vakbondsvoorzitter is of eentje uit zo'n familie waar iedereen van weet: die maak je niks. Je snapt niet dat ie het zelf niet ziet, je denkt: Israël, die moet toch doof en blind zijn, allebei tegelijk. Soms praat ik me een slag in de rondte om iets voor hem boven tafel te krijgen, dan zeur ik Mordi aan zijn kop dat ie er met eentje gaat praten als ie zijn ritten maakt, dat ie met zijn grappen wat aan het pokerface van de secretaresse van de vakbondsvoorzitter krabt als ze de ritten met hem afrekent. En dat allemaal alleen maar zodat ik Israël twee woorden op een briefje kan geven, of een teken in zijn kantoor en dan weer terug naar het magazijn. Daarna wil ie er niks meer over horen.

De waarheid? Jamil heb ik toen alleen als boekhouder aangenomen, omdat de andere sollicitant mijn neef Gabi was. Die was afgestudeerd en teruggekomen naar de mosjav. Hij zat daarbinnen bij Israël en praatte met hem of ie de baan al in z'n zak had, wist dat ie alleen tegen een Arabier uit het dorp op hoefde. Als Mordi wist dat ik een Jodenbaan aan een Arabier gegeven had … die maakte me af. Hij zegt altijd: 'Arabieren zijn niet te vertrouwen, al liggen ze veertig jaar dood onder de grond.' Mij maakt het geen donder uit of het een Arabier of een Jood is. Voor mijn part is het een Bedoeïen, zolang ie mij goed behandelt, doe ik het hem ook, maar wie me een streek levert, die krijgt niks van me. Bij Gabi's sollicitatie heb ik de deur opengedaan en even mijn kop naar binnen gestoken. Nog geen sjalom gezegd. Ik heb alleen naar de vloer gekeken, zodat Israël me niet verkeerd begreep. Nee, de familie van mijn vader, die zet hier geen voet binnen. Na wat die ons aangedaan hebben vanwege de falafelkraam, toen papa dood was, daar hebben ze het bij mij goed mee verkloot. Voor dat zootje steek ik geen vinger uit.

Twee weken nadat ie bij de fabriek was komen werken, kwam Jamil naar me toe en hij zei: 'Voor ieder van mijn mensen die je aanneemt, krijg je tien procent van zijn eerste maandloon.' 'Twintig,' zei ik. We maakten het af op vijftien. Ik weet niet hoeveel ie zo in zijn eigen zak steekt en ik vraag er ook niet naar. Ik ging zijn kantoor uit en kwam na een paar minuten met de papieren van de modelwoning terug. Bevend zat ik tegenover hem. Ik legde hem de papieren voor en kon geen mond opendoen. Ik was al helemaal hoteldebotel van mijn dromen erover. Jamil pakte de plastic map, haalde er alles met zijn lange vingers uit en legde het open op tafel. Ik zei niks. Hij vroeg hoe het met het geld zat, pakte een rekenmachine en een leeg vel papier, ging er een paar minuten voor zitten, schreef wat getallen op en bedacht ter plekke hoe de modelwoning uit mijn droom mijn leven in zou komen. Ik kon hem zijn hand wel kussen.

Daarna, toen ie me voor het eerst geld had gegeven, liep

ik er de hele dag mee in mijn broekzak, wist niet waar ik ermee heen moest. Ik liep het huis door, geen plek waar ze het niet zouden vinden, en er is er altijd wel een als ik thuiskom. Maar zet ik het op de bank, op een spaarboekje, zeggen de mensen aan de balie misschien iets tegen mama. Of tegen Amidar, dat ik wél geld heb en best wat huur voor onze sociale huurwoning kan betalen. Die lui hier, die kunnen hun mond niet houden. Gisteren nog greep Itziks lerares me midden op het plein beet en ze begon er luidkeels over dat ie al twee maanden niet op school geweest was. Ze zou ons de leerplichtambtenaar op het dak sturen of de nieuwe sociaal werkster voor straatkinderen. Zo maar, pal voor de supermarkt zei ze dat tegen me, de hele stad heeft het gehoord.

's Nachts sliep ik met het geld op mijn lijf. De volgende ochtend op de fabriek heb ik Jamil gevraagd wat ik moest doen. Die zei: 'Ik bewaar het voor je in dollars tot je de aanbetaling van veertienduizend bij elkaar hebt.' Ik dacht bij mezelf: wat kan er scheef gaan? Hij heeft mij in zijn hand en ik hem in de mijne. Nou waren hij en ik ook met een touw verbonden.

Sindsdien haal ik elke vijftiende van de maand m'n loon van de bank, geef hem de helft ervan en hij wisselt het om in dollars en bewaart het voor me bij hem in het dorp. En voor iedere vent uit zijn dorp die hier komt werken, geeft ie me op een briefje hoeveel dollar hij er bij mij bij doet, zo simpel werkt het. Ik heb mijn dollars nog nooit gezien, maar ik maak me geen zorgen. Jamil is een eerlijke vent, goed voor zijn woord. En dollars, dat is harde valuta. Ik zeg niet dat ik ze nooit eens wil zien, dat ik ze niet in de hand wil hebben en tellen, ze op zak hebben, op mijn lijf dragen. Maar ik heb hem mijn woord gegeven dat ik niet naar zijn dorp kom, en ik ben ook goed voor mijn woord. Op de fabriek ziet er geeneen dat wij wat met mekaar hebben. Nooit van m'n leven ga ik bij hem zitten in de kantine. En hij komt ook niet bij mij koffiedrinken net als de rest. Ik heb hem mijn woord gegeven dat ik niet naar zijn dorp kom en Jamil heeft mij zijn woord gegeven dat ie me geen dollar geeft voor het tijd is om te kopen.

Dat heb ik later zo met hem geregeld, toen ze zo doorging over bijlessen voor Itzik. Daar had ie dan voor naar de grote stad gemoeten. Ze zegt tegen me: 'Wat moet er van hem worden, als hij niet wat leert? De hele dag maar met die vogel. Dat is toch geen leven.' En ik heb haar teruggezegd: 'Ik heb geen geld.' Nog geen wimper heb ik bewogen, zelfs niet toen ze me recht in de ogen keek, ik hoefde geeneens tegen haar te liegen. Het is toch ook geen geld, het zijn muren, een wastafel, een oven, een badkuip, een vloerkleed. Dacht ik daaraan, aan wat ik daar opzijlegde, was het makkelijk zat om nee te zeggen tegen haar en tegen de rest. Ook tegen mezelf zeg ik nee, als ik zin heb om een nieuw jasje te kopen. Zo leven we, ons hele gezin, van mijn halve loon, de kinderbijslag en de fooi die ze van de crèche mee naar huis brengt. Allemaal hebben ze het nou gesnapt: wij hebben geen cent te makken. Zelfs Doedi, die zo graag wat op zak heeft, zelfs die komt niet meer bij me aan. Maar elke twee weken krijgen ze een film van me. Niks aan te doen, die film moet. Zonder de film ga je eraan hier. En ze bedelen al een hele tijd niet meer om een tv, een kachel, kleren. Daarvoor hoeven ze niet bij me aan te komen, dat hebben ze al gemerkt. Ik betaal ook geen belasting meer aan de gemeente, of de rekening voor het water. Een keer hebben ze het water afgesloten, toen ben ik erheen gegaan, heb een jankverhaal opgehangen en aan het eind hebben ze me de helft van de schuld kwijtgescholden en ons weer aangesloten. En die van Amidar, die hebben nou al een jaar geen huur van me gezien. Ze beginnen nou met dreigementen, maar met hun gooi ik het ook wel op een akkoordje.

Voor het huis hier schaf ik bijna niks aan. Dat is geen huis, ik weet nou wat een huis is. Dit hier, dat is een stal, geen huis. Ik werk er nou alleen nog maar voor dat ik mezelf, haar en de tweeling hieruit haal. Itzik, Doedi en Etti redden het alleen wel. Toen ik zo oud was als Etti, toen werkte ik al. En trouwens, voor mezelf koop ik ook niet waar ik zin in heb. Wat dacht je, dat ik geen mooie ketting wil kopen voor mama, of een armband, of een horloge? Dat zou wat zijn, iets voor haar kopen en haar gezicht zien als ze het pakje openmaakt. Maar ik ben mijn vader niet. Die moest elke dag hebben dat ze blij met hem was. Als een kind moest ie haar laten zien wat ie had verdiend. Ik kan wachten, ik hou alles binnen. Heb ik een keer besloten om niks te zeggen, komt er ook geen woord over mijn lippen. En aan het eind geef ik haar het mooiste cadeau van de wereld: de sleutel.

Geen woord heb ik haar gezegd over de modelwoning. Pas als ze de sleutel in handen heeft, dan hoort ze het voor het eerst. Dan staat ze daar in Risjon, met mij en Chaim en Osjri. Niks nemen we mee uit het oude huis, nog geen poetsdoek gaat er mee. Het wacht haar daar allemaal schoon op. Ik zie haar al, dat ze met de sleutel de deur openmaakt en dat de sleutel uit haar hand valt, ze moet even zitten, vraagt me om een stoel. Een stoel?! Ik breng haar naar de zetel in de woonkamer, haal een glas koud water voor haar uit de keuken. Dan zie ik: ze krijgt weer kleur, en zij, ze begint een nieuw leven. Met nieuw beddengoed, handdoeken, pannen, alles schaf ik nieuw aan. Telkens als ik haar hoor over wat haar allemaal zeer doet, als ze op nog geen halve meter van mij op bed ploft, wil ik het liefst zeggen: Stop toch bij de crèche, we hebben geld, je hoeft niet te werken. Maar ik hou me in. Ik doe mijn ogen dicht en zie haar op het bed in Risjon, een groot bed van spaanplaat met houtfolie, in dezelfde kleur als de grote kleerkast, dat is het nieuwste van het nieuwste.

Elke maand loop ik daar anderhalf uur door de straten, kijk bij de mensen door de ramen naar binnen, zie wat die in huis hebben, wat ze doen, wat ze kopen. Hoe ze met mekaar praten. Hoe ze met hun kinderen zijn, als die thuiskomen van school of van de peutergroep. Dat verzamel ik allemaal in mijn kop voor de dag dat ik verhuis. Ik zie haar al in de Herzlstraat uit de bus stappen, nadat ze goed geslapen heeft, haarzelf gewassen heeft in het nieuwe bad, mooie kleren aangetrokken heeft. Ik zie haar gezicht, dat is weer net als op de foto van mijn bar mitswa. Ze heeft een mooie handtas, maar niet de witte van de bar mitswa, een nieuwe, met een volle portemonnee. Ze gaat winkels in en koopt wat ze hebben wil. Ik weet ook al naar welke kapper ze gaat. In Risjon doet ze vast die sjaal en haar rouwkleren weg. Haar kledingzaken, die ken ik ook al. Haar hele leven in Risjon zie ik voor me, een goed leven, het leven van een mens.

Elke vier weken ben ik daar, geeneen die er thuis van weet, om halfelf kom ik op de bouw. Eerst maak ik mijn ronde, wil zien hoe het opschiet. Ze moeten niet te gauw klaar zijn, ik heb tijd nodig om het geld te verdienen. Ik kijk naar de gebouwen, weet precies welk huis van mij is. Alleen dat ene wil ik voor ons, de modelwoning zelf, en geen ander. Ik wil het precies zoals het is, ik neem het met alles wat ze erin gezet hebben. Kom ik daar, moet ik eerst buiten gaan zitten, mijn schoenen uitdoen en er al het zand uitschudden dat erin gekomen is. Ze hebben daar geen grond. Net of je in een andere wereld bent. De grond in Risjon is geen grond en de lucht is anders als bij ons, en als de zon erop kijkt is het niet dezelfde zon als die bij ons op het plein kijkt. Ik zit daar, trek mijn schoenen weer aan, strik de veters en ga mijn huis in. Elke keer controleer ik wat er de afgelopen maand veranderd is, de ene kamer na de andere. Ik ga de slaapkamer in, mama's kamer, de kamer van de tweeling, de badkamer, en kijk in alle hoeken, ik ben bang dat ze dingen kapotmaken. Jammer dat ik het hier niet kan afsluiten, zodat er geeneen de spullen gebruikt. Het vloerkleed krijgt het meest te verduren, van al die schoenen.

Op een dag zei ik tegen Jafit: 'Moeten we geen plasticfolie over het vloerkleed leggen?' Maar ze lachte en zei: 'Je wordt m'n dood nog, met je grappen.' Ik zei tegen haar: 'Kom, we halen het wc-papier weg uit de badkamer, zodat er geen meer op gaat. Als er eentje moet, kan ie de kleine wc buiten nemen.' Daar moest ze ook om lachen. Ik pak een doek, maak hem vochtig en ga ermee over elke lichtschakelaar, wis het vuil van de afgelopen maand weg. Het huis is schoon, de vloer glimt, de ramen ook, nog geen stofje ligt er, alleen de lichtschakelaars, die doet hun poetsvrouw niet. Jafit wordt gek van me. 'Als ik niet doodging van verveling, zou ik niet eens met je praten.' In het begin zei ze steeds dat ik gek was, maar als haar werkdag om is, doet ze toch wat ik wil. Om halftwaalf ga ik weg, een eind wandelen door de stad, en om vijf voor halftwee doet ze de voordeur op slot, haalt de sleutels van de bos en legt ze op het kleine balkon voor me klaar. Om halftwee precies kom ik terug, pak de sleutels, doe ze in mijn zak, doe net of ik met mijn eigen sleutel mijn huis binnen ga. Ik sluit vanbinnen af, gooi de sleutels op de tafel in de eethoek, drink een glas water. Jafit ligt op bed in de slaapkamer te slapen, altijd op haar buik. Ik kijk naar haar, naar hoe ze haar benen over mekaar geslagen heeft. Ze trekt nog geeneens haar schoenen uit, maar ik vind het niet goed dat ze ermee op de sprei gaat, dus ze laat ze zo in de lucht bungelen. Haar spijkerbroek zit zo strak als maar kan. Was Mordi er, kon ie hemzelf niet beheersen. Maar mij, mij doet ze niks. Net een invalleerkracht, die, ze gaat van de een naar de ander, vult de gaten in haar rooster waar ze maar kan, denk ik bij mezelf.

Ze vertelt me alles. Bij wie moet ze het anders kwijt als bij Kobi? Elke keer dat ik kom, hoor ik de naam van een andere vent. Ik hoef er geen die met jan en alleman meegaat. Ook al doet ze nou of ze mijn vrouw is, zo gauw ik een keer niet thuis ben, is ze met een ander mee. Met die is alles maar voor de show. Uit mij krijgt ze niks los, ze weet geeneens waar ik echt vandaan kom. Een keer, toen ze me had gevraagd wat mijn vader deed, heb ik gezegd: 'Die is restaurateur.' Ik wilde eens weten hoe dat klonk. In Risjon zeggen ze dat zo, heb ik gehoord. Ze vermoedt nog geeneens dat ie dood is. Alleen heeft ze al twee keer gevraagd wanneer ik de aanbetaling meebreng, ze zetten haar onder druk, vanuit het hoofdkantoor. Ik heb gezegd: 'Mijn vader komt op het moment om in het werk, een maand, twee op zijn hoogst, zo gauw ie tijd heeft, rekent ie af met je. Maak je geen zorgen.' En ik maak me geen zorgen. Ze zegt: Het is de laatste woning die ze hier verkopen, ze hebben hem tot op het laatst nodig.

Ik blijf niet lang zo naar haar staan kijken, ik loop gelijk de kamer in op haar af. Ze komt overeind, geeft me een kusje op mijn wang, we gaan naar de keuken. Ze zegt: 'Wil je koffie? Hoe was het op je werk?' Ik breng altijd wat mee voor het huis, bloemen of lekker vers fruit. Ze is er blij mee, haalt het plastic spul uit de schaal of uit de vaas en doet erin wat ik voor haar meegebracht heb. Voor we naar buiten gaan, loop ik de badkamer in, kijk in de spiegel wat voor een gezicht ik op heb, bekijk mezelf eens goed. Ik maak mezelf niks wijs, dat gezicht dat ik mezelf heb beloofd krijg ik er bij de spiegel nog niet in. Gaan we samen naar buiten, laat ze mij afsluiten. Ik word er bijna gek van, van die sleutels in mijn hand. Op een dag, toen ik rondliep, heb ik de mooiste sleutelhanger van de stad gekocht. Van plastic, maar je zou zweren: die is van glas, en de bloemetjes erin zijn echt. Daarin gedroogd. Daar is mijn hele wandeling aan opgegaan. Jafit zegt: 'Yallah, Kobi, het is al laat. Ben je vergeten dat ik om vier uur weer hier moet zijn?' Ik weet het, ik moet de sleutels bij haar laten, maar ik kan het niet. Elke keer valt het me zwaarder om ze bij haar achter te laten. Net of die sleutelhanger mijn kind is en ik heb hem bij de hand, maar ik moet hem weer een hele maand achterlaten. Jafit weet hoe moeilijk het voor me is en ze zegt dingen waardoor het makkelijker wordt. De vorige keer zei ze: 'Kobi, je moet eens met de buren praten, dat ze de ingang niet zo vuil maken. Deze keer ga je naar de vereniging van eigenaren. Deze keer ga je erheen; ik wil die Markovitz van de derde verdieping niet meer zien, na wat er afgelopen sjabbat gebeurd is.' En ik zei: 'Maak je geen zorgen, ik praat wel met ze,' heb de sleutels in haar hand gelegd en ze is weggegaan.

Altijd blijf ik daar nog een tijdje staan als ze weg is, een kwartiertje. Ik kan niet zomaar vertrekken. Eigenlijk wil ik haar vragen wat een vereniging van eigenaren is, wat zo'n vereniging doet, waar ze het over hebben. Het is toch geen fabriek, het is maar een huis. Waar heb je met een huis een vereniging voor nodig? Maar ik vraag het haar niet. In Risjon kijk ik gewoon om me heen, ik stel geen vragen. Stukje bij beetje pik ik het allemaal op. Ik laat er geeneen merken waar ik vandaan kom. Van wat ik aanheb, zou je denken: ik kom uit Risjon, ik ben een van hun.

Stukje bij beetje, van wat Jafit vertelt, leer ik alles wat ik nodig heb. Ik weet ook al hoe je mensen de woning laat zien. Op een dag kwam er een ouder echtpaar binnen, net toen ze was gaan liggen. Ze is vaak moe, omdat ze 's avonds uitgaat en dan komt ze pas heel laat thuis. Als ik er ben, stuur ik haar naar de slaapkamer, zodat ze wat uitrust, en dan pas ik op de woning. Toen kwam dat echtpaar. Ik heb zachtjes op haar deur geklopt, dat ze haarzelf kon opfrissen voor ze erbij kwam, en ondertussen die lui rondgeleid. Ze kwam naar buiten en ging zowat door het lint. Maar ik kon overal antwoord op geven. Niks wat zij doet, dat ik niet geleerd heb. Zo weet ik dat je een keer met de vrouw en een keer met de man rondgaat. Jafit had me uitgelegd: 'Wil de een wel en de ander niet, dan ga ik er niet tussen staan. Ik maak dat gat dat ze net hebben ontdekt, niet groter. Ik neem naald en draad en naai het weer dicht. Ik help ze om de plekken te vinden waar ze weer samen zijn, waar ze allebei hetzelfde willen. Heb je weleens gezien hoe je het gat in een sok stopt? Met een heleboel geduld ga je van de ene kant naar de andere en weer terug, je steekt daar in waar de stof vast is, zodat niet alles onder je handen uiteenvalt en zo ga je overdwars en recht, tot niemand nog ziet dat daar een gat heeft gezeten.' Ik zei tegen haar: 'Ik heb er nooit zo op gelet, maar mijn moeder doet het precies zo,' en ze vaart tegen me uit: '"Mijn moeder", "mijn moeder". Je bent een baby, Kobi. Zeg nou niet dat je elke avond bij haar thuiszit.'

Dat heb ik stilletjes geslikt. Ik zie toch ook hoe zij het wegslikt, elke keer als er mensen vertrekken en niet willen kopen, dat ze net doet of het haar niks kan schelen. Net of ze er niks mee te maken heeft, zegt ze: 'Laat ze gaan. Wie zit er op hen te wachten. Heb je er eenmaal honderd over de vloer gehad, dan weet je meteen wie er serieus is en wie er alleen maar komt om de stap níét te zetten. Ik heb het meteen in de gaten. Wat moet ik soebatten met lui die alles opnoemen wat er niet deugt aan het huis? Laat ze lekker gaan en hun eigen huis opknappen. Asjeblief-dankjewel! En dan daarbij, als ze de prijs van het nieuwe huis horen, klinkt renoveren zo slecht nog niet, weet je.'

Het liefst heb ik dat ze zo begint: 'Maar jou had ik het huis niet eens hoeven laten zien. Jij kwam naar me toe en zei: Ik wil het kopen, en je had nog geen voet binnen gezet. Je bent een aparte, ik snap het niet, ben je er een die dwars door de muren heen kan zien? Hoe ben jij verliefd geworden op dat huis? Was het de voordeur? Of de ramen?'

De tweede keer dat we naar Risjon zijn gereden en ik naar de modelwoning wou, dacht Mordi dat het me om Jafit te doen was. Gelijk toen we de mensen hadden afgezet – ik dacht: die merkt het toch niet – zei ik tegen hem: Breng me eens naar die plek waar ze die nieuwe huizen bouwen. Hij schrok zich rot, stopte langs de kant van de weg en begon op me in te praten: 'Als dat vanwege dat meisje daar is, hoe heet ze, Jafit? Als het vanwege haar is, breng ik je er niet heen. Je bent 'n vriend van me, ik laat jou er niet hetzelfde zootje van maken als ik. Je moet niet vergeten wat ik toen was, een kind nog. Ik rommelde maar wat aan met Fannie, wist ik veel dat ik met m'n leven speelde. Wat doe je eraan. Ik heb het kapotgemaakt, ik heb er ook voor betaald. Ik betaal er m'n hele leven voor. Ik zeg niet dat Fannie geen goeie vrouw is, dat niet, maar kijk mijn leven nou. Het is het leven van eentje die nog geen minuut z'n hersens gebruikt heeft. Het leven van eentje die een mooie winkel in stapt ... Daar, bijvoorbeeld, zie je die?' Hij schakelde achteruit en reed een paar meter terug, zodat we precies voor de winkel stonden. 'Op m'n vijftiende ga ik die winkel in, met het geld in de hand dat je maar één keer in je leven krijgt. En ik heb het eerste opgepakt wat ik zag. Ik had er nog niet over nagedacht wat ik ermee wilde, had nog helemaal niet rondgekeken, en daar glipt het uit m'n hand. Wat kon ik doen? Niks, behalve betalen en naar huis gaan met wat ik kapotgemaakt had. De mensen zien me altijd lachen, die weten niet hoe het Mordi elke dag vanbinnen brandt, hoe graag ie zou hebben dat ze hem nog eens in die winkel lieten.' Wat moet ik zeggen? Als ik zeg: Het gaat me niet om Jafit, dan moet ik hem over het huis vertellen. En ik zeg geen woord over het huis. Tot nog toe weet alleen Jamil ervan.

De moeilijkheid met Mordi is dat ie niet tegen stiltes kan. Altijd begint ie gelijk te praten: 'Je bent geen kind meer, Kobi. Jouw situatie … da's niks voor spelletjes. Als je ook maar een greintje verstand hebt, haal je een vrouw van buiten. Import. Kijk maar naar Eliko. Die heeft het voor mekaar! Kijk naar hem, ieder grietje was met hem meegegaan, ieder grietje in de stad stond te springen om met hem onder de *choepa* te staan, hij hoefde haar maar aan te kijken. Maar hij, hij hoefde het niet als het hem in de schoot geworpen werd. Die heeft er de tijd voor genomen, eerst zijn diensttijd afgemaakt, dan een jaar in de grote stad, zag dat ie in Tel Aviv een nul was, kon er niks met een beetje klasse krijgen en is naar Noorwegen gegaan. En in Noorwegen, stap je daar uit het vliegtuig, is er geeneen die tegen je begint: "Je lijkt me een Marokkaan" of: "Waar kom je vandaan?" of: "Wie is je vader?" Bij hun gaat het erom: wat je hebt, dat heb je. Geeneen die je dat afpakt met z'n domme geklets. Je lijf en hoe sterk je bent, en jij, jij hebt ook nog je mooie ogen, en da's een taal, die verstaan alle meisjes op de hele wereld. Je gaat er als visser aan de slag, net als Eliko. In een halfjaar tijd verdien je flink wat met vissen, je leert hun taal, je kijkt wat rond en je brengt een meisje mee terug. Knap, maar niet te knap, met geld, maar niet te veel, niet dat ze denkt: het moet allemaal van haar komen.'

Hij start de motor. Die is uitgepraat, denk ik en ik druk

op de knop van de radio. Hij zet hem gelijk weer uit, kapt het reclamedeuntje af *Brandt de zon het heetst van al, drink dan eerst maar een Kristal!* en gaat verder: 'Ik zeg je, Eliko heeft het voor mekaar, die plukt een vrouw en zet haar in een bakje water. Hij is alles voor haar: vader, moeder, broers, zussen en vriendinnen. En het allerbelangrijkst, hij heeft er een meegebracht die snapt dat thuis z'n moeder de koningin is. Maakt niet uit. Ze mist niks. Hij verwent haar net zo. Zij is z'n prinses. Allebei hebben ze hun plek.' Ik zit in de bus en vraag me af: Hoe kom ik nou bij het huis. Geen idee hoe ik van hem afkom. 'Het beste is nog: die twee kunnen niet met mekaar praten. Ze hebben samen geen taal. Voor het minste woordje hebben ze hem ertussen nodig. Kijk naar hem, briljant is ie, Eliko, briljant, zeg ik je. Moet je je voorstellen: daar zitten ze dan, de een spreekt Noors en wat Engels, de ander Marokkaans en wat Frans en Hebreeuws. Vijf talen, en ze kunnen niet met mekaar praten, en wie is de brug tussen die twee? Eliko. En die, geloof mij maar, die weet wat ie van hier naar daar moet dragen zodat híj het rustig heeft.'

Ik zeg niks en hij gaat maar door. Op school, toen we in dezelfde klas zaten, hoorde je hem niet. Ik probeer me hem voor de geest te halen, Mordi in de zesde, maar dat was een heel andere gast. Nou houdt ie zijn kaken niet meer op mekaar. Geen moment. Om te lachen of te roken of te eten of te spugen of te praten of te zingen, of om te drinken of een mop te vertellen of te fluiten. Krijgt ie een brief, maakt ie hem nog met zijn tanden open. Ik denk dat ie het hemzelf heeft aangeleerd onder het rijden. Eentje die zijn handen de hele dag aan het stuur heeft en zijn ogen op de weg en zijn voeten op het gas, de rem en de koppeling, bij zo een is het net of ie verlamd is. Wat kan zo een nog bewegen? Alleen zijn mond.

Op de terugweg merk ik: hij heeft die geïmporteerde vrouw in mijn modelwoning gezet. Ik wil slapen, maar ik blijf zijn woorden maar horen: 'Nog in het buitenland maak je haar duidelijk, jij, je moeder en de tweeling, dat is één deal, niet apart te krijgen. Dan kan ze niks zeggen.' Ik zie de modelwoning voor me, ik ben in de woonkamer en zie de grote, met bruin ribfluweel beklede bank, de glanzende tafel met de fruitschaal waarop kamelen geschilderd zijn die door de woestijn trekken, de grote asbak, ook in de kleur van zand, de kleine bijzettafel met de zwarte vaas vol bloemen, het vloerkleed met de kringen erop. De gordijnen hebben de kleur van slappe oploskoffie met veel melk en komen tot op de grond. Er staat daar een reusachtige bloempot op de vloer, zodat je denkt: er groeit verdomme een boom in mijn huis. Ik ga naar de kast met de tv en kijk naar de poster boven de bank. Een rivier met bloemen die niet ondergaan. Die drijven gewoon op het water, en je denkt: het zijn groene bootjes. Net als je denkt: het zijn groene bootjes, zie je er meisjes in geel met witte jurken in zitten. Het ene moment zie ik bloemen, het volgende bootjes met meisjes erin. Het ene is mooi, het ander ook. Ik hoef niet te kiezen. Die poster zegt niet hoe je ernaar moet kijken. Wie is er op het idee gekomen, bloemen die je in het water plant, zonder aarde? Het is geheid ergens in het buitenland. De ondertekening van de schilder is Engels. Ik ben helemaal verzot op die poster. Telkens als ik er ben, pak ik een stoel en ik zit er wel een halfuur naar te kijken. En het beeld op die poster, dat staat niet stil. Het beweegt heel langzaam, geeft je rust in je kop. Heb ik er lang genoeg naar gekeken, doe ik mijn ogen dicht, en doe ik ze dan weer open, maakt niet uit waar ik heen kijk, zie ik nog steeds dat beeld.

Ik kijk naar de poster en hoor weer wat Mordi over Eliko's vrouw zei: 'Ik was een keer bij hun thuis. Die vrouw zit daar de baby te eten te geven, in de woonkamer met de fles. Ze ziet eruit als een porseleinen pop, en z'n moeder, die komt met thee en koekjes, en Eliko zit daar gewoon, als een kat met een bak room.'

Ik zet de geïmporteerde vrouw in de zetel in de modelwoning. Ze drinkt koffie en kijkt tv. Haar haar heeft dezelfde kleur als de asbak, bruinblond, en het glanst net zo. Op haar jurk staan kringen net als op het vloerkleed, maar dan kleiner. Ze ademt rustig. Ik adem samen met haar, ook rustig, tot ik bij Mordi in de bus in slaap val zonder dat ik het merk, drijf op het water, net als de bloemen op de poster en doe mijn ogen pas open als we 's avonds bij ons in de stad aankomen.

5

Als ik van de fabriek terug naar de stad loop, denk ik de hele tijd aan Risjon en aan de modelwoning. Ik kom op het plein, dat is nou net zo uitgestorven als het industrieterrein. Alle mensen zijn weg. Halfdrie, waarschijnlijk zijn ze allemaal naar huis om te eten. Ik moet wat drinken, wil naar huis. Iets trekt mijn aandacht naar de straat die van het plein naar de dokterspost onderaan gaat. Dat is mama die daar loopt, doodzeker mijn moeder. Ik zie haar van achteren, de sjaal over haar hoofd, de jurk, de schoenen, allemaal van haar. Alleen geloof je niet dat zij daar die straat af gaat. Je denkt: dat is een andere vrouw, een die ze haar spullen aangetrokken hebben. Waar gaat ze nou helemaal naartoe, als de sirenes gegaan zijn? Alles is dicht. Ik kan haar niet nafluiten, je fluit je moeder niet op straat na. Thuis ziet geeneen het, maar op straat, ook al zie je geen mens, wie weet wie er van achter het raam naar je kijkt? Ik wil haar roepen, maar weet niet wat ik dan roepen moet. Ik noem haar niet mama. Sinds ik papa ben van de kleintjes, ben ik daarmee opgehouden. Wat moeten Osjri en Chaim wel niet denken, als ik haar mama noem, net als hun? Ik zit klem. Van de ene kant kan ik haar geen mama noemen. Maar van de andere, als ik haar Simona noem, geef ik haar niet het respect van een moeder, dan ben ik er net eentje van de straat. Hoe moet ik haar noemen? Simi, net als papa vroeger?

In het begin heb ik daarover gedacht, toen ik nog op school zat. Zo gauw ze straks thuiskomt, begin ik ermee.

Noem ik haar Simi, waar Osjri en Chaim bij zijn. Wat kan ze me helemaal maken? Elke dag wachtte ik tot ze thuiskwam en ik Simi tegen haar zou zeggen, maar op een of andere manier kon ik het niet. Het bleef me in de keel steken, ik kreeg het er gewoon niet uit. Net als met vuur maken op sjabbat, wel honderd keer denk je erover, maar je doet het niet echt. Zelfs al heb je geen kipa op, al ga je niet naar de synagoog en rij je die sjabbat naar het strand, dan nog laat je hand jou die lucifer niet aanstrijken. Zij, zij heeft geen probleem met mijn naam. Ze noemt me de hele tijd Kobi. Alleen als ze met Osjri en Chaim praat, dan zegt ze papa: 'Ga maar naar papa', 'Papa slaapt, zachtjes doen'. Ik kijk haar na zoals ze daar over straat gaat en ik weet: haar naam hoeft me maar één keer over de lippen te komen. Daarna kent ie de weg. Maar dat gaat niet op straat. De laatste tijd denk ik: in Risjon begin ik ermee. Daar kent geeneen ons. Zo gauw we in Risjon zijn, ik leg haar de sleutels in de hand en zeg gewoon: 'Mazzel tov, Simi! Gefeliciteerd met je huis.' Wat kan me gebeuren? Dat papa uit zijn graf komt en me een klap verkoopt? Wat kan er nou gebeuren? Ze is vast zo blij met het nieuwe huis, dat ze het geeneens merkt.

Ik zie haar de straat uit lopen en ik hou haar niet tegen. Ze heeft haar tas van mijn bar mitswa bij. Sinds papa dood is, heeft ze die nog niet uit de kast gehaald. Hij hangt over haar schouder aan twee witte koorden, die met twee grote gouden ringen aan de tas vastzitten. Ook het slotje is van goud, ik zie het van hier blinken in de zon. Anders gaat ze nooit de deur uit met die tas, voor naar het werk neemt ze een plastic zak mee, voor op de markt doet ze haar portemonnee in een grote mand. Wat moet ze nou met die witte tas? Ik zie haar oversteken, daarna kan ik niet meer zien wat ze doet. Geen idee waar ze heen gaat. Wat heeft ze daar te zoeken? Daar aan het eind woont alleen Sylvie. Misschien wil ze wat met Sylvie kletsen? Geen idee wat ze vandaag heeft. Anders zoekt ze ook geen volk op.

Ik draai me om en ga naar huis en in één klap heb ik honger. Ik ga de trappen op, naar binnen. Osjri, Chaim en Etti doen een middagdutje. Ik ga naar de keuken, warm de couscous op en schep een bord vol, met een groot stuk pompoen. Ik neem er een hap van en krijg hem niet weg. Ik zie haar weer die straat uit lopen, met haar tas, zoals die heen en weer zwaait en haar tegen de heup slaat, en ik krijg geen hap door mijn keel. Ik moet de badkamer in. Gauw de badkamer in, dat het ophoudt. Ik trek mijn jasje en mijn schoenen uit, ga de badkamer in, zet de steel van de schrobber voor de deur, dat er niet halverwege eentje binnenkomt. Ik kleed me uit, leg mijn spullen op de wastafel, doe het gordijn dicht, draai de kraan helemaal open, ga op de vloer zitten. De vloer is koud, het water kokendheet en het hamert op mijn kop. Ik buig mijn hoofd, dat het op mijn nek hamert. Dat voelt goed. Ik pak hem niet beet. Ik kan niet zien hoe ze daar die straat uit loopt en hem beetpakken. Ik kijk ernaar, het is net of het een mooi dier in grote nood is en ik kan hem niet helpen. Ik ben zelf in nood. Ik doe mijn ogen dicht en denk uit alle macht aan de geïmporteerde vrouw. Het lukt me nog wel om haar hier in de douche te brengen, maar ze is net lucht. Onder haar kleren zit verder niks. Dan wil ik Jafit hierheen halen, dat zij hem vasthoudt, maar met haar lukt het niet, ze trekt een dom gezicht, zegt: Ik ben daar gek! en lacht me uit. Van haar leven gaat ze zo'n flat als de onze niet binnen. Maar ik zie haar op de bank in de modelwoning, ze loopt naar de slaapkamer, gaat op bed liggen, met de rug naar me toe. Ze trekt haar kleren niet uit, maar schopt die hooggehakte schoenen van haar op de grond en wrijft haar benen zonder kousen langs mekaar, en ik neem hem in mijn hand, langzaam van boven naar onder, van boven naar onder, heel langzaam, heel langzaam gaat mijn hand, maar mijn bloed gaat als een razende, mijn adem ook en ik wil dat het nooit ophoudt nooit ophoudt en het maakt me gek en ik wil dat het eindelijk ophoudt nou ophoudt ik ga langzaam door langzaam mijn benen en mijn handen tot aan mijn kop een stalen veer en mijn mond wordt droog mijn hart slaat tot ik heel snel moet nou heel snel en hard snel snel en ik geef een korte schreeuw als het in één klap uit hem weg vliegt.

Ik blijf zitten, beweeg me niet tot het hete water op is en het koude komt en hard op me neer hamert. Ik steek een hand op, draai de kraan dicht. Ik kom overeind, dweil het water op dat tot aan de deur gelopen is, droog me af, kleed me gauw aan en ga naar buiten. Ik kijk geneen keer in de spiegel. Ik heb het koud. De wastafelkraan bij ons, die drupt altijd en in het overhemd dat ik op de wastafel gelegd had, zit een natte plek op de buik. En mijn broek is onder aan de pijpen nat van het water op de vloer. Ik ga naar de slaapkamer, kleed me om, ga midden op de dag mijn bed in en trek de dekens hoog op.

Dat ze nou maar niet naar huis komt. Dat moest er nog eens bij komen, dat ze nou thuiskomt. Wat een schijtdag. Ik snap niet wat het leger eruit haalt, uit zo'n alarm, wat hebben ze eraan dat ze van een paar duizend mensen de dag stelen? Ze hebben hem ondersteboven gekeerd en uitgeschud en er een lege dag voor teruggegeven om wat rond te wandelen en te wachten tot er wat uit de lucht komt vallen. Ze hadden ons beter niet kunnen waarschuwen. Zolang we leven, leven we en als we doodgaan, dan liever midden op onze eigen dag. Op het werk, op school: laat iedereen op zijn eigen plek leven of sterven. Ik ben boos op het leger en ik begin de warmte van het bed te voelen. Alles ruikt lekker. Ik kijk naar het laken. Heeft ze nou weer de lakens verschoond? Geen idee wat ze heeft. Ze verschoont ze elke dag. Vorige week is ze ermee begonnen. Waar haalt ze de kracht vandaan, elke dag afhalen, wassen en weer opmaken?

Ik doe mijn ogen dicht. Ik zie ons met Osjri en Chaim, toen het nog baby's waren. Anderhalf jaar waren wij hun omheining: zij aan de ene kant, ik aan de andere en de baby's middenin. Daar in het midden, zei ze, hebben we twee lammetjes. Geen seconde hebben we echt helemaal geslapen. Een keer dacht ik: ze kijkt me aan, en ik praatte tegen haar, maar ze reageerde niet, ze sliep. En een keer dronken ze allebei bij haar, tegelijk, en ik wist zeker: die is met de tweeling over haar heen in slaap gevallen, toen ze ineens begon te praten: 'Mijn tante Tamoe, in Marokko, die had een slang in huis. Had ze haar baby aan de ene kant, kwam de slang aan de andere drinken.' Ik wist niet of ik dat verhaal van haar moest geloven. Ze vertelde vaak over die slang. Over de wijfjesslang die ze bij haar tante thuis, bij wie ze woonde, grootgebracht hadden. Die wijfjesslang woonde in een mand in de hoek en at op sjabbat met ze mee van de s'hina. En dat huis, dat was van stro. Leem en stro. 'Op een dag, we komen thuis en we kunnen niet naar binnen. De slang zit om de deurknop, laat ons er niet bij. Later zien we: er zit een adder. Ze redt ons van de adder.' Wel duizend slangenverhalen had ze uit Marokko, waar een hele markt vol slangen was, maar ze vertelde ze alleen in de slaapkamer. Geen idee waarom in de slaapkamer. Misschien had ze er alleen maar over gedroomd.

Ik droomde nooit. Ik was altijd de eerste die wist wie er dalijk wakker zou worden, legde mijn hand over hem heen, schoof hem zijn speen weer in zijn mond, en ik hield bij wie er gedronken had en wie er gepoept had. Zij, zij hield niks bij. Of ze dronken was. Ik pakte ze op en maakte haar wakker, stak haar twee kussens achter de rug, een onderin en een bij haar nek, die was altijd stijf, gaf ze haar aan en pakte ze weer terug, verschoonde ze in het donker de luier en waste ze. Osjri was altijd stil als ie net gedronken had of in het water lag. Voor het slapengaan zette ik de tobbe met water op de stoel in de slaapkamer, en als ie dan begon te huilen, deed ik er een ketel kokend water bij en waste ik hem, zonder zeep, alleen maar zodat ie zich fijn voelde. Dan trok ik hem zijn kleren uit en wikkelde hem in een handdoek, dat ie het geen minuut koud kreeg. Mijn hart hamerde als ik hem zag huilen. Ik dacht altijd: hij schreeuwt tegen mij, ik doe wat fout. Had ik hem in de handdoek, liep mijn schaduw over de muur, bijna tot aan het plafond. We hadden niet veel licht. Alleen dat beetje uit de wc. Doedi kon niet slapen als er ook maar ergens licht aan was. Dus deden we alle lampen uit, en pas als ie in slaap gevallen was, deden we het lampje in de wc aan en zetten we de deur op een kiertje. Als ik Osjri dan uit de handdoek haalde, schreeuwde ie nog steeds, maar zo gauw zijn lichaam het water voelde, was ie stil. Ik waste hem zoals zij me bijgebracht had, eerst een beetje water in de hand, daarmee over het gezicht, van boven naar onder, drie keer: Abraham, Isaak en Jakob. Ik merkte dat die zegen mijn eigen hart rustig maakte. Daarna schepte ik water over zijn buik, liet hem van voor naar achter gaan, draaide hem om, hield hem onder zijn borst vast, dat zijn kop niet onder water kwam, en schepte water over zijn rug en zijn bips. Dan draaide ik hem weer op zijn rug, liet hem met zijn voeten tegen de rand van de tobbe liggen, dat ie hemzelf kon afzetten, en draaide hem rond, net of het een draaimolen was, en was het water afgekoeld, haalde ik hem eruit en legde hem in haar armen, zodat zij hem kon aankleden.

De hele kamer rook naar hun. Zoals die roken! Zo ruikt er niks op de wereld. Waren ze met de speen nog niet stil, dan pakte ik ze op de arm, en ze neusden mijn overhemd af op zoek naar melk. Zij had haar bloes de hele tijd open, maakte hem gewoon helemaal niet meer dicht. Ik gaf haar de kleintjes en keek hoe ze haar met de hele mond grepen. Of het een spel was, zo keek ik ernaar, de rode kringen van hun mond, die pasten over haar rode kringen. Ik zag hoe ze er met twee vingers tegen drukte om ze los te krijgen als ze dacht dat ze geen melk meer had. Ik heb die kleintjes horen drinken en haar gezicht erbij gezien, want als ze een goed ritme gevonden hadden, deed dat haar ook goed. En ik heb ernaast gelegen en ze mijn vinger gegeven, dat ze die bij het drinken met hun hele hand konden pakken. Met mijn andere hand aaide ik ze over hun haar. Een haar dat ze hadden! Je legt je hand erop en het is net of hun haar jou aait.

Geeneen keer heeft ze papa's naam gezegd. Ik wachtte tot ze hem zou zeggen. Zelfs op zijn sterfdag praat ze nog niet over hem, zegt alleen wat er gedaan moet worden en wie er op de tweeling past tot we terug zijn van de begraafplaats. Ze heeft ook niet om hem gehuild. Om haar moeder, die nog in Marokko doodgegaan is, om haar huilde ze ineens. Ik, als ik aan hem dacht, dan wachtte ik tot ze de slaapkamer uit was en bedekte zijn plek met mijn lijf. Hij sliep aan de linkerkant. Ik vouwde het kussen in twee, net als hij altijd deed, legde er mijn kop op, strekte mijn benen zo ver ik maar kon en wachtte tot ik eindelijk tot aan het eind van het bed kwam. Telkens merkte ik: ik moet nog wat groeien, voor ik zijn hele plek bedek. Hij was lang, papa. Langer als zijn broers, langer als zijn hele familie. Tot nog toe ben ik maar eenachtenzestig; lig ik in bed, zie je zijn voeten nog onder de mijne uit komen.

Soms praatte ze met haar ogen dicht. Dan zei ze: 'Kobi, hartje, maak Etti even wakker, dat die mij helpt, en jij, ga jij wat slapen, je moet morgen naar school. Vooruit, ga nou, je moet wat leren.' Ik ging, zag Etti slapen, kwam terug en zei: 'Etti slaapt als een blok, die krijg ik niet wakker.'

Tot ze ophield met ze melk te geven dacht ik steeds: ik moet haar teruggeven wat ze van haar pakken. Hoe kan ze anders genoeg hebben als ze weer wakker worden? Dan ging ik naar de keuken, stond daar met mijn neus boven op de kleine pan, deed mijn ogen dicht, zodat ik het voelde als de melk omhoogkwam. Mijn huid werd zo zacht als die van een baby van de melkdamp. Hoorde ik dat ie kookte, deed ik mijn ogen open, draaide het gas uit, roerde er twee theelepels suiker en een halve theelepel oploskoffie door en bracht hem naar haar in de slaapkamer. Ik pakte ook drie, vier amandelen boven uit de kast, Riki had me daar een heel pak van gegeven en gezegd dat ik ze moest verstoppen en alleen aan haar moest geven, zodat haar melk goed wit zou worden en niet zo waterig zou zijn. Dan zaten we samen op bed te drinken en naar de kleintjes te kijken. Juist als die twee sliepen, deden wij geen oog dicht, moesten we er de hele tijd naar kijken. Die stilte was zo fijn. Voor de tweeling er was, schreeuwde ze de hele tijd en was ze een keer aan het schreeuwen, werd haar stem niet meer zacht. Maar toen ze met de tweeling uit het ziekenhuis kwam, praatte ze zachtjes met me om ze niet wakker te maken. Als ze hadden gedronken, hield ze ze zo dat de lucht er bij hun uitkwam. Klopte ze ze op de rug, ha-ha-ha-hai, ha-ha-ha-hai.

Vannacht nog heb ik gedroomd dat ze een kind tegen haar schouder aan hield. Ik was het, ze hield mij daar. Nou komt de droom van de nacht bij me terug. Zo gaat dat met dromen. Wil je ze per se terughalen, zie je niks, maar draai je ze de rug toe, springen ze boven op je. Ik droomde dat ik een baby was, ik maak van die geluidjes en zij heeft me op de arm, klopt me op de rug dat ik de lucht laat gaan, nog eens en nog eens op de rug en op de bips en weer op de rug, nog eens stevig, dat ik het laat gaan, ze houdt me hoog op, ziet het in mijn broek en klopt me op de rug, ha-ha-ha-hai, en op de bips, met haar hele hand, harder als voorheen en ik kom en ze zegt Opjegezondheid. Maar ik had haar toch nooit haar hand op hem laten leggen! Dat had ik in mijn broek toch gevoeld!

En ineens komt de rugpijn weer opzetten. In één klap hebben ze de schroef diep naar binnen gedreven, met de hamer, zonder potlood of boor, gewoon zo naar binnen geramd.

Maar deze keer krijgt ie me niet klein. Ik trek het laken glad, schiet mijn jasje aan, ga de gang op, hou me vast aan de muren. Osjri en Chaim roepen me vanuit hun kamer, ik geef geen antwoord. Ze komen achter me aan. Ik ga zitten, wil mijn schoenen aantrekken, maar mijn rug laat het niet toe. Ik hoef ze niks te zeggen. Ieder aan een kant, ze trekken me mijn schoenen aan en strikken de veters net als ik ze bijgebracht heb. Ze hebben er lang voor nodig. Ik zit daar en alleen al van het kijken naar hun gaat de pijn weg. Ze zijn zo lief en ze willen het ook zo graag goed doen. Ze zijn met hun kop helemaal bij de veters en ze drukken met hun vinger op de knoop om hem niet te laten ontsnappen. Papa's foto kijkt me aan vanaf de muur. Waarom moest ik nou net tegenover hem gaan zitten? Als ik papa aankijk, kan ik niet net doen of ze van mij zijn. Toen hij hier weg was gegaan, hebben ze zijn gezicht meegenomen, het in de machine gedaan waar ze ook sleutels mee namaken, er twee kopieën van gemaakt en die de wereld weer in gegooid. Wat moet ik ermee? Ik kan hem niet meer zien, zijn foto aan de muur. Neerhalen wil ik hem. De hele tijd moet je tegen jezelf zeggen: Hij ziet je niet echt. Maar die ogen van hem plakken al aan je zo gauw je binnenkomt.

Ze zijn tegelijk klaar met de veters, geven me aan allebei de kanten een kus op mijn gezicht. Aan de kus voel ik wie wie is. Osjri's kant is nat.

Ik sta op, heb de deur al in mijn hand, weet niet wat ik ze moet zeggen. Ik ga de gang door naar de oude flat, en zij achter me aan. Ik pak de deur van de kast daar en zeg: 'Dit is de kast van de terroristen. Als je nou een harde klap hoort, weet je dat de terroristen binnen zijn. Maar jullie hoeven niet bang te zijn, Kobi heeft een plekje voor jullie gemaakt. Je klimt op een stoel, je pakt de sleutel die boven op de kast ligt, maakt hem open en kruipt erin. Er was eens een meisje dat stond achter net zo'n kastdeur en ze hebben haar niet gevonden, de terroristen. En zo vinden ze jullie ook niet. Jullie komen er niet uit. Daarbinnen staat een flesje olie, giet het leeg over de vloer, zodat de terroristen uitglijden en doodgaan. En jullie blijven daarbinnen stil zitten wachten tot ik jullie eruit laat.' Zo leg ik het ze uit, ofschoon ik weet: ik ben niet degene die ze eruit haalt. Het liefst zou ik ze zeggen: Op een dag haal ik jullie hier helemaal weg, niet alleen uit de kast. Uit het blok, uit deze stad, uit de katjoesja's en uit de terroristen, uit alles. In Risjon merken ze geeneens wat er hier bij ons loos is. Horen ze het op de radio, snappen doen ze niet waar het over gaat.

Ze zijn er helemaal verzot op om in de kast te kruipen, springen en rennen rond, trekken er een stoel bij, klimmen erop. Ik zie ze doen en moet gelijk janken. Geen idee waarom, maar elke keer dat ik ze vrolijk zie, moet ik janken. Niet alleen bij mijn kinderen. Altijd als ik kleine kinderen vrolijk zie, kan ik wel janken.

Ik wil naar buiten, maar ze laten me niet gaan. Ze willen me de hele tijd bij hun. Voor hun ben ik papa. Ik doe het horloge van mijn bar mitswa af, ze geloven niet dat ik het echt bij hun laat.

Nou weet ik wat ik ga doen. Ik ga naar Jamil. Ik ga de trap af, hou me aan allebei de kanten vast. Het is de enige uitweg. Ik haal al mijn geld nou op, genoeg gewacht. Ik kan niet nog langer wachten. Hoe lang kan een mens wachten? Wat heb ik hier te zoeken? Ik ga met mijn dollars naar het buitenland, vlieg naar Noorwegen en trouw daar. Volgens Mordi zie ik er zo goed uit dat ik amper woorden nodig heb voor de meisjes. Ik ga naar Noorwegen, verdien er bergen geld en dan kom ik terug en breng mijn vrouw mee. Ik breng haar van het vliegveld recht naar Risjon, met koffers en al teken ik het contract voor de modelwoning, geef ze de aanbetaling handje contantje. Ik vind er wel een die het geld heeft dat ik nog tekort kom. Dat moet maar. Mijn tijd hier is om. Ik blijf geen dag langer in dit gat.

Ik ga de flat uit naar Mordi's huis en fluit hem. Hij steekt zijn kop uit het raam, roept dat ie eraan komt. Ik ga vast bij zijn auto staan, hij komt achter me aan, doet het portier voor me open en stapt in aan zijn kant. Ik zeg niks, alleen 'Vooruit,' zeg ik, 'vooruit, wegwezen hier.' Mordi heeft aan een half woord genoeg en stelt geen vragen. Na een paar minuten rijden we de stad uit, ik geef een knikje met mijn hoofd, naar rechts, daarna naar links. Hij kijkt even naar me, maar rijdt door zonder dat ie iets zegt. We rijden nog eens tien minuten. Vlak bij Jamils dorp zeg ik dat ie moet stoppen. Hij vraagt: 'Hoezo, wat is er aan de hand?' Hij legt zijn hand op mijn schouder. Ik kijk hem niet aan. Dat kan ik niet. Hij vraagt niks meer, haalt zijn hand van mijn schouder en laat me uitstappen. Ik stap uit en merk: hij rijdt niet weg. Ik maak een gebaar met mijn hand dat hij moet gaan. Ik begin te lopen en hij rijdt me achterna, zegt door het raampje: 'Ik laat je hier toch niet alleen, bij al die Arabieren.' Ik zeg: Ik ga bij eentje van het werk langs, plak een glimlach op mijn kop dat ie denkt dat alles in orde is, hij hoeft hemzelf geen zorgen te maken. Ik herinner hem aan het alarm, dat ie Fannie en zijn zoon niet zo lang alleen moet laten. Eindelijk, als ie ziet dat ie me niet van mijn plan af kan brengen, rijdt ie terug. Ik ga te voet het dorp in. Geen idee waar ik heen moet. Hoe moet ik het ook weten. Alles is doods hier. Geen ziel op straat.

Waarom heb ik Mordi weggestuurd? Geen idee. Ik dacht: het is mijn zaak, ik regel het zelf wel, dacht niet verder. Nou denk ik: waarom ben ik niet samen met hem het dorp in gegaan? Waarom heb ik hem niet meegenomen, het geld ophalen en als de sodemieter weer weg? Waarom? Omdat ik hem niks verteld heb over de modelwoning in Risjon. Ik loop door de straten en de hele tijd is het: waarom, waarom, waarom, waar zat ik met mijn verstand dat ik hem zeg dat ie terug moet? Ik kan nog geeneens rechtop lopen. Mijn rug bepaalt voor mijn hele lijf hoe ik loop en hij houdt me verdomd kort met zijn pijn. Heeft er die schroef in geslagen met hamer en al. Eén beweging die hem niet zint, en hij knalt een elektrische schok door me heen, die gaat omhoog naar mijn kop en langs mijn benen naar onder. Ik heb er geen woord over te zeggen, nog geen half. Ik doe precies wat de schroef in mijn rug wil.

Ik kijk om me heen, er is hier geen huis dat helemaal af is. Waar je ook kijkt, daar zie je dat alles groeit, alle huizen zijn in aanbouw. Daar is er een waar ze een trap op het dak bouwen, ook al is er alleen maar een kale cementvloer, en daar een ander, waar pas één muur van staat. Er zijn huizen waar je precies kunt zien hoe ze tussen het houtwerk van de skeletbouw de muren optrekken, hier twee rijen stenen, daar drie. En overal zand, grind, tegels, planken, geen huis is er af. Ik loop rond tot ik mezelf zowat vergeten ben. Ineens wordt het donker. Ik kan niet geloven dat het nou al donker wordt.

Ik weet niet waar ik heen moet, rechts, links, waar ik ook kijk, overal zie ik dat ineens de kleur overal uit weg is, er is alleen nog zwart. Je zou bijna denken: achter mijn rug om heeft er eentje alle kleur gestolen van de huizen, de gesloten winkels, de was aan de lijn, de vuilnisbakken.

Wat zou ik er niet om geven om te gaan liggen. Maar er is nog geen stoep in het hele dorp. Ik zou zo graag plat op mijn rug liggen, wat tegendruk geven. Dat is het enige wat nog helpt. Op het werk doe ik dan de deur dicht en ga op de vloer liggen tot het over is. Nou zit ik al op straat en denk erover mijn jasje uit te doen, dat het niet vuil wordt als ik ga liggen, als ik kinderen hoor. Ik sta op, wil maken dat ik wegkom, maar mijn rug lacht me uit, laat me lopen als een oude vrouw.

De kinderen zien me oversteken en komen op me af. Ik vraag ze naar de familie Khouri. Eentje die Hebreeuws kan, vraagt: 'Welke Khouri? Er zijn er veel.' 'Jamil Khouri,' zeg ik. 'Die zijn er ook veel.' 'Hij heeft blauwe ogen,' zeg ik. Hij lacht me uit, vertaalt het naar het Arabisch voor de rest en die beginnen ook te lachen. 'Alle Khouris hebben blauwe ogen.' Dan zeg ik: 'De boekhouder van de fabriek in de stad.' Ze nemen me mee. Allemaal komen ze mee. Eerst rennen ze, dan zien ze dat ik amper vooruitkom, komen om me heen, lopen langzaam en blijven maar in het Arabisch met mekaar praten. Waar hebben ze het allemaal over? Wat lachen ze?

Hier en daar pik ik een woord op, maar meer snap ik niet. Ik krijg geen verband tussen die paar woorden. Het is niet het Marokkaans van de oudjes bij ons. Waarom heb ik Mordi laten gaan? Waar zat ik met mijn verstand? Waarom heb ik hem niet meegenomen naar Jamil? Waa-rom, waa-rom? Mijn kop zit helemaal vol kleine spijkers waar de hamer steeds twee keer op slaat, dat ze er stevig ingaan: waa-rom waa-rom, waa-rom waa-rom. En dan draait er eentje de hamer om en trekt er de spijkers met de klauw weer uit. Geen idee wat het antwoord op al die waaroms is. Ik weet het echt niet.

Zeven, acht kinderen staan er achter mijn rug. Ik zeg ze *sjoekran*, wil dat ze gaan. Maar ze gaan niet, komen niet van hun plek. Ik wilde dat ik naar de fabriek kon, mijn klokkaart pakken en de tijd waarop ik heb ingeklokt, uitwissen, de hele dag overdoen, van begin tot eind. Hoe kan ik nou Jamils huis binnen stappen met al die kinderen die me op de vingers kijken? Hoe doe ik dat nou? Hoe breek ik met mijn eigen handen het woord dat ik hem gegeven heb, dat ie me van z'n leven niet in zijn dorp zou zien, dat er geeneen de kans zou krijgen om achter onze deal te komen? Ik zie nog zijn blauwe ogen, zoals ie me aankeek toen ie zei: 'Of je vertrouwt me, of je vertrouwt me niet. Er zit niks tussenin.'

De kinderen kloppen aan. En verdomd als het niet waar is: Amin, het hoofd van de vervoersdienst die de Arabieren uit de dorpen naar de fabriek brengt, doet open. Ze zeggen tegen hem: '*Fi wachad jahoedi bijis'al an Jamil.*' Hij laat me binnen, geeft me een hand en gaat Jamil roepen. Nooit geweten dat dat zijn vader was. Nou zie ik hem anders, nou bedenk ik: misschien heb ik sowieso nog maar de helft van het plaatje gezien, misschien weet hij van onze deal, misschien weet iedereen in huis ervan? Al mijn geld, misschien doen ze er wel mee wat ze willen.

Ik kijk om me heen. Alles is schoon en netjes. Er is een wastafel in het midden van de muur, met zeep en een handdoek. Zonder badkamer eromheen, staat daar zo in de gang. Jamil komt, neemt me mee naar een zijkamer, we gaan naar binnen. Er zit een vrouw op de vloer die met een kort mes vlees snijdt. Het is een kleine kamer, zij is dik en neemt de helft van de ruimte in beslag. Ze zit op de vloer in een ruime blauwe jurk van hetzelfde blauw als haar ogen. De jurk ligt op de grond om haar heen als een poel water. Dan begrijp ik: dat is Jamils moeder, en wat daar dood op een stuk plastic op de vloer ligt, dat is een lam, en zij snijdt het in blokjes, gooit die in een diepe schaal, haalt de lever van het lam eruit en lacht: 'Wil je ook wat? Goed vlees, geeft veel kracht. Je eet het rauw.' Ze snijdt er een paar stukken af, steekt er eentje van zo in de mond, met bloed en al.

Jamil is helemaal de Jamil van het werk, in een gestreken wit overhemd, tot bovenaan dichtgeknoopt, lacht niet, huilt niet, beweegt niet, niks zie je aan hem af. Als ie naar zijn moeder kijkt, vertrekt ie geen spier. Ik snap niet hoe ie zo geworden is, zo slim, zo elegant, en zijn moeder in een oude jurk met blote voeten op de vloer. We lopen langs haar heen, door de andere deur naar een volgende kamer. Daar ga ik op de bank zitten. Hij pakt een stoel. Hij kijkt niet naar mij, kijkt uit het raam. 'Ik geef je het geld niet,' begint ie. 'Je blijft nog een poosje, je drinkt wat, eet vanavond met ons mee, en dan brengt mijn broer je terug. Morgen sta je op, je gaat naar je werk en alles is vergeten. Is toch zonde van alles wat je al gespaard hebt. Nog een beetje geduld, dan kun je het contract voor je huis tekenen.' Nou kijkt ie me aan met die blauwe ogen van hem. Wat moet ik doen? Al mijn geld ligt bij hem opgesloten, achter mijn woord en het zijne, achter slot en grendel, zonder een woord dat de sleutel de andere kant op laat draaien. Hij heeft het me beloofd en zijn woord is van staal. Wat kan ik doen? Ik wil wel kwaad worden, tekeergaan, maar waar haal ik de woede vandaan? Hij zit daar heel stil, zo kan ik hem niks doen. Had ie naar me geschreeuwd: Waarom ben je naar het dorp gekomen, had ik hem aangepakt, had het me ijskoud gelaten, had ik alles meegenomen, was ik met vijf minuten weg geweest. We blijven zitten. Zeggen niks. Mijn rug wordt mijn dood nog. Een plank van de bank waar ik op zit, is kapot, ik zink weg in het ding en mijn rug houdt het al niet meer. Ik schuif wat heen en weer. Jamil denkt dat we klaar zijn. Hij staat op en wil gaan. Ik kom niet van mijn plek, grijp de leuning van de bank vast.

Ineens zie ik Mordi's kop voor me, dat ie me uitlacht: 'Laat je hem nou ook al je plannen voor je maken? Hè? Wie is hij nou helemaal? Wat had je dan gedacht? Dat ie je niet zou bestelen? Wat ben jij een kind, dat je hem zomaar gelooft. En nog een Arabier ook? Had ik van jou niet gedacht, Kobi, al je geld aan een Arabier geven. Aan een Arabier! Hoe vaak heb ik je niet gezegd dat je Arabieren niet kunt vertrouwen? Die bestelen je nog vanuit hun graf. Zevenduizend dollar heb je 'm gegeven? Zevenduizend dollar weggesmeten, dat heb je!'

Ik zie mama met haar witte handtas, die tegen haar heup bonst, en ik zie de bruine vlekken die ik op het matras gemaakt heb en ook de sleutels van de modelwoning, dat ze van me weggaan. Ik hoor Jafit lachen dat ze mijn sleutel wel aan een ander geeft. En ik sta in één keer op, geef een schreeuw en vaar tegen hem uit. 'Geef me mijn geld,' schreeuw ik. 'Waar heb je mijn geld?' In mijn hand zie ik de bol van de armleuning, die losgekomen is, al los had gezeten. Ik sta pal voor hem, hij zegt: 'Kobi, wat doe je nou?' en ik sla hem ermee tegen zijn kop. Hij duikt opzij, ik val over de stoel en mijn rug gaat aan gort.

Met opgetrokken benen lig ik op de vloer, hoor alleen nog de deur dichtgaan. Mijn kop ontploft zowat, mijn enkel heb ik verstuikt, geloof ik, en mijn rug zweeft in de lucht, zweeft weg, ik voel hem niet meer. Als mijn rug terugkomt, is de schroef eruit, is de pijn in één klap weg, die zit nou onder in mijn been. Ik steek mijn handen onder mijn oksels, zie dat er aan één kant een scheur in mijn jasje zit, mijn overhemd hangt open, mijn hele buik is bloot. Ik wil opstaan, maar mijn voet houdt me niet en ik zak terug op de vloer.

De deur gaat open. Ik draai mijn kop om, Jamils moeder staat daar, met het mes in haar hand. Ik doe mijn ogen dicht, zie hoe ze met één draai mijn lever eruit snijdt en die rauw in haar mond stopt, zodat ze veel kracht van me krijgt.

6

Zijn moeder gaat weer. Jamil komt binnen, helpt me overeind. Hij zet me op de stoel of er niks gebeurd is, geeft me
een bundel in de hand en zegt geen woord. Naast zijn oog zit
een schram van de bol van de bank. Aan zijn gezicht zie je
niks af. Je zou niet zeggen dat je hem net nog zowat een oog
uitgeslagen hebt. Geen idee waar ie zijn boosheid laat, waarom het bloed hem niet naar zijn kop stijgt, hoe ie me met zijn
blauwe ogen kan aankijken of er niks aan de hand is. Ik doe
de plastic zak open, haal er een bruine envelop uit, er staat
KOBI op, met getallen in het Arabisch. Ik maak hem open, kijk
naar de dollars, begin ze te tellen. Na de eerste duizend weet
ik al dat mijn hele zevenduizend erin zit. Ik kan Jamil niet in
de ogen kijken. Ik doe de dollars weer in de envelop, terug
in de zak, laat de zak op de vloer vallen en begin te janken.
Kan niet ophouden met janken, net een kind.

Zo zit ik daar, ik hou mijn kop vast en jank. Waar komt al
dat water vandaan? Ik zie helemaal niks meer, voel alleen
hoe het water me uit de ogen stroomt. Hoe moet ik het
stoppen? Ik wacht, misschien houdt het vanzelf op. De gedachten van een gestoorde komen me in de kop. Ik denk:
als ik mijn waterrekening niet betaal, sluiten ze me vroeg of
laat wel af. Ik denk: al het bloed in mijn lijf is water geworden, het laat zijn kleur binnen achter en komt door mijn
ogen eruit of het water is en ik kan er niks tegen doen. Wat
kan ik nog doen? Alleen maar op Jamils stoel zitten en voelen hoe mijn lijf leegloopt tot ik geen bloed meer heb.

Jamil doet mijn schoen en mijn sok uit, gaat weg en komt terug met een van zijn broers, Zohir, een verpleger in het ziekenhuis. Zo beheerst als Jamil is, hij is het tegenovergestelde. Die heeft me in een minuut plat, en met één vinger. Mijn enkel doet pijn, er zit daar een dikke blauwe bult. Ik slik de pijn weg, voor hem schaam ik me. Hij legt een verband aan, wikkelt het om mijn enkel, ik wil dat ie er niet mee ophoudt, dat ie blijft wikkelen. Zijn handen zijn goed. Ik zou ze willen kussen. Wat een handen. Zo dik als die van een baby. En net zo zacht. Net of de wereld op zijn kop is gaan staan en de baby's voor de groten zorgen. Ik wou dat ie nog meer verband haalde, dat ie mijn hele lijf verbond, me tot bovenaan inwikkelde.

Zijn moeder komt met een glas thee voor mij en een pil voor de pijn. Ze praten Arabisch. Ik wil niks verstaan. Ik spring niet op om de woorden die ik ken op te vangen. Ik kijk niet waar de zak met geld gebleven is. Ik wil hem niet zien. Wat ik wil? Dat ze me bij de hand nemen, dat ze me te eten geven, me in bed leggen, dat ze het erover hebben wat ze met me aan moeten, maar alleen in hun taal. Dat ze me op bed leggen, me morgen wakker maken, me naar mijn werk sturen, mijn loon aanpakken en het voor me bewaren. Laat ze me een vrouw brengen om mee te trouwen, laat ze me zeggen wat ik moet doen.

Jamils broer trekt me mijn sok over het verband heen aan. Ze nemen me tussen hun in mee naar het avondeten, steun aan beide kanten. Een arm leg ik op Jamils schouder, de andere op die van zijn broer Zohir. We gaan naar de tafel. Ze zetten me op een stoel. Uit het hele huis komen er aanlopen. Waar waren die allemaal? Ik zit daar en allemaal komen ze naar mijn stoel, dat ik niet hoef op te staan, met mijn been. Ik schud zijn vader en zijn broers de hand. Allemaal gaan ze zitten en beginnen te eten. Twee minuten later, onder het eten, valt de eerste klap, en gelijk daarna nog een.

Hoe kon ik het alarm nou vergeten? Al bij de eerste klap sta ik op, wil naar de schuilkelder, en ze zeggen allemaal tegen me: 'Welke schuilkelder? Er zijn bij ons geen schuilkelders net als bij jullie. Eet rustig verder, dit is de beste kamer, de muren zijn zowat een meter dik.' We eten vlees, rijst, salade, horen de tweede klap en eten verder of er niks gebeurd is. Nooit van m'n leven heb ik eraan gedacht dat er bij hun ook een katjoesja naar onder kon komen. Geen idee waarom. Het is gewoon nooit in me opgekomen dat er ook bij de Arabieren katjoesja's kunnen vallen. Even later komt er een kleine, magere vent binnen, hij praat snel. Jamil vertaalt het Arabisch voor me: Allebei de katjoesja's zijn in de stad gevallen. De stroom is daar helemaal uitgevallen. De tweede is doodzeker op het plein neergekomen. En: Dat is het hoofd van de school, de broer van mijn vader, die stond op zijn dak en heeft van daaraf alles gezien. Ook de ziekenwagens en de brandweer.

Ze maken plaats voor hem aan tafel, zetten een bord voor hem bij. Het schoolhoofd zegt in het Hebreeuws: 'Elke keer roep ik tegen die katjoesja's: Kom, kom maar, val nou op mijn school! Maar dat doen ze niet.' Iedereen aan tafel lacht, hij ook, hij kijkt me aan omdat ik niet meelach. 'In het schoolgebouw is niemand. En elke katjoesja is de regering een miljoen waard. Met twee katjoesja's kan ik een nieuwe sporthal bouwen, ze zouden er van heinde en verre naartoe komen.'

Ik denk bij mezelf: als ik een beter mens was, maakte ik me nou zorgen over mijn familie, dan rende ik erheen om ze te helpen. Ons huis staat krap vijftig meter van het plein. Ik kijk naar Jamil. Die snapt niet wat ie me net verteld heeft, die weet niet waar ons huis staat. Ik zeg het hem niet. Wil er niet aan denken wat er misschien met hun gebeurd is. Wil niet voor hun beslissen wie er blijft leven en wie er dood-gaat. Wil ook niet voor hun over geld gaan, over waar ze wonen, wat ze doen. Ik doe net of ik er eentje van hier uit het dorp ben, die elke dag het lam eet dat zijn moeder klein heeft gesneden, en pitabrood. Eentje die niet aan schuilkel-ders denkt.

Zohir geeft me nog een pitabroodje aan en zegt: 'Neem toch, neem maar, niet te verlegen.' Ik neem wat uit de schaaltjes met het pitabrood, net als de rest, en eet. Ik begin de smaak van het eten te proeven, merk dat ik honger heb, merk dat ik graag in hun huis ben. Ik zit te eten net als alle anderen.

Ik vang de blik op van Jamils kleine broer, een lachje flitst hem over zijn hele gezicht, flitst er in een tel overheen, zo-dat de groten het niet te pakken krijgen. Alleen ik zie zijn lach en ik weet dat ie onder tafel met een bal speelt. Zijn vader roept hem, dat ie hem een mooi stuk vlees op zijn bord kan leggen, hij kijkt mij aan en rolt de bal naar mij, tussen mijn voeten, dat ik er zo lang op pas. Als ie weer zit, schop ik hem met mijn goede been terug. Nou zie ik dat ie de jongste in de familie is, de hele tijd zorgt er wel een voor hem en allemaal denken ze eraan wat het beste voor hem is. We eten allebei, kijken elkaar niet aan, maar onder tafel hebben we de bal, die rolt van de een naar de ander en weer terug. Ik kijk op, krijg zijn lachje te pakken net als het uit zijn ogen langs zijn wangen roetsjt. Ineens merk ik: hij heeft me ermee aangestoken, nou heb ik mijn eigen lach en geen-een die het ziet. Alleen hij, en hij speelt de bal schuin over, zodat ik snel moet zijn wil ik hem vangen. Ik haal hem tus-sen mijn voeten, hou hem even bij me onder mijn stoel, rek tijd: drink wat, eet wat. Tot ik zie dat ie helemaal gek wordt, dan laat ik hem terugrollen. Weer staat hij op, nou vanwege zijn oom. De bal ligt weer onder mijn stoel. Als hij naar zijn oom loopt, vraag ik Jamil: 'Hoe oud is dat joch?' Jamil weet niet over wie ik het heb, pas als de jongen weer gaat zitten, snapt hij het en hij zegt: 'Wie? Amir? Dat is de jongste in huis, die wordt deze maand dertien.'

ETTI DADON

1

Ik ben alles vergeten toen hij viel. Een verschrikkelijke, die in één klap alle stroom meesleurde, en daarna nog een, wel een miljoen keer heviger dan de eerste. Ik wist me niets meer te herinneren, en de anderen evenmin, de groten, de oude mensen, de kinderen en de baby's. Allemaal waren we alles vergeten. We hebben geschreeuwd.

⟩ Na de schreeuw, die zich over het hele trappenhuis verspreidde in het stroperige donker, dat één grote massa van ons maakte met vele voeten, trillende handen en open monden, kwamen er weer herinneringen boven. Plotseling begonnen kinderen Mama-Papa te roepen en ouders riepen de namen van hun kinderen en iemand schreeuwde: 'Maar waarom zit de schuilkelder op slot?'

En het hele monster achter hem vroeg beschuldigend, smekend met tientallen tegelijk: 'Maar waarom zit de schuilkelder op slot?'

Een stem bulderde: 'Waar is de sleutel? Iemand moet de sleutel halen,' en het monster echode: 'Sleutelhalen.'

Handen ontmoetten elkaar en vroegen: 'Ben jij het, Eliko? Ben jij het?'

'Meital, waar is Meital? Ik zie haar niet.'

'Mama, ik ben hier,' piepte het ergens.

Meteen kwam het monster in beweging en ordende zich naar familie. Lichaamsdelen rukten zich los, stortten zich in zeshoog duister, riepen smekend de namen van nog ontbrekende kinderen. En de echo's van de namen renden in het trappenhuis van boven naar beneden als een op hol geslagen lift en sloegen het monster op zijn kop.

En weer schreeuwde het monster: 'Waar is de sleutel? Iemand moet de sleutel halen voordat we er weer een over ons heen krijgen!' De schreeuw werd een langgerekte jammerklacht en maar één kop rende snel de trappen op om de sleutel te halen.

Maar nog voor hij terugkwam, was het monster weer groter gegroeid en al zijn lichaamsdelen, ook de ontbrekende, snikten nu en klaagden en beschuldigden elkaar over en weer: 'Jongens, jullie blijven toch niet rustig binnen zitten als je een katjoesja hoort!' – 'Ik stierf zowat van angst toen ik je niet kon vinden!' – 'Schreeuw niet zo tegen haar, kijk dan hoe bleek ze is' – 'En hoe zie jij dat ze bleek is, ik zie geen hand voor ogen' – 'Laat hem erdoor!' – 'Ga nou eens opzij, dat hij erdoor kan!' – 'Hij heeft de sleutel, laat hem erdoor, hij heeft de sleutel,' pleitte het monster, maar in plaats van zich te ontspannen, trok het zich nog krampachtiger samen en het drong tegen de deur van de schuilkelder. Tot een kalme, gezaghebbende stem zijn binnenste uit de knoop wist te halen en erdoor wist te glippen.

Hier, de schuilkelder is al open.

In de schuilkelder is alles naakt. Het licht van de zaklampen en kaarsen is het tegenovergestelde van het zonlicht die dag, die mooier was dan welke feestdag of sjabbat ook. Hier is het net als bij Assepoester, voordat de fee komt: een zwak, gelig licht, een licht als versleten lompen.

De kinderen die zich tegen hun ouders aan hadden gedrukt, trokken zich even terug, wilden zeker weten dat het echt mama, echt papa was. Opeens voelde iets in hun omarming vreemd aan. We bewogen ons allemaal alsof we in de buik van een walvis zaten. Ik trilde, kreeg amper lucht.

Mijn buik was een zak vol scherpe stenen, die me in één klap tegen de vloer sloeg. Mijn handen gingen omhoog om mijn ijskoude wangen te warmen en mijn voorhoofd te ondersteunen, dat koud en zwaar was als ijzer.

Het gegons om me heen klonk als een stilte, maar ik kon zien dat mensen hun lippen bewogen. Ook Marcelle zei iets en ze gaf me haar baby aan, tegelijk met zijn fles en de katoenen luier. Ik moest Asjer stevig vasthouden; hij trappelde, zijn gezicht rood, zijn ogen gezwollen. Ik bracht de speen naar de kleine open mond en hij sloot hem eromheen en zoog meteen gulzig. Hij verzette zich ook niet meer tegen me en deed zijn ogen dicht.

Het drukkende gegons verstomde geleidelijk. Marcelle raakte mijn hoofd aan. 'Hou het flesje wat schuiner,' zei ze, 'dan slikt hij geen lucht in. Ik weet niet wat ik anders moet, Jehoeda is er nou een keer nooit als ik hem nodig heb.' Asjer dronk in een regelmatig ritme. 'Ik moet Moran helpen,' zei ze. 'Jeetje Etti, kalmeer nou eens, je trilt over je hele lijf.' De stenen in mijn buik werden ronder, net kiezels.

Het flesje was niet leeg, maar Asjer viel in slaap; af en toe nam hij met gesloten ogen nog een slokje. Als hij zoog, voelde ik mijn bh knellen. Ik wist niet of ik het flesje uit zijn mond moest trekken, en ik durfde me niet te verroeren om het te vragen. Ik wilde hem niet wakker maken en ik wilde ook mijn hoofd niet heffen en iedereen zien. Zo voelde ik me goed, daar met hem, alsof wij tweeën alleen in de schuilkelder waren.

Maar we waren niet alleen. Achter me krijste Moran, en Marcelle probeerde haar te kalmeren. 'Hartje van me, dat is alleen maar om lucht binnen te laten,' legde ze uit over de ronde ventilatiegaten. 'Katjoesja's kunnen daar niet doorheen. Luister naar me, dat daar, dat zijn geen ramen, het zijn buizen, die brengen ons lucht. Kijk er maar gewoon niet naar, schat, kom, kom maar weer bij mij. Kijk Eliko eens, die lieverd, zo rustig als hij daar zit.'

Maar Moran bleef huilen. Samen met de rest van ons ademde ze de geur van angst in die het monster afgaf uit al zijn over de schuilkelder verspreide ledematen.

Asjers haar kleefde nat van het zweet aan zijn hoofd en tussen zijn haren zag ik een grote luis lopen. Voor het eerst zag ik er een helemaal: de kop, de gladde, doorzichtige pootjes, de bruine rug. Ik heb altijd gewalgd van luizen, en uitgerekend nu keek ik, met mijn hand slapend onder Asjers hoofd, naar die luis alsof het Roodkapje was, die door het bos wandelt terwijl de wolf elk moment tevoorschijn kan komen. Ineens wilde ik me op mijn hoofd krabben, net als altijd wanneer iemand naast me zich krabt of het alleen al over luizen heeft, maar ik had geen hand vrij om te krabben.

Moran stootte een klaaglijk gejammer uit en rende in de richting van de deur. Links en rechts regende het raadgevingen neer op Marcelle: alleen een stevige draai om de oren kon haar dochter uit haar hysterie halen.

En plotseling waren er ook andere stemmen, harde stemmen. Er werd om matrassen gevochten, om dekens, om wie te veel plaats innam. Mensen maakten de kettingen los waarmee de stalen stapelbedden aan de muur vastzaten, klapten ze uit, klommen er meteen op en zetten hun sjabbatkaarsen vast op het frame. Vanuit alle bedden doemden gezichten op in het geflakker, net als op de foto die we op school hebben gezien met Jom Hasjoa, en ik kon dat beeld niet meer van me afzetten. Ik sloot mijn ogen en fluisterde tegen mezelf: Je weet dat je dat hier niet mee kunt vergelijken, het lijkt er nog niet op! Maar er kwamen nog meer beelden naar boven, de hele rij foto's: eerst de stapelbedden waar skeletten op lagen in gestreepte kleren, dan de met witte lijken afgeladen karren, de hekken van prikkeldraad en daar mijn hand, smal, bevend uitgestrekt onder het prikkeldraad door naar een korst brood die iemand me door het hek zou kunnen toesteken.

Toen hoorde ik geschreeuw: met vijf of zes man vlogen ze Sjmoeël Cohen aan, die de schuilkelder 's middags had afgesloten en met de sleutel een dutje was gaan doen.

'Hij sliep als een roos, werd pas wakker van de katjoesja's. Hij sliep ook in zijn eentje, want Ziona en de kinderen zijn naar haar zus in Beër Sjeva,' zei Marcelle tegen mij. 'Trillend zat hij in het donker op zijn bed. Hij kon geen vin verroeren tot Jehoeda de sleutel kwam halen en die in zijn hand gekneld vond. Geen idee wat hem bezielde, Etti. Dacht hij dat die sleutel alleen hem al zou redden?'

En Sjmoeël gaf met gebogen hoofd antwoord, met zijn kin in zijn kraag: 'Ik had hem afgesloten vanwege de kinderen hier in het blok, omdat ze de schuilkelder op zijn kop zetten. Jullie kinderen, niet de mijne.' En alleen toen hij 'jullie kinderen' zei, hief hij zijn hoofd een beetje.

'Door jou waren we er bijna geweest, Sjmoeël! Waren we bijna dood geweest, snap je dat wel?' lamenteerden ze en ze verweten zichzelf al dat ze niet met de vuist op tafel hadden geslagen bij de gemeente, bij Ondergrondse Infra, zodat er eindelijk iemand de riolering hier in orde had gemaakt. Ze hadden op zijn minst iemand kunnen sturen die hier af en toe schoonmaakte, een stapel vrouwenbladen en wat dekens klaarlegde.

'Genoeg gejammerd,' zei iemand. 'Wie had daar allemaal op moeten passen? Het was binnen de kortste keren gestolen of vernield.' Toen hielden ze hun mond, keerden elkaar de rug toe, trokken onzichtbare muren om zich heen op en maakten zich klaar om te gaan slapen. Ik leunde tegen de muur en zag hoe ze de kinderen te slapen legden, met zijn vieren op een matras, om en om als sardientjes. 'Ga maar liggen, liefje, als je slaapt heb je er geen last van.' Overal zette de slaap al kleine deuren open en hij trok de kinderen stukje bij beetje naar zich toe, tot hij ze allemaal bij zich had, en nu viel de nacht ook.

Het was pas een uur of zeven, acht, maar de nacht had ons allemaal overvallen, plotseling en onderhands, alleen bij ons, alsof het uit maar één enkele wolk aan de hemel regende. Er gelden hier geen uren en minuten. Alsof onze tijd zich heeft losgemaakt van de reguliere tijd en plotseling een sprint heeft ingezet tot hij blijft staan om op adem te komen, en pas wanneer de reguliere tijd hem inhaalt, worden we het nieuws van de dag, misschien zelfs de vette letters.

Ik heb alles gehoord, alles gezien, alles geroken, maar me de gebeurtenissen van daarvoor herinneren kon ik nog steeds niet. Ik keek naar mezelf en zag een wezen dat begon bij een baby en overging in een fles, en aan die fles zat een hand, de hand van een meisje met een moeder en broers. Maar die, die waren hier niet.

Geen van hen. Ik ben in het donker per ongeluk in een ander blok beland, in nummer 122. In het donker ben ik hier naar binnen gerend – mijn voeten weten nog dat ze hebben gerend – toen de eerste katjoesja was gevallen, als een klein meisje dat iemand ziet die van achteren op haar vader lijkt, en hem bij vergissing bij zijn mouw grijpt.

2

Toen kwam Jehoeda binnen, Marcelles man, die bij de gemeente werkt, bij Onderhoud. Die heeft voor ons de schuilkelder opengedaan en is toen verdwenen. De mannen stonden allemaal op zodra hij binnenkwam, en daarna de vrouwen ook. Ik wierp een blik op hem vanaf de vloer, tussen al die staande mensen door als door een tunnel, en zag midden in zijn baard zijn mond opengaan als een rode grot.

'De grote Amsalem,' sprak de mond. 'Ze hebben hem naar het ziekenhuis gebracht. Ze weten nog niet hoe het met hem is. Grote Amsalem, die z'n vrouw vorig jaar zwanger was en ze raakte het kind kwijt in de zesde maand, je weet wel.'

Ze had nog bij mama in de crèche gewerkt, maar niet iedereen wist meteen, zoals ik, wie er werd bedoeld. Degenen die het niet wisten, kregen uitleg van degenen die dat wel deden, herkenningspunten die hen langs de kronkelige paden van iets vertrouwds naar deze man konden voeren, wiens gezicht ze op straat meteen hadden kunnen plaatsen en dat ze nu alleen nog aan zijn naam moesten verbinden.

'De grote Amsalem, Itzik Amsalem! Wat, ineens weet niemand meer wie Itzik Amsalem is?'

'Amsalem van de bouwmarkt?'

'Nee, toch niet die van de bouwmarkt.'

'O, jullie bedoelen Meir, van Amidar? Die z'n vrouw Susie heet?'

'Susie? *Sjkoen hawa aboeha?*'

'*Bint Eliahoe Amar?*'

'Aiwa!'

'Zeg dat dan meteen, Eliahoes dochter.'

'Dat zeg ik toch. En is haar zus niet Mazal, die ene die mank loopt?'

'Ja. En haar man dus?'

'Wie is haar man, Haziba's zoon?'

'Die ene die bijna een miljoen had gewonnen in de loterij?'

'Nee, dat is zijn grote broer. Nee, Itzik Amsalem, die in de legerindustrie werkt.'

Onvermoeibaar trokken ze nieuwe paden naar de grote Amsalem, en iedereen stelde een andere route voor om bij hem te komen, maar telkens haakte er wel iemand onderweg af en raakte verdwaald, en dan moesten ze een nieuwe route voor hem uitzetten. Binnen de kortste keren zwermden er tientallen namen rond in de schuilkelder en ellenlange verhalen die stuk voor stuk in één zin konden worden samengevat: 'Die ene die een tijdje met Simsja is gegaan, uit het blok waar dat gestoorde mens woont', en 'Die ene met die schoonzus van wie de dochter het met een Arabier hield. Dat was er trouwens eentje die gestudeerd had, hij is net terug uit Roemenië, was daar tandarts' en 'Die ene wiens broer op zo'n nieuwe Volvo-vrachtwagen met tien versnellingen rijdt' en 'Die ene die met Mimoena een kind kreeg … Vraag maar niet, hij heeft het in het ziekenhuis gelaten. Wist je dat niet?'

De nieuwe informatie ritselde door de volgepakte ruimte, en de perplexe gezichten zagen er gekneusd en gespannen uit, alsof ze op springen stonden, als mandarijnen met alleen een dun schilletje om te zorgen dat het sap er niet uit stroomt. Ik wist dat mijn gezicht er precies zo uitzag.

Nu sprak iedereen weer zachtjes, men gaf flessen water door, bood schone luiers aan, wc-papier, een vuilniszak, een pil tegen de hoofdpijn, dekens en zelfs matrassen: 'Hier neem maar, niet te verlegen, wij hebben aan twee genoeg, laat ze samen slapen, wat geeft dat nou? Houden ze elkaar een beetje warm.' Ze haalden de katjoesja-inslagen weer voor de geest en vergeleken ze met eerdere. 'Geen twijfel aan, zo erg als deze keer is het nog nooit geweest,' nam iemand de aftrap en hij kreeg de bal meteen terug: 'Hoe kom je daar nou bij? Ben je dan de katjoesja's al vergeten die vorig jaar met Lag Baomer naar onder zijn gekomen?' maar hij speelde hem vlot door: 'Och kom, dat kun je toch niet vergelijken! Die katjoesja's op het industrieterrein? Die we hoorden ontploffen; toen iedereen naar buiten is gerend om te kijken waar ze waren neergekomen?' Aan beide zijden sloten zich nu mensen aan alsof ze zich opsplitsten in teams: 'Hij heeft gelijk!' 'Hij?' 'Wat waar is, is waar. Het is absoluut niet te vergelijken.' Maar zodra iemand zei dat het niet te vergelijken was, legden ze allemaal een eigen troefkaart op tafel – zo kwamen ze me nu voor, als kaartspelers – en vergeleken toch, en ook ik rekende uit hoe oud ik was toen de terroristen voor de eerste keer binnenvielen, en dacht aan wat me de tweede keer was overkomen en waar ik mee bezig was geweest bij alle katjoesja's en invallen en luchtalarmen die daarna waren gekomen. Ik keek om me heen en begreep dat we daarnet allemaal een nieuwe kaart hadden gekregen, eentje die wat waard was, die we nog zouden gebruiken.

'Voorzichtig met die kaarsen,' zei Jehoeda. 'Ik heb een paar zaklampen meegebracht. Dat iedereen zijn kaars nou maar in de gaten houdt, niet dat hier iets vlam vat.' En weer vroegen ze hem naar de toestand van de gewonde, naar de schade buiten, maar eerst kondigde hij aan dat ze vanuit de gemeente brood zouden verdelen over de schuilkelders, morgenvroeg eerste werk, iedereen moest alleen een beetje geduld hebben, en naar het scheen was de chef-staf zelf onderweg hierheen, en bij het elektriciteitsbedrijf werkten ze erop dat we zo snel mogelijk weer stroom zouden hebben. Als het meezat al met een uur of drie, vier.

Om me heen zag ik iedereen naar Jehoeda luisteren. Ze ontspanden zich een beetje en wilden dat hij nog eens van voren af aan begon. Dat hij er nog wat bij verzon, waarom niet? Laat hem maar voor ons staan als iemand die zijn droom vertelt, hij kan zeggen wat hij wil, niemand die hem op leugens vastpint.

We zullen je geloven, woord voor woord, zwoer ik hem in stilte samen met alle anderen. Niemand zal je onderbreken of je verhaal in twijfel trekken, niet nu we weten dat we niet zijn doodgegaan, dat het maar een haartje heeft gescheeld, maar dat we niet zijn doodgegaan, niet nu we hier zitten, met al onze verplichtingen opgeschort, ons werk en ons huishouden, zonder onze ruzies of zorgen, niet nu we alle tijd van de wereld hebben, want die, die zit samen met ons op een matras in de schuilkelder. Voor één keer rent de tijd nergens heen, hebben we een adempauze en kunnen we ons voorstellen dat we de hoofdrol spelen in een film over leven en dood.

We boden Jehoeda daar in onze schuilkelder een stilte zo diep en breed als de Rode Zee voordat Mozes die scheidde. Hij streek over zijn baard, zijn mond ging open en ik zag hoe de stilte zijn rode grot in stroomde. Hij kuchte, misschien sloeg hij op die manier over wat hij ons niet moest vertellen, want niemand van ons wilde horen waar we stonden toen de tweede katjoesja viel en wat we toen precies deden, of waar Jehoeda toen was en wat hij gedaan had, één moedige man te midden van louter lafaards. Zou hij, vroeg ik me af, zou hij, als hij straks de andere schuilkelders af ging, over ons vertellen? Hoe we ons hadden verdrongen tegen de afgesloten deur van de schuilkelder, hoe we hadden geschreeuwd en hoe hij zich als enige een man had getoond en naar boven was gegaan om de sleutel te halen? Morgenochtend zou de hele stad weten dat onze schuilkelder op slot had gezeten, en zodra Sjmoeël Cohens vrouw en kinderen terugkwamen uit Beër Sjeva, zouden ze zich in hun huis opsluiten als in een schuilkelder, alleen al vanwege de manier waarop ze werden aangekeken. Vanaf vandaag zou hun naam ook veranderen in 'Die ene die d'r man met de sleutel van de schuilkelder in zijn hand lag te slapen onder de katjoesja's' of in 'De dochter van Cohen, die onder de katjoesja's de schuilkelder van 122 had afgesloten' of zelfs in 'Die ene door wie de mensen onder de katjoesja's bijna zijn doodgegaan'.

Maar bij ons sloeg Jehoeda dat allemaal over. Hij nam ons mee de schuilkelder uit het plein op, en we kwamen achter hem aan alsof wij ook de moed hadden om in zo'n nacht buiten rond te lopen. 'Overal ligt glas, de winkelruiten van de supermarkt zijn allemaal gesprongen door de kracht van de explosie,' zei hij. 'De tweede is maar honderd meter van hier ingeslagen, nog niet eens honderd, misschien tachtig meter van hier, hooguit tachtig. Dit blok staat er het dichtstbij,' voegde hij eraan toe, en het samenmonster was blij dat te horen, want nu, nu het veilig was, wilde het de dood zo dicht mogelijk bij zich hebben en voelen hoe allemachtig veel geluk het had gehad; dat het door niets minder dan een wonder was gered.

'Er is een hoop te doen voordat het plein weer is als vroeger,' zei Jehoeda. 'Dat gaat ons wel twee maanden kosten, minstens.' En hij vertelde ook dat er nu nog overal militairen waren, maar morgenochtend heel vroeg al zetten ze er een op wacht, zodat er niet geplunderd wordt, en als het tumult eenmaal voorbij is, beginnen ze meteen aan de renovatie. 'Zelfs de telefooncel heeft ervan langs gekregen, zo ver kwamen de scherven. Wat een geluk, ik zeg het je, wat een geluk dat de supermarkt dicht was vanwege het luchtalarm. Stel je voor wat er gebeurd was als die tweede op een normale dag naar onder was gekomen, als de supermarkt vol is! God verhoede! En dan ook nog eens op een donderdagavond, als het er echt stampensvol is.' We zagen het tot in de kleinste details voor ons, toen hij zweeg en ons de tijd gaf het ons voor te stellen. Daarna vertelde hij over de burgemeester, die als eerste op de plek des onheils was aangekomen. 'Al sla je me dood, ik heb geen idee hoe hij het altijd voor elkaar krijgt om ergens als eerste te zijn, voor alle anderen. Altijd als er wat gebeurt, staat hij daar, alsof hij uit de grond opkomt,' zei hij, 'maakt niet uit waar.' Zijn stem splitste zich op in twee wegen waartussen hij maar niet kon kiezen: bewondering voor de burgemeester of teleurstelling dat het hem nooit lukte om die voor te zijn.

Hij liet de burgemeester op het plein achter en bracht ons met één zin terug naar grote Amsalem, die een paar van de granaatscherven van de eerste katjoesja had opgevangen. Die was op een voetpad in het noordelijke stadsdeel ingeslagen, en hij mocht van geluk spreken dat het maar scherven waren geweest. 'Was hij dertig seconden eerder overgestoken? Dan was hij nou dood,' zei Jehoeda en hij keek naar de mensenmassa tegenover zich, veelvoetig, veelhandig, veelorig, en omdat het samenmonster nog altijd zijn dorst naar zijn verhalen niet had gelest en teleurgesteld leek, kuchte hij en bracht toen de dood een stukje naderbij. 'Ach wat, dertig seconden. Vijftien, tien hooguit, was hij van een voltreffer af.' Het monster zuchtte dankbaar en kwam dich-

terbij om te zien hoe Amsalem daar lag, bebloed en wel.
'Ze probeerden hem ter plekke te helpen, maar ze konden niets zien, het was te donker. Ik stap in mijn auto, geef plankgas, draai en zet hem zo, half op het trottoir, dat het licht precies op hem valt.' Het monster had nu een duidelijk, scherp omlijnd beeld voor ogen, want we wisten inmiddels wie grote Amsalem was, wat voor brede schouders en nek hij had, alsof hij er niet zomaar zijn kleine kop maar de hele wereldbol mee moest dragen. We kenden ook allemaal de pick-up van Onderhoud, en wisten hoe Jehoeda ermee kon komen aanrijden, met het portier al halfopen, en eruit kon springen alsof hij van een paard sprong dat uit zichzelf op het juiste moment halt hield.

'Hoe moet ik dat nou duidelijk maken! Je kijkt naar hem en je weet niet eens waar hij is geraakt, omdat hij zo onder het bloed zit, zijn hele gezicht en zijn benen. Zijn handen zaten ook onder, maar dat kwam misschien doordat hij naar de wonden had gegrepen en het had uitgesmeerd. Hij was niet buiten bewustzijn. Hij was bij. Maar hij raakte in shock en we hebben geen woord uit hem gekregen. Vijfentwintig minuten, voordat de ziekenauto kwam en hem meenam. Avi Suissa is met hem meegegaan, de man van zijn zus Esti. Ze hebben niets tegen zijn vrouw gezegd. Vanwege haar toestand hebben ze niets tegen haar gezegd, omdat ze de vorige keer een miskraam had gehad, de arme ziel. Ze zeggen haar pas iets als ze precies weten hoe het ervoor staat met hem.'

In het donker van de schuilkelder hoorde het samenmonster de sirene van de ziekenwagen zich verwijderen; de koplampen van de pick-up verlichtten nog steeds de krater die de katjoesja had geslagen, en de rondom verspreid liggende granaatscherven. Ze beschenen ook de compleet verbogen elektriciteitspaal, waardoor overal de stroom was uitgevallen, en de boom ernaast, die in tweeën gespleten was, en de kippen die geslacht op de grond lagen. 'Met mijn eigen ogen,' zei Jehoeda en om een of andere reden sloot hij allebei die getuigen, en hij legde zijn hand op zijn hart, 'met mijn eigen ogen heb ik de kippen van Ziva en Sjimon daar zien liggen ... afgeslacht!' Uitgerekend met dit woord beëindigde hij het verhaal, als een naaister die een vrouw in een mooie, nieuwe jurk helpt en op het laatste moment een reusachtige scheur in de kraag trekt. Met dat ene woord dat hij de schuilkelder in smeet, brak ineens alles los wat we tot dan toe hadden ingehouden. Iedereen begon te schreeuwen: 'Deze keer houden we onze mond niet!' 'Deze keer laten we ze zien met wie ze te maken hebben!' 'Wat denken ze wel!' Ze eisten wraak, snel en bloedig, want waar moesten ze heen met hun schaamte over de manier waarop ze zich hadden gedragen toen de katjoesja viel, over hoe ze hadden geschreeuwd en gebeefd en elkaar hadden verdrongen en vrekkig alles voor zichzelf hadden willen hebben, waar moesten ze heen met de schaamte over het feit dat ze allemaal onderdeel van het samenmonster waren geworden.

Jehoeda kwam naar me toe, boog zich over me heen en pakte de slapende Asjer van me over. Pas toen zag ik mijn armen weer, pijnlijk rood en klam. Plotseling schoot hem iets te binnen en hij draaide zich weer naar me om: 'Maak je geen zorgen,' zei hij. 'Dadelijk ga ik ook bij jullie schuilkelder langs, ik zal ze zeggen dat alles in orde is met je.' Mijn beide armen, die gewend waren aan Osjri en Chaim, een van de tweeling links en de ander rechts, waren leeg.

3

Ik heb het geprobeerd, uit alle macht heb ik het geprobeerd, maar het lukte me niet om me iets te herinneren. Ik zat nog steeds gevangen in het monster, haalde adem in hetzelfde ritme als de rest, dacht als de rest en was de rest.

Het eerste wat ik zelf voelde, was dat ik naar de wc moest. Ik pakte een sjabbatkaars en ging erheen. Het stond er al onder water, zoals altijd. Ik probeerde op mijn tenen te lopen maar werd toch nat. Ik deed de stalen deur achter me dicht en schoof de grendel ervoor en dankzij oefening op school – want daar zijn de wc's al even vies – kon ik staand plassen en hoefde ik niet op de bril te zitten, die er zelfs bij kaarslicht al afschrikwekkend uitzag. Ik ging in spreidstand staan, mijn benen aan weerszijden van de wc-pot, kantelde routineus mijn bekken en begon te plassen.

Daarna liet ik de kaars op de grond staan en ging naar buiten. Daar stonden er al drie te wachten om naar binnen te gaan. Ze keken naar de grond. Ook ik sloeg mijn ogen neer; dit was geen tijd voor ontmoetingen. Alsof ik uren weg was geweest, leek het alsof er in de schuilkelder een deken van vermoeidheid over iedereen was neergedaald, tot ik zag dat de volwassenen hier en daar handjes teruglegden die in de slaap van het matras waren gevallen, haren gladstreken, de eigen knieën omarmden, met een vinger over een opengesprongen hiel gingen. Iemand hief een arm en gebaarde naar me vanaf de andere kant van de schuilkelder: Marcelle wenkte me. Ze had Moran en Asjer al op het matras op hun zij gelegd en plaatsgemaakt voor mij.

Toen pas, toen ik bij haar kwam en ging zitten, met mijn rug tegen de muur en mijn ogen dicht zodat niemand tegen me zou praten, zodat ze zouden denken dat ik sliep, toen pas herinnerde ik me alles: mijn vaders dood, die morgen zijn zesde verjaardag vierde, en zijn gedenkfeest, dat nu vanwege de katjoesja's waarschijnlijk niet door zou gaan. Ik herinnerde me Doedi en Itzik en hun valk, mama en Kobi en Osjri en Chaim, die verdwenen waren, ik wist niet waarheen. En helemaal op het laatst, alsof het er amper nog toe deed, herinnerde ik me de leugen, die ook al deel uitmaakte van onze familie: een baby die na Osjri en Chaim op de wereld kwam en het leven van ons allemaal veranderde.

In de schuilkelder was het stil. Bijna iedereen sliep, of ze deden alsof. Geen man en vrouw lagen naast elkaar of raakten elkaar maar aan, altijd lagen er een of twee kinderen tussen hen in. Hier en daar kuchte iemand. Misschien was het wel één enkel stofje, dat dolblij was om die massa mensen op zijn pad te vinden en vrolijk van de een naar de ander sprong, nu eens schoot het hier uit een mond, dan weer daar, vloog door de lucht en kwam tussen een ander stel open kaken terecht, verrukt over het kuchkoor dat het losmaakte. Marcelle lag verstrengeld met haar kinderen en zag er zelf uit als een klein meisje dat huilend in slaap was gevallen. Om haar vingers droeg ze Asjers speen, een haarelastiekje van Moran en Jehoeda's trouwring, alsof ze met ieder van hen was getrouwd en met alle drie samen, alsof ze het hele gezin in één hand bij elkaar kon houden.

Eerst, dacht ik bij mezelf, moet je Osjri en Chaim zien te vinden.

Gisteren heb ik ze van de kleuterschool gehaald zoals elke dag, Osjri aan de rechterhand, Chaim aan de linker. Bij het voelen van hun zachte handjes vergeet ik alles: de akelige uren van de ochtend, de school-Etti, die alleen maar wacht tot de tijd voorbijgaat en bidt dat ze haar overslaan, dat ze haar alleen maar een paar oren laten zijn, dat ze haar toch alsjeblieft geen vragen stellen, niemand mag merken hoe zwaar het lezen haar valt. Dat maar niemand wil dat ze haar mond opendoet, dat maar niemand haar als vriendin wil, dat toch alsjeblieft niemand haar aanraakt. Ze heeft genoeg aan haar transistorradio, en altijd als iemand op haar afkomt, tast haar hand meteen naar de radio in haar rugzak. Alles, alles verdwijnt als mijn broertjes hun hand in de mijne leggen en in koor vragen: 'Etti, doe je mee, we doen Wie is wie?'

Dan haal ik de hoofddoek van mama tevoorschijn, die ik in mijn tas met me mee draag, helemaal onderin, de doek die mama heeft afgedaan omdat hij niet weduweachtig genoeg was. Zes jaar zit die al in mijn tas, waarin verder alles wisselt: schriften, boeken, brood, stencils, proefwerken, potloden, gummen, pleisters en maandverband. Alles komt en gaat, maar mama's kleurige sjaal blijft erin, en de radio ook. Ik bind haar hoofddoek voor mijn ogen, zodat ze weten dat ik niets zie. Dan houden ze me hun kleine hand of voet voor, of een oor of hun haar, en ik raak ze keer op keer aan en raad wie het is, Chaim of Osjri, en het klopt altijd. Ze snappen maar niet hoe ik het klaarspeel, want ook met open ogen kan niemand hier ze uit elkaar houden, en zelfs de kleuterjuf prikt ze met een veiligheidsspeld een stukje karton met hun naam op.

Daarna spelen we het kaarsenspel: ik doe mijn ogen dicht en steek een vuist naar voren, met de duim opgestoken als een kaars. Een van de twee blaast hem uit en ik moet raden wie, aan de adem die de muis van mijn duim kietelt.

Drie keer heb ik fout geraden. Bij de vierde keer merkte ik

iets: als Osjri blaast, raken minuscule druppeltjes mijn huid, als nevel die door de wind vanaf een grassproeier in de verte wordt aangedragen.

Dan klimmen ze op het muurtje achter me en eentje springt er op mijn rug. Hij slaat zijn armen om mijn hals en ik zwier hem helemaal rond en zet hem weer neer op de stoep. Ze wegen hetzelfde, Osjri en Chaim. Als ze op controle gingen bij de babykliniek, stond de verpleegster paf. 'Evenveel, tot op de gram,' zei ze tegen mama. 'Weet u zeker dat u me niet twee keer dezelfde hebt gegeven om te wegen?'

Aan het gewicht hou ik ze niet uit elkaar. Maar Chaim, die is banger, die wurgt me bijna als ik hem rondzwier, en zo herken ik hem.

4

In de schuilkelder heb ik er eens goed naar gekeken, naar onze leugen. Ik heb hem in de ogen gekeken. Het is geen leugen die iemand verzonnen heeft, hij kwam uit zichzelf voort. Het is het soort leugen dat zich niet eens in een geheim hoeft te verstoppen. Hij kwam aan ons huis, stond met kaarsrechte rug voor de deur en zei: Ik ben de leugen. Jullie hebben me geroepen, geloof ik. Toen hij zei 'Ik ben de leugen', raakte hij zo opgewonden en in de war dat hij bijna achterover van de trap viel. We lieten hem gauw binnen, deden de deur dicht, gingen in een kring om hem heen staan en zeiden: Niet zo hard, oké? We weten dat je de waarheid niet bent, maar je moet het niet zo rondbazuinen. We weten allemaal wie je bent en waarom je hier bent.

Toen was hij nog klein, een kabouter van een leugen, zo gemakkelijk te slikken. Een leugen van één woord, wie krijgt die niet door zijn strot? Net een aspirine die alleen bitter in de mond ligt als je er per se op wilt kauwen, maar dat wil niemand. Waarom zou je op zoiets kleins willen kauwen? Je slikt hem door en vergeet hem.

Het gebeurde toen Osjri en Chaim bijna een jaar oud waren, toen ze ba-ba-ba begonnen te zeggen en toen ba-ba pa-pa, en ik vroeg me af: waarom papa zeggen, als ze helemaal geen papa hebben?

Baby's die geen vader hebben, moesten eigenlijk beginnen met ma-ma.

Maar het duurde lang voor ze mama konden zeggen. En

zelfs toen kregen ze het er maar met moeite uit: ze zetten hun lippen strak op elkaar en zeiden 'A-mma', 'ama' of maakten zich ervan af met 'ti-ti', zo noemden ze mij in het begin, dat was gemakkelijker.

Osjri en Chaim zeiden samen 'ba-ba-ba-ba' en 'ba-ba-pa-pa,' en als Kobi dan thuiskwam, staken ze hun armen naar hem op, zodat hij hen optilde. Zo ging het altijd. Hij kwam thuis uit school en tilde hen allebei op en zwierde hen dan hoog in de lucht rond, en eerst schrokken ze een beetje, maar dan begonnen ze te lachen en hij herhaalde wat zij hadden gezegd: 'Pa-pa, pa-pa' en dat was dat. Vanaf dat moment was hij papa. Papa was thuis.

Maar naarmate Osjri en Chaim groter werden, groeide ook de leugen, en ik keek ernaar, naar de leugen. Ik zag hem groeien en gedijen en dat hij zonder het te vragen in alle hoeken van het huis kroop en ik werd er bang voor. Ik was bang dat hij zou proberen ook in mijn hoofd te kruipen en besloot ertegen te vechten, maar ik wist niet hoe je tegen leugens vocht. Dus ik wachtte en wachtte en zag mama en Kobi samen in het grote bed slapen omdat ze vanwege de leugen nu man en vrouw waren, en dat Kobi niet met meisjes uitging zoals zijn vrienden. En dat híj in plaats van mama alle beslissingen nam, en dat ze hem toestond boos op ons te worden, alsof hij niet gewoon een broer was zoals de rest. Ze heeft niet eens een bar mitswa gehouden voor Itzik. Hoe had ze dat ook moeten doen, als ze Kobi al het geld geeft dat ze bij de crèche verdient?

Ik liep dag in, dag uit wanhopig rond vanwege de leugen en wist niet wat ik ermee aan moest. Tot we op school het verhaal van aartsvader Jakob leerden, die altijd verstrikt raakte in leugens van hemzelf of van anderen: eerst wordt hij door een leugen de eerstgeborene en vervolgens sluiten ze door een leugen het huwelijk tussen hem en de eerstgeboren Lea. Toen we dat hadden geleerd, besloot ik voor de tweeling een nieuw verhaal te verzinnen, een dat sterk genoeg was om tegen het leugenverhaal te vechten.

Maar één gedachte liet me niet met rust: hoe komt het dat Osjri en Chaim de leugen niet zien? Hoe komt het dat ze hem niet opmerken? Ze zouden erachter kunnen komen als ze het wilden. Het is toch niet moeilijk om te zien dat Kobi op zijn leeftijd niet ook de vader kan zijn van mij, Itzik en Doedi, of om te merken dat geen van ons hem papa noemt. Ze hoeven maar een keer goed naar de foto van Kobi's bar mitswa te kijken om te zien dat er niets van klopt. Maar toen ik naar de foto van de bar mitswa keek en papa daarop zag, toen begreep ik dat hij bij zijn dood nog helemaal niets van hen had geweten. Er was bij hem nog geen hoop en verwachting voor die twee begonnen, hij was nooit echt begonnen met hun vader te zijn.

Ik kwam van het matras overeind. Mijn knieën deden pijn toen ik ze strekte. Ik wilde lopen. Mijn hele lijf smeekte om beweging, beweging, en vooral mijn benen, maar je kon nog geen stap zetten in de schuilkelder. Het leek er nog voller dan eerst, alsof iedereen in zijn slaap was gerezen als broodjes in een oven. Ik draaide mijn hoofd van links naar rechts om de spieren van mijn nek los te maken en voelde me meteen duizelig worden en moest steun zoeken tegen de muur. Mijn bloes was gekreukt en er was een knoop afgesprongen, de bovenste natuurlijk. Ik hield hem daar bijeen, zodat hij niet openviel. Marcelle werd wakker, zag me staan en fluisterde iets tegen Ahoeva en kreeg van haar een veiligheidsspeld die ze in haar tas had. 'Die doet je geen pijn,' zei Marcelle, en voorzichtig stak ze de speld door mijn bloes.

Ik haalde het elastiek van mijn vlecht, spreidde mijn haar uit en kamde er met mijn vingers doorheen tot het zich in drie lange slangen verdeelde, een in de ene hand en twee in de andere, en ze verstrengelden zich al tot een nieuwe vlecht. Ik streek er met mijn vingers langs of er geen pieken uitstaken en deed het elastiek er weer om. Mijn hoofd was wakker geworden van het contact met mijn vingers. Het voelde fijn in de nek, het haar zo bijeen.

Ik haalde ook deze vlecht helemaal uit, trok van achteren een middenscheiding en begon twee vlechten te maken, een slag en aantrekken, tweede slag en aantrekken, tot aan het einde. Voor de tweede vlecht kreeg ik van Marcelle het elastiekje van Moran. Ze glimlachte me slaperig toe, en ook bij mij sloop een voorzichtig lachje over mijn wangen mijn ogen in. Nog altijd meer slapend dan wakker dronk Marcelle van mijn glimlach zoals een baby de druppels kidoesjwijn van zijn vaders vingers drinkt. Ik herinnerde me dat papa zijn pink in de zilverige beker doopte en het topje ervan in Doedi's mond stopte en dat Doedi erop zoog en dronk.

Gisteren was het heet en Chaim en Osjri waren 's middags in slaap gevallen. Itzik was op zijn kamer met de vogel, en ik luisterde aan de deur. Hij praatte tegen haar zoals een man in de film tegen zijn geliefde praat. 'Delila, Delila,' zei hij steeds achter de deur. Ze hebben de vogel de naam van een meisje gegeven, hij en Doedi, omdat ze niet weten dat het een mannetje is, dat alleen zolang hij nog jong is, de kleuren van een vrouwtje heeft. Toevallig had ik Azaria Allon daar op de radio over horen vertellen, maar ik heb hem meteen uitgezet. Over valken wilde ik niets meer horen.

Ik ben nooit dicht bij de vogel gekomen, zelfs niet toen Osjri me smeekte en me aan de hand naar de oude keuken trok. Evenmin kom ik dicht bij Itzik. Vanwege zijn handen, misschien. Soms denk ik dat hij ze met opzet zo houdt dat iedereen ziet hoe mismaakt ze zijn. Ik ben bang dat zijn ogen, die alles omspitten als een spade, hem op de gedachte brengen dat niet zijn handen me afstoten, maar hijzelf.

Ik heb de vuilniszak naar beneden gedragen en tussen de bosjes gestopt en ben meteen doorgelopen naar de crèche, naar mama. Mijn benen begonnen vanzelf te rennen alsof ze ook wat te vertellen hadden, maar binnen de kortste keren merkte ik dat ik niet naar mama toe rende, maar wegrende, dat ik wegvluchtte om maar bij de crèche te komen voordat die twee die me altijd op de hielen zitten, me konden krijgen, 'Daar krijg je spijt van' en 'Schaam je'. Ze waren er vast al achter dat ik zonder ze van huis was gegaan. En meteen begonnen ze me ritmisch na te roepen: Et-ti-schaam-je, Et-ti-spijt-het-je-al. Ze krijsten zo dat de hele straat het moest horen, maar ik heb er niet naar geluisterd.

Het is middag, dacht ik bij mezelf, de kinderen slapen en ik kan met haar praten. Ik zeg haar gewoon dat het zo niet door kan gaan. We moeten de tweeling de waarheid zeggen, voordat iemand op straat of op school hun iets gemeens naroept. Over een paar maanden gaan ze naar de eerste klas, dan is het te laat. Mama kent de taal van het schoolplein niet, de wreedste van allemaal. Mama is hier nooit naar school geweest. Wat weet zij nou van school? Alleen wat ze op de ouderavonden hoort. Verbeten slingerde ik mijn beide achtervolgers naar het hoofd wat mijn broers over een paar maanden in de pauze te horen zouden krijgen: 'Mijn broer Zion zweert bij de Thora dat jullie vader dood is!'

'Iedereen weet dat Kobi alleen maar jullie broer is!'

'Jullie tweeën hebben geen vader!'

'Wijs me 'r nog eens een aan die niet weet wie zijn vader is!'

En mocht dat nog niet genoeg zijn:

'Iedereen weet toch dat Kobi met jullie mam neukt!'

5

'Een vrouw kan zonder, maar een man toch niet. Voor een man is een week al een eeuwigheid.'

De stem van Riki, de kokkin, hield me staande op het pad. Ik drukte me tegen de muur en ging zachtjes verder, wilde niet dat iemand me zag. Alleen de hordeur was dicht. Net als elke dag rond deze tijd zaten ze vlak bij de ingang op de kinderkrukjes rond de kleine tafel. Ik hoorde een wirwar van lachjes, maar die van mama was er niet bij. Haar lach klinkt altijd alsof ze die probeert los te werken en op te hoesten. Aliza's melodieuze lach hoorde ik evenmin.

'De man die mijn lichaam voor de bruiloft krijgt, moet nog geboren worden,' verkondigde Sylvie, en Lavana zei iets in vloeiend Marokkaans en weer schoten ze allemaal in de lach. 'Yallah, meiden,' besloot Riki het samenzijn. 'Zitten jullie soms vastgeplakt aan jullie stoel? Aan het werk, de kabouters doen het heus niet voor je!'

Ik hoorde hen de tafel op zijn plaats terugschuiven en herinnerde mezelf eraan waarom ik hier was. Maar dat 'man' waarover ze het hadden gehad, dat zag ik nog een tijdlang net zo voor me als ik me als klein meisje een man had voorgesteld: breedgeschouderd stapte hij uit de M van 'man', één been wat naar voren, klein hoofd, felle ogen, een beetje als Itziks valk. Hij had zijn handen in zijn zakken gestoken omdat hij zich amper kon beheersen. De vrouw zag ik uit de letter W komen, precies het tegenovergestelde, de armen hoog, de benen gespreid en ze deed een buikdans alsof ze heel alleen op de wereld was, met lang haar dat haar achterste bedekte.

Ineens ging de hordeur open en spatte er poetswater op me, en Lavana, met de schrobber in haar hand, zei: 'Jee Etti, ik schrik me dood! Kom binnen, kom binnen, kom je je moeder opzoeken? Wacht, ik leg even een droge dweil voor je neer, dan loop je het water niet terug naar binnen.'

Ik ging naar de groep van mama en Aliza. De kinderen lagen in hun stalen ledikantjes te slapen en de lucht was vol slapende adem. Eén bed was leeg, en het doorgezakte groene canvas nodigde me uit om te komen liggen en in die wolk van plasjes en groentesoep te gaan slapen.

Ik trof mama en Aliza aan in de kinder-wc. Ze haalden wit-katoenen luiers, schoon en droog, uit de plastic zakken van de kinderen en doopten de ene na de andere in de wc-pot waarin ze de vieze luiers uitspoelen. Ze merkten eerst niet dat ik er was en toen mama me zag, schrok ze even en moest ik haar zweren dat thuis alles in orde was. Meteen ging ze verder en doopte de volgende droge, schone luier in de wc-pot. 'Etti liefje,' zei Aliza, 'ga even bij de deur staan, niet dat er dadelijk een moeder komt binnenvallen. Dan hebben we het in een mum van tijd klaar.' En mama zei: 'Die, je hoort van je leven geen "dankjewel" van ze, of "leuk dat je zo'n mooie deken maakt voor in de poppenhoek". Geen woord. Waar steken ze hun neus wél in? In de stront-zak, om de luiers te tellen. Wat denken ze dat ze vinden daar? Diamanten?' Ze doopte nog een luier in de wc-pot, maakte ook die vies. 'Vinden ze niet vier vieze luiers op zijn minst in de tas, staan ze op hun achterste benen, waarom verschonen we hun kind niet, schreeuwen ze, hij loopt vast de halve dag al rond met een natte luier. Want heeft hij een schrale bips, komt dat door de crèche. God verhoede jij zegt iets terug, jij zegt ze levert hem al schraal af bij ons, gister-avond ze vergeten hem te verschonen, God verhoede.'

Toen pas richtte mama zich moeizaam op van de wc-pot en ze rechtte haar rug, met één hand op haar heup. Ze zei dat ze nu haar leven zou geven voor een kop oploskoffie met melk, een kop oploskoffie met melk was het enige wat haar rug nou nog goeddeed.

Aliza gebaarde met haar hoofd dat ik mama moest aflos-sen. Ik keek hen even aan, wilde wat zeggen, maar zei niets. Ik nam mama de droge luier uit handen. Toen ik me over de wc-pot boog, zag ik mijn gezicht erin weerspiegeld, alsof ik achter mijn moeder aan in hetzelfde water was gevallen.

'Aliza wast de luiers in de plee, eentje voor Rosetta, eentje voor Sjoela, twee voor Jaffa en eentje voor Annette. Maar voor Sima, heeft ze er dan voor Sima geen? Ze gaat zoeken, ze gaat zoeken: en wat hebben we daar? Toch nog een luier voor Sima. Aliza wast de luiers in de plee en geeneentje gaat 'r met schrale bips mee.' Ik bleef naar mijn gezicht kijken, dat met elke doop verwrong, en begon al net als zij te den-ken: 'Mosjik heeft twee vieze, we geven hem er een natte bij en als hij dadelijk wakker wordt, verschonen we hem nog eens, dan heeft hij ook zijn vier vieze luiers in de tas en is zijn moeders hart gerust.'

Aliza gaf me de zeep. Zij had haar handen al gewassen en keek in de spiegel. Alle woede en rancune waren ook van haar gezicht gespoeld. Uit de zak van haar schort haalde ze een pincet en geroutineerd trok ze de haartjes uit die bui-ten de smalle lijnen van haar wenkbrauwen groeiden. 'Was goed je handen en kom bij ons zitten,' zei ze, me in de spie-gel aankijkend. 'Wie werkt, verdient zijn rust.'

Op dat moment begreep ik dat ik zou klinken als een klein kind dat met alle geweld haar kapotte pop wil knuf-felen, als ik probeerde om mama duidelijk te maken dat we de tweeling eindelijk de waarheid moesten zeggen. 'Ach Etti, waar is het leven en waar ben jij?' zou ze zeggen. Ik ging naar huis en besloot het hun zelf te vertellen.

Ik probeer me mijn familie voor te stellen in de schuilkelder van ons blok hiernaast. Kobi staat bij de deur te trappelen om weer naar buiten te gaan, alsof hij wil zeggen: Ik ben hier maar voor even, dit gedoe hoort niet bij mij. Als een etalagepop in een winkelruit die zich voorhoudt dat ze geen deel uitmaakt van de lawaaierige vuiligheid van de straat. En ik zie Osjri en Chaim, zoals ze met zijn tweeën amper een half matras in beslag nemen. Ook in de wastobbe krullen ze zich op en dan roepen ze: Kijk eens, Etti, zo zaten we in mama's buik. En ik zie Doedi, zoals hij de een na de ander afgaat, hier een grap vertelt, daar handel drijft. Itzik roept hem dat hij moet helpen met de valk, waar iedereen in de schuilkelder zich al aan ergert. Mama zie ik ook, zoals ze probeert ervoor te zorgen dat ze allemaal rustig om haar heen gaan zitten, zodat de mensen niets van ons kunnen zeggen als we eenmaal weer naar buiten mogen, zelfs niet van Itzik en zijn vogel. En als Osjri en Chaim niet bij haar zijn, dan bidt ze vast stilletjes dat over een paar minuten Jehoeda langskomt en haar zegt dat hij de kleintjes in een andere schuilkelder heeft gevonden, net zoals hij mij hier heeft aangetroffen.

Maar serieus, waar zijn ze toch? Ik kon me nog altijd niet herinneren waar ik ze had achtergelaten. Waar was ik dan, net voor de katjoesja's?
Ik ben van de crèche naar huis gegaan met een nieuwe leugen, heb mijn huiswerk voor Bijbelkennis gemaakt, en het was een normale avond en het werd nacht. Ik ging tegelijk met Osjri en Chaim slapen, werd een paar uur later wak-

ker, stond op uit hun bed en heb hen tot bovenaan toegedekt. Het was al laat. Ik zag Doedi slapen, ging de gang op en
bleef bij de deur van mama en Kobi staan. Ik drukte mijn
oor ertegenaan, maar hoorde niets. Ik dacht erover hem
open te doen, maar durfde het niet.

Ik ging naar mijn eigen bed, maar kon niet slapen. Ik ging
naar het balkon en keek naar de was die mama die avond nog
had opgehangen. De waslijnen zijn net dichtregels. 'Mama's
jurk', staat er, of 'Itziks broek', en de wasknijpers zijn de
komma's. Mama's jurk komma/ Itziks broek met elastiek
komma/ twee bloezen van Doedi en Itzik komma/ wit overhemd van Kobi komma/ sokken van Osjri en Chaim komma/
mijn schoolrok komma/ laken van mama en Kobi punt/. In
klare taal verkondigden onze kleren aan de hele wereld dat we
een gezin waren, maar zo kon je ze alleen van buitenaf lezen.
Vanbinnen stond er heel wat anders. Vanbinnen stond er: dit
gezin heeft nog geen dag gekend dat de kleren van allemaal
samen – vader, moeder en zes kinderen – aan één lijn hingen.

6

Zachtjes ging ik terug naar binnen en dekte Osjri en Chaim weer toe. Ik was klaarwakker en ging met mijn tas naar de terroristenkast. Ik had hem nog nooit opengemaakt. Altijd als ik erlangs kwam, wist ik dat het Kobi's kast was, niet de mijne.

In het jaar na papa's dood had Kobi er de planken uit gehaald en het erin en eruit gaan geoefend: erin, gaan zitten, eruit, weer erin en weer eruit, tot de kast wankel begon te staan, maar hij hield niet op. Met het nieuwe horloge, dat hij voor zijn bar mitswa had gekregen, nam hij op hoe lang hij ervoor nodig had om van waar dan ook in huis de kast te bereiken, erin te gaan en hem vanbinnen op slot te doen. Hij raasde de wc of de keuken uit, sprong zelfs onder het eten nog op, duwde iedereen die hem in de weg stond aan de kant en rende erheen, nam de tijd op, kwam terug en meldde het resultaat. Toen daarbij een poot van de kast helemaal afbrak, hield hij op met trainen, schoof een baksteen op de plaats van de poot en zeurde mama aan haar hoofd wanneer ze die kast nou eindelijk eens liet maken. Mama belde oom Avram – het gebeurde toen papa's broers nog met haar spraken, voor de grote ruzie – en die legde de hele kast op zijn zij en timmerde de poot met een paar spijkers weer vast, en Kobi was tevreden. Nooit heeft hij zich erom bekommerd dat we niet met zijn allen in die kast pasten. Maar niemand zei daar ooit iets van, net zomin als we er iets van zeiden dat we nooit een verstopplaats nodig hadden gehad toen papa nog leefde. Sowieso was er pas genoeg plaats toen al papa's kleren uit de kast waren (mama's kleurige kleren waren er als eerste uit gegaan).

Blootsvoets kroop ik in de kast. Binnen trok ik mijn benen op, deed de ene deur helemaal dicht en liet de andere op een kiertje voor het licht. Er was hier hooguit plaats voor twee volwassenen of drie kleintjes. Ik hief mijn hoofd om te zien hoe hoog het was en zag daar een flesje olie hangen in een jongensonderbroek die vastgenageld was aan het plafond van de kast, waar met blauwe pen iets in was gekrast. Ik stond op om het te lezen en stootte mijn hoofd tegen het olieflesje. In Kobi's keurige handschrift stonden er niet meer dan vijf woorden: NIET VERGETEN! OLIE OVER VLOER UITGIETEN! Ik keek naar de woorden en naar het flesje en dacht terug aan de ochtend van Chanoeka dat ene jaar, papa's jaar.

Mama was die ochtend naar haar werk op de crèche gegaan en had daarvoor *sfinj* voor ons gebakken. Osjri en Chaim waren nog niet geboren en de leugen was ook nog niet bij ons ingetrokken. De jongste in onze familie was toen nog papa's dood, die was nog maar een halfjaar oud, een babydood met de geur van versheid, waarvan je nog niet weet wat er van hem worden zal als hij groot is. Een dood die snel verandert: de eerste maand ligt hij nog op zijn rug, beweegt zich niet, huilt alleen maar, maar na die eerste maand begint hij zich om te rollen, te kruipen, alles omver te gooien. Je moet er de hele tijd bij blijven, achter hem aan lopen, zodat hij niet alles kapotmaakt wat er was voor hij werd geboren. Maar hij is sneller dan wij, vindt alles binnen zijn bereik dat niet nagelvast zit, alles wat papa bijeen had gehouden en waarvan we nog niet wisten hoe we het tegen de kleine moesten behoeden. Die pakte dat allemaal beet, voelde eraan, stak het in zijn mond, onderzocht het en gooide het aan de kant, brak, verscheurde, vernielde. Je kon hem niet uit het oog laten, geen moment kon je hem alleen laten.

Ook als we van huis gingen, namen we de dood mee. Hij ging mee naar school op de boterhammen die mama voor ons smeerde en 's nachts kroop hij in onze dromen en maakte ons huilend wakker. 's Morgens stond hij nog voor ons op, stond naast ons bed nog voor we onze ogen open hadden, zodat we niet zouden opstaan zonder eraan te denken dat hij er was, zodat we de zon niet zouden zien zonder eerst hem in de ogen te hebben gekeken, in zijn babyogen, die zo onschuldig stonden: heb ik iets gedaan?

Die middag pakte Kobi de hoge pan met de olie waarin mama de sfinj had gebakken, die intussen was afgekoeld. Hij ging met de pan naar de gang, goot de olie eruit en roetsjte de gang door, net zoals we vroeger op school door de gangen roetsjten. Ik stond in de deuropening van de badkamer en lag dubbel van het lachen, ik had in geen halfjaar zo gelachen, en Doedi en Itzik wachtten geduldig tot zij aan de beurt waren, en net op dat moment kwam mama binnen.

Tegen die tijd had ze al een grote buik. De grootste die ik ooit had gezien, een tweelingbuik een week voor de geboorte. Toen ze ons zag lachen en Kobi in een plas olie op de vloer zag liggen, riep ze 'BijdeGodvanAbrahamIsaakenJakob!', drukte haar hand tegen haar mond en begon te huilen. Op dat moment hupten we allemaal in mama's ogen, groepten als kuikens bijeen in haar oogkassen om samen met haar te zien wat we daarvoor niet hadden gezien: haar kinderen, haar weeskinderen, die naspeelden hoe hun vader was gestorven.

'Het is alleen maar voor de terroristen,' zei Kobi tegen

haar, 'voor als die komen, alleen voor hun heb ik de olie uitgegoten. Ik moest toch weten hoeveel olie je nodig had.' Hij ging zich omkleden en liet ons de vloer schoonmaken, maar de olie liet zich al niet meer opruimen. We hebben de vlek nooit helemaal weg gekregen, net zomin als het beeld dat ik vanuit mama's ogen heb gezien, zich liet wegspoelen.

In kleermakerszit zat ik in de kast, met het flesje olie bungelend boven mijn hoofd. Ik maakte mijn tas open en haalde mijn radio uit zijn plastic zak. Ik haalde ook de batterijen tevoorschijn, die ik altijd in een sok bewaar zodat ze niet zo snel opraken en wist niet of ik ze nu zou gebruiken. Ik proefde eraan met het puntje van mijn tong en stak ze in de radio, papa's kleine transistorradio, waar de knoppen allang vanaf waren. Ik had hem uit de vuilnisbak achter de falafelkraam gered en met mijn tanden datgene wat er nog over was van de tunerknop tot aan de plek gedraaid waar de radiovrouw sprak.

Zo noemde ik haar toen ik voor het eerst haar stem hoorde, de radiovrouw. Later hoorde ik pas dat ze Re'oema heette. Ik vond het een mooie naam en in mezelf zei ik hem keer op keer: Re'oe-ma, Re'oe-ma, zo'n naam had niemand. In het Hebreeuws betekent hij 'Kijk eens'. Ik speelde met haar naam en vroeg me af wie hem voor haar had verzonnen en of ze haar vanaf haar geboorte zo hadden genoemd of later pas, toen ze begon te zeggen: *Kijk eens* wat er is gebeurd, *Kijk eens* wat er zal gebeuren, *Kijk eens* wat goed, *Kijk eens* wat slecht.

Een maand nadat papa was gestorven, op de terugweg van een schoolreisje naar Jeruzalem, wees de gids naar twee hoge antennen, die er in mijn ogen uitzagen als Eiffeltorens. 'Hier wordt het nieuws uitgezonden,' zei hij, en ik werd er

meer door aangetrokken dan door alle bezienswaardighe-
den die we hadden bezocht, maar we gingen er niet naar
binnen. Sindsdien hou ik me voor, telkens wanneer ik de
radio tegen mijn oor druk, dat de radiovrouw geduldig
wacht tot ik mijn school heb afgemaakt en net zo'n Hebreeuws heb geleerd als zij, met al die mooie woorden die
zij gebruikt, woorden die klinken alsof ze uit verre landen
komen. Zonder me in te houden spreek ik ze net zo vaak na
tot ik weet wat ze betekenen. En voor het slapengaan stel ik
me voor dat ik de trap van haar toren helemaal opga, een
toren die steeds puntiger wordt naarmate je hoger komt, en
onder het kleine dak onder de hemel is maar plaats voor
één stoel. Daar zit Re'oema te wachten tot ik kom en zeg: Ga
maar naar beneden, Re'oema, ik kom je aflossen.

Dan spreek ik een heleboel woorden voor haar uit met de
letter *chet*, net zoals zij hem uitspreekt en ik elke avond heb
geoefend bij het Bijbelvers van de dag. Om hem goed uit te
spreken moet je je voorstellen dat een ijslepel van Simon
van de kiosk bol wordt in je mond en soepel door de holte
van je verhemelte rolt. En de *ajin* laat ik haar horen, een ajin
als een gouden munt die diep vanuit je keel opstijgt. Ik zie
Re'oema van haar stoel komen en hem mij aanbieden, me
de microfoon en de andere apparaten uitleggen, en ik zie
mezelf als zij naar beneden is gegaan, dat ik daarboven blijf
en nooit meer uit die kamer in de torenspits wegga.

En ik hoor de intro van het nieuws, en hoe ik voor het
eerst in de microfoon praat: U hoort Etti vanuit de hemel
boven Jeruzalem. Eerst vertel ik het oude nieuws, dan de
krantenkoppen, want niet het nieuwe nieuws interesseert
me, maar de oude verhalen, die waarvoor niemand nog de
moeite neemt om ze te vertellen of in plaats waarvan ze
liever leugens verkopen.

Na het nieuws kroop ik uit de kast en ging slapen. De

volgende ochtend stuurden ze ons vanwege het luchtalarm al om halfnegen uit school naar huis. Mama kwam terug van de crèche en we gingen samen met alle buren naar de schuilkelder. Omdat er niets gebeurde, zijn we er weer uit gekomen en na de middag viel ik met Chaim en Osjri in slaap. Toen die me wakker maakten, was het huis leeg, alleen wij drieën waren er. Ook mama was verdwenen, ze was weggegaan zonder iets te zeggen. Ik had Osjri en Chaim voor me alleen, maar hoe moest ik beginnen met hun over papa te vertellen? Misschien, dacht ik, kan ik het beste beginnen met een verhaal dat ze al kennen.

We zaten op mijn bed, en ik haalde de sloop van het hoofdkussen, stak in plaats daarvan mijn hand erin en roerde flink, precies zoals zij het graag hebben, en hop! daar had ik een verhaal te pakken.

7

Ik haalde mijn vuist tevoorschijn, deed mijn vingers een fractie van elkaar en gluurde in de holte van mijn hand. Ik hield de tweeling op een afstandje, zodat ze het niet konden zien. 'Niet te geloven!' riep ik. 'Kijk nou wat eruit gekomen is! Het verhaal over de vrouw die in een octopus veranderde.' Osjri zei: 'Maar Etti, je moet ons beloven dat het deze keer goed afloopt!'

Ze sprongen op en neer op het bed tot de stalen veren knarsten en lieten zich toen tegelijk, als twee geklapte ballonnen, neerploffen.

Ook Chaim zei: 'Ja Etti, zweer het. Anders luister ik niet,' en hij hield zijn oren dicht en riep: 'Ik hoor je lekker toch niet! Ik hoor je lekker toch niet!'

En Osjri kraaide: 'Ik ook niet, ik ook niet! En als ik schreeuw, hoor ik het ook niet!' Hij deed zijn mond wijd open en schreeuwde 'Aaaaaaaaaaaaahhh ...' tot hij geen lucht meer had, en Chaim loste hem af met een eigen aaaaaaaaaah.

'Genoeg, afgelopen nu,' zei ik. 'Jullie houden nu op met schreeuwen of er komt geen verhaal.' Ze werden prompt stil.

'Vandaag vertel ik voorbij het einde,' zei ik, 'en ik ga net zo lang door tot het goed is afgelopen, ik beloof het. Handen op de knieën, net als bij het voorlezen in de kring op school.' Hun gezichten namen een gehoorzame uitdrukking aan en ik was een beetje in paniek door de goede afloop die ik zo overhaast had beloofd. Door het raam achter hen viel het vriendelijke licht van de late middag, en toen ik hen weer aankeek, was hun gezicht al zachter geworden en waren hun handen van hun knieën op het matras gegleden. 'Het verhaal,' zei ik, 'heet: *De vrouw die een octopus werd*.'

Meteen begon ik: 'Lang, lang geleden leefde er eens een vrouw, een heel gewone vrouw, echt heel gewoon. Ze had twee armen en twee benen, een buik en een rug. Ze had een gezicht met twee ogen en een neus en twee oren. Alles was heel normaal bij haar, net als bij iedere andere vrouw.'

'Je hebt niks over de haren gezegd, Etti. Nou heb je weer de haren vergeten!'

'En haar kleren ook. Vertel ons wat ze aanhad!'

'Goed dat jullie het zeggen,' zei ik, wat hun plezier deed, en ze luisterden nog beter of ik niets vergat. 'De vrouw had lang bruin haar, zo zacht en mooi dat iedereen die haar zag, zijn hand wilde uitsteken en het wilde aanraken. En ze had kleren in alle kleuren. In elke kleur die je maar kunt bedenken, zeg ik je, had ze een jurk: rood, blauw ...'

'En geel!'

'En groen!'

'Ja,' zei ik, 'en turkoois en roze en lila. En op haar jurken stonden alle vormen die je je maar voor kunt stellen: bloemen en harten en cirkels en driehoeken.'

'En sterren, Etti. Je vergeet de sterren.'

'En sterren. Al-les. En de vrouw had ook kinderen en een man. Maar op een dag gebeurde er iets ergs. Er kwam een heks in het huis van de vrouw. Ze had een wiebelige tand, eentje nog maar in haar hele mond, en een lange, kromme neus met een lelijke wrat erop. Ze kwam door de lucht aangevlogen, streek neer en keek door het raam naar binnen. Ze ging van het ene raam naar het andere, en wat zag ze in het huis van de vrouw? Ze zag alles wat de vrouw had en ze werd razend: Waarom is die vrouw zo gelukkig en ik niet? En waarom heeft die vrouw zulke mooie jurken en ik alleen maar lelijke, gescheurde vodden? En waarom heeft die vrouw zulk mooi lang, zacht haar en ik van die lelijke groene stoppels? En waarom heeft die vrouw een man en zulke zoete kinderen en ik niet?'

'Dan had ze maar moeten trouwen!'

'Alle vrouwen die trouwen, krijgen toch kinderen?'

'Ze wilde ook wel trouwen, heel graag zelfs, maar niemand wilde haar hebben.'

'Omdat ze zo lelijk was!'

'En omdat ze gemeen was.'

'Precies, omdat ze gemeen en lelijk was. Toen besloot de heks dat ze een toverspreuk over de man van de vrouw zou uitspreken, zodat hij doodging. Zodat hij van het ene moment op het andere dood zou neervallen.'

In het trappenhuis klonken zware voetstappen. Misschien de oma van de Dahans, die op bezoek kwam.

Osjri ging staan op het bed en zei: 'Hij is ingestort. Boem. Dood. Zo was het toch, Etti? Kijk, ik laat zien hoe hij doodging.' Hij ging naar het voeteneind en liet zijn kleine lijf naar voren vallen.

'Auw! Je valt op mijn voet,' zei Chaim. 'En zo ga je toch niet dood, hè Etti? Ik zal je laten zien hoe je doodgaat. Als je doodgaat, spring je niet. Als je doodgaat, ben je niet sterk. Je zakt gewoon op de grond.' Chaim klom van het bed en deed het voor, rende een paar passen, gleed uit en liet zich achterovervallen.

'Zie je wat voor een klap mijn kop kreeg? Zo gaan mensen dood! En je tong steekt naar buiten, hè Etti?' Hij probeerde zijn tong uit te steken en tegelijkertijd te praten, wat grappig klonk.

'Genoeg,' zei ik. 'Als jullie niet op bed komen zitten, netjes met de handen op de knieën, vertel ik niet verder.' Ze kwamen weer op bed zitten, sloegen hun armen om hun knieën en wachtten tot ik verderging, en ik hoopte dat mijn stem niet zou trillen.

'Niemand heeft gezien hoe de man is doodgegaan. Hij was op dat moment alleen. Alleen de heks was erbij, die had naar hem staan kijken en haar gemene lach gelachen, ze lachte en lachte tot ze bijna doodging van het lachen: hi hi hiii, hia hia, hiaaa …' Ik zag ze tegen elkaar aan kruipen, zoals altijd op dit punt van het verhaal.

'Oké, het is voorbij, ik hou al op,' beloofde ik hun, 'jullie kunnen je handen van je oren halen.'

Allebei haalden ze eerst één hand weg en pas toen ze zeker wisten dat het lachen van de heks was afgelopen, ook de andere.

'De heks vloog ervandoor op haar bezemsteel: bzz, bzz, bzz, bzzzzzz …'

'Bzzzzzzzzzzzz,' deden ze mee, 'bzzzzzzzzzzzzzz.'

'En na haar mans dood gooide de vrouw alle mooie kleurige jurken uit haar kast weg, van nu af droeg ze alleen nog zwart en blauw. Zo doe je dat als er iemand doodgaat, dan draag je geen vrolijke kleuren meer. Maar de heks lichtte het deksel van de vuilnisbak op en ging er met haar hand in …'

'Gèèètver!'

'Dat stiiiinkt!'

'En ze haalde er alle mooie kleren van de vrouw weer uit, haar jurken en haar bloezen en haar rokken ook. Maar ze pasten haar niet. En ze stonden haar niet.'

'Omdat ze zo krom was!'

'Omdat ze van die kromme benen had!'

'Precies, ze waren helemaal niet de goede maat voor haar. En de vrouw, die moest nu heel hard werken. Van 's morgens vroeg tot 's avonds laat moest ze nu in haar eentje koken, in haar eentje poetsen en in haar eentje de was doen en ook nog gaan werken. Alles helemaal in haar eentje. En ze wilde dat het er thuis net zo keurig uitzag als eerst, toen haar man nog leefde. Vrijdags maakte ze vis klaar en acht verschillende salades en de s'hina voor sjabbat, die de hele nacht op de warmhouder moest staan, en ze bakte zelf hun brood. Ze zei steeds: Mijn kinderen mogen niets te-kortkomen, helemaal niets! Ik bak de lekkerste koekjes voor ze! Maar het viel haar zwaar, omdat ze alles alleen moest doen.'

Ik was even stil en ze wachtten op het vervolg. Zonder iets te zeggen wachtten ze.

'Als de kinderen ziek waren,' zei ik, 'ging ze in haar eentje met hen naar de dokter, en ze ging alleen naar de bank en alleen boodschappen doen en elke donderdag naar de markt, alles, echt alles deed ze alleen.'

'Want haar man was dood.'

'Ingestort. Boem. Dood.'

'En op een bit-ter-koude winterdag hadden ze geen olie meer voor de kachel. De vrouw kon niet meer. Ze was op. Haar hele lijf deed zeer. De halve nacht bleef ze opzitten, nadat iedereen in slaap was gevallen, en ze huilde en huilde en huilde. Ze huilde zo erg dat haar jurk helemaal nat werd en de tranen op de vloer drupten. Haar tranen spoelden over de hele vloer, tot ze onder de deur door stroomden, ze gingen zomaar onder de deur door.'

'Ze stroomden de trap af ...'

'En helemaal de straat op, hè Etti?'

'En toen de heks de tranen zag, toen ze zag dat de tranen van de vrouw helemaal op straat stroomden, toen lachte ze ...'

'Etti, nee! De heks niet nog een keer laten lachen!'

'Dan worden we bang, Etti ...'

'Ze vloog weg op haar bezemsteel bzzzzzzzzzzzzzzzzzzz bzzzzzzzzzz …'

'Bzzz! Bzzzzzz! …'

'Jongens, ik wacht op stilte …'

'Bzzzzzzzzzzzzz!'

'Bzzzzzzzzzzzzzz!'

Ik keek naar ze, zag hoe ze van die klank genoten, zag hun kleine witte tanden en wachtte tot ze kalmeerden. Vandaag moesten ze naar me luisteren zoals ze nog nooit naar me hadden geluisterd: niet naar het verhaal, maar naar de waarheid.

Het schoot me te binnen dat ik hun een goede afloop had beloofd, uitgerekend vandaag moesten en zouden ze die hebben. Ze werden weer rustig zonder tussenkomst van mij en keken me met grote ogen aan alsof ze al een vermoeden hadden.

'De heks,' ging ik verder, 'verkleedde zich als een gewone oude vrouw met een hoofddoek. Het was nog een mooie hoofddoek ook. En ze ging naar de vrouw en vroeg: Wat is er toch gebeurd? Waarom huil je zo? En de vrouw zei: O, met mij is alles in orde, goddank. Er zat alleen iets in mijn oog. Ze nodigde de heks uit om bij haar te komen zitten, gaf haar thee met sjiba en pindakoekjes met marmelade en de heks at alles op, geen koekje liet ze over. En ze dronk van haar thee en zei: Bedankt, en: Dathetjemogebekomen. Ze praatte met zo'n vriendelijke stem dat de vrouw dacht dat ze een goed mens was, en vroeg nog eens: Wat is je toch overkomen, kind? Je kunt me alles vertellen. Ik ben oud, ik heb in mijn leven al vele verhalen gehoord en geheimen vertel ik niet verder. Toen vertelde de vrouw haar alles, echt alles. Het deed haar goed het allemaal aan iemand te vertellen, want als je iets overkomt, moet je het aan iemand zeggen. Jullie zeggen mij toch ook wat jullie op school meemaken?'

Ze knikten allebei.

'Maar de vrouw, die had niemand aan wie ze kon vertellen wat er zo op haar drukte. Ze was alleen nadat haar man was doodgegaan. Er kwam niemand over de vloer, behalve haar kinderen. De heks luisterde naar haar van begin tot einde, ze veegde zelfs de tranen van de vrouw weg en suste haar en zei: Ik wil je helpen, dat is mijn werk, ik ben een goede fee ...'

'Ze liegt! Ze liegt! Niet naar haar luisteren!'

'Ze liegt, ze is geen fee, ze is gemeen!'

'De vrouw wist niet dat het een heks was. Hoe moest ze dat ook weten? Je ziet het niet altijd aan slechte mensen af dat ze slecht zijn. En de heks sprak met een suikerzoete stem, een honingzoete stem. Ze zei tegen de vrouw: Ik help je. Ik ken een toverspreuk die je er twee handen bij geeft voor al je werk. Om te koken, om af te wassen, om te vegen, om de ramen te lappen en om de was op te hangen: voor al-les!'

Ik zweeg even en zag hoe gespannen ze zaten te wachten, allebei wilden ze als eerste het antwoord geven op die nog niet gestelde vraag. Osjri plofte zowat, zag ik, omdat hij altijd het juiste moment mist, en ik vertelde verder: 'Als ik nog twee handen aan je maak, dan ...'

'Heeft ze er vier.'

'Ik wilde dat zeggen!'

'Dan zeg het, zeg het gewoon nu,' zei ik tegen Osjri, 'zeg het alsof Chaim het niet heeft gezegd.'

'Maar hij heeft het wél gezegd. Ik wil echt de eerste zijn!'

'Dan zeg je het aan het einde. Dan ben jij de eerste vanaf het einde. Dat is ook belangrijk. Er zijn mensen die altijd de laatste willen zijn. Die willen altijd het laatste woord hebben, zodat iedereen alleen nog maar weet wat zij hebben gezegd.'

'Dat zeg je maar! Jij staat altijd aan zijn kant!'

Osjri lag al op zijn buik en beukte met zijn vuisten op het matras, ook dat was een onderdeel van de ceremonie, en voor een ogenblik vergat ik zelfs dat het vandaag geen gewone dag was. Toen hij Chaim begon te slaan, haalde ik hen uit elkaar, zette hem aan de andere kant naast me en omarmde alleen hem om hem te kalmeren. Hij kalmeerde niet.

'Oké, maar ik vertel niet verder tot jullie stil zijn,' zei ik en ik draaide met mijn hand voor mijn mond alsof ik hem op slot deed.

'Mijn mond zit op slot met een sleutel,' zei Chaim.

'En mijn mond is met lijm dichtgeplakt!' riep Osjri. 'En nou ben ik de eerste vanaf het eind!'

'De vrouw,' hervatte ik mijn verhaal, 'vond het een goed idee en wilde wel dat de heks haar er twee handen bij gaf voor al haar karweien. Maar toen zei de heks plotseling: Het spijt me. De heks praatte op vriendelijke toon verder, maar wat ze zei, was allesbehalve aardig. Ze zei: Wat dacht jij nou? Je moet me in ruil daarvoor iets van jouw lichaam geven. De vrouw dacht en dacht en dacht tot ze iets had gevonden wat ze de heks kon geven ...'

'Haar haren!' riepen ze, tegelijkertijd deze keer, en ze zagen er intens tevreden uit.

'Precies. De vrouw dacht bij zichzelf: Haren groeien weer aan. Die kan ik wel afgeven en dan komt het lang en mooi terug, en bovendien is het lastig om ze elke dag te moeten kammen, naast alle karweien die ik al heb. Maar de heks gaf haar geen leuk kapsel, zoals bij de kapper. Ze pakte haar haren af met wortel en al, zodat haar mooie haar nooit meer aan zou groeien, alleen nog stoppels, net als bij de heks. En de heks deed de mooie haren van de vrouw op haar eigen hoofd en vloog het raam uit.'

'Op haar bezemsteel, bzzzzzzzzzzzzzz ...'

'Bzzzzz …'

'Ja. En nu kon de vrouw heel veel dingen die ze voorheen niet had gekund: ze hing met vier handen tegelijk de was op, hupla-hop ging dat, ze zette twee pannen tegelijk op het vuur, ze zette vier stoelen tegelijk op de tafel om de vloer te dweilen, ze waste twee kinderen tegelijk, met vier handen en twee stukken zeep, en haalde ze ook tegelijk, met vier handen en twee handdoeken, weer uit de tobbe. En op donderdagmorgen, voor ze naar haar werk ging, kon ze nu met vier grote tassen naar de markt: eentje voor de groente …'

'Eentje voor het fruit …'

'Eentje voor de vis en de laatste voor …'

'Voor de spullen van Machloef!'

'Ja, de laatste tas was voor de spullen van Machloef. Maar op een dag, op een dag als vandaag, met hetzelfde weer zelfs, voelde ze ineens twee schopjes binnen in haar buik, en zo wist ze dat ze twee kinderen bij zich droeg.'

'Een tweeling?'

'Net als wij?'

'Ja, een tweeling, net als jullie, twee jongens. Ze was zwanger en werd steeds dikker. Elke dag werd ze dikker en dikker, tot ze zich nog amper kon bewegen. Een geluk dat ze vier handen had om al het werk te doen. Zonder die vier handen had ze het nooit allemaal gekund. Na negen maanden ging ze naar het ziekenhuis en kreeg haar tweeling. En ze nam de baby's mee naar huis, maar ook al waren ze nog zo lief, de vrouw was …'

'Weer verdrietig …'

'Ze was op!'

'Klopt, ze was helemaal op, want zelfs vier handen waren niet genoeg voor al het werk met de tweeling. En weer ging ze zitten huilen. Ze huilde en huilde en huilde tot haar tranen …'

'Onder de deur door gingen, de trap af, tot op straat?'

'Ja, helemaal tot op de straat.'

'En de heks kwam nog een keer, hè Etti? Niet haar lach doen, Etti.'

'Mij kan het niet schelen. Ik hou mijn oren dicht, dan hoor ik het niet!'

'Als ik haar lach niet doe, dan doen jullie haar bezem niet …'

'Oké dan.'

'De heks verkleedde zich weer als goede oude vrouw en deze keer hoefde ze niet veel meer te zeggen. Toen de vrouw haar zag, dacht ze: wat kan ik haar geven voor nog een paar handen? Voor nog twee handen moet ik haar toch wat geven? Ze dacht en ze dacht en ze dacht tot ze besloot: ik geef haar mijn hele middenlijf, met de buik en de rug en alles erop en eraan. Want, dacht ze bij zichzelf, meer kinderen krijg ik niet, dus waarvoor heb ik mijn buik nog nodig? Die mag ze hebben. En slapen lukt me 's nachts sowieso niet meer, mijn slaap is weg, dus laat haar mijn rug ook maar nemen. En ik kan de baby's melk geven uit een fles, iedereen doet dat tegenwoordig, dus kan ik ook zonder … zonder mijn middenlijf. En toen had de vrouw …'

'Nou mag ik zeggen hoeveel handens …'

'Zeg het dan!'

'Nou had ze vijf handens.'

'Niet vijf! Niet vijf!'

'Zes, zes. Dat komt door jou! Omdat ik bang was dat jij het het eerst ging zeggen.'

'Helemaal goed. Nu had ze zes handen. Handen, geen handens. Maar ze had geen buik en geen rug meer, alleen haar hart had ze nog. En de vrouw huilde niet langer. Ze hield allebei de baby's met twee handen vast en gaf hun tegelijk de fles en verschoonde tegelijk hun luier, en dan had ze nog altijd twee handen vrij om was te vouwen of om de kleren van de grote kinderen te verstellen als er een scheur in zat …'

'Net als bij ons, als we onze broek scheuren …'

'Op de glijbaan!'

'En als de tweeling in slaap was gevallen,' vertelde ik verder en ik keek in hun argeloze gezichten, ze vermoedden niets, vertrouwden me volledig, 'en de groten ook, had ze het hele huis in tien minuten schoon, met drie schrobbers en drie dweilen. Maar lang was ze er niet gelukkig mee …'

'Alweer verdrietig!'

'Ze huilt en huilt en huilt?'

'Ja, ze huilt en veegt haar tranen met haar handen weg, met al haar handen, maar zelfs zes handen waren niet genoeg, want nu zijn we bij de dag aangekomen dat de vrouw zichzelf in de spiegel zag. Voor het eerst kijkt ze in de spiegel, en wat ziet ze daar?'

'Een doodeng dier!'

'Een doodeng dier met een heleboel armen!'

'Ja, ze kijkt in de spiegel en ziet een doodeng dier met een kop, zes armen en twee benen. De halve nacht zit ze op haar bed te huilen en te huilen en te huilen …'

'Tot op straat …'

'En nog een keer de heks …'

'Ja, de heks komt nog een keer. Maar deze keer doet ze niet eens alsof ze goed is. Het maakt haar niets uit dat de vrouw huilt. Ze wil de vrouw niet teruggeven wat ze haar heeft afgenomen. Meteen zegt ze: Als je niet zo'n doodeng dier wilt zijn dat niemand ooit in zijn leven heeft gezien, geef me dan ook je benen, dan krijg je er van mij nog twee armen bij, dan word je een octopus, en octopussen kent iedereen.'

'Een octopus? Wat is een octopus?' Chaim probeerde de

opgewonden stem van mevrouw Biton van beneden na te doen.

'Niet zo! Maak dat ze bang klinkt: Wat is een octopus? Waarom een octopus?'

'Precies. De vrouw wist niet wat een octopus was. Ze was bang voor het woord dat ze niet kende, en dus legde de heks haar uit wat een octopus was en suste haar en liet haar ook een plaatje van een octopus zien.'

'Net als jij voor ons hebt meegebracht.'

'Ik heb hem in mijn zak. Kijk, dat is een octopus, met acht armen.'

'Kijk nou, je hebt hem gescheurd!'

'Dat heb ik niet gedaan, dat was al zo, hè Etti? Zeg tegen hem dat het al gescheurd was toen je hem aan me gaf.'

'Nou ben ik. Nou mag ik op de octopus passen, hè Etti?'

'Als het verhaal uit is, mag jij hem hebben.'

'Nee, ik wil hem nou. Jij maakt hem alleen maar kapotter. Hè Etti, hij maakt hem nog kapotter.'

Ik beloofde hun dat ik de octopus na het verhaal zou plakken, en allebei luisterden ze weer. 'De vrouw keek naar het plaatje van de octopus. Hij was mooi op dat plaatje, met de blauwe zee er rond omheen. Hij zag er helemaal niet uit als een raar, lelijk monster. De vrouw dacht er geen twee keer over na, ze stemde er meteen mee in. Ze liet toe dat de heks ook haar beide benen afpakte en haar in plaats daarvan nog twee armen gaf. Nu had ze er …'

'Acht!'

'Acht armen, ja, net als een octopus. En zo was ze in een octopus veranderd, met een hoofd en acht armen, ze zag het in de spiegel. En toen ze de heks aankeek, zag ze plotseling dat die eruitzag zoals zij vroeger had gedaan, omdat die immers haar haar en haar gezicht en haar hele lichaam had. En ze keek nog eens in de spiegel en werd bang. Ze dacht:

nu is het afgelopen met me, nooit van mijn leven zal ik er nog uitzien als een gewone vrouw, daar is het te laat voor. En ze zei tegen de heks: Weet je wat? Neem mijn hart ook maar. Waar heb ik dat nog voor nodig? Dat doet me alleen maar pijn met al mijn zorgen. Neem het maar, hier! Wat moet ik ermee. En ze gaf de heks ook haar hart.

'Wat was er nu nog over van de vrouw? Alleen nog het hoofd en de acht armen. Haar hoofd dacht de hele tijd: wat moet ik nu doen en wat moet ik daarna doen? Iets anders kon ze niet meer denken, want ze had geen lichaam meer, en het hoofd hoefde niet meer na te denken over wat het met het lichaam aan moest. Ze had geen benen meer die konden dansen, ze had geen buik meer die graag een lekkere koek at of ijs of chocolade, en ze had geen mensenmond meer die om grappen kon lachen en ze had ook nergens meer hart voor. Ze had geen hart meer, dat de kinderen met al haar acht armen tegen zich aan wilde drukken, en ze had geen hart meer, dat hun de verhalen wilde vertellen die ze zo graag hoorden. Ze had alleen nog maar handen, en die doen alleen wat ze moeten doen, precies zoals het hoofd het bedenkt. Ze werken alleen maar de hele tijd, van 's morgens vroeg tot 's avonds laat.'

Ik was zo verdiept in mijn beschrijving dat ik niet merkte hoe verdrietig hun gezichten waren geworden. Met een klein, wanhopig stemmetje zei Osjri: 'En de heks lacht en lacht, hè Etti?'

Maar Chaim ging rechtop zitten en protesteerde: 'Maar je had beloofd dat het goed af zou lopen! Dit loopt helemaal niet goed af!'

'Dit loopt slecht af. Heel erg slecht!'

'Het is eng en heel gemeen!'

'Wacht nou, wacht, ik ben toch nog lang niet klaar met vertellen,' zei ik. Echt, ik was mijn belofte vergeten. Geen idee hoe het nu verder moest. Maar ik zei vol overtuiging: 'Ik vertel net zo lang door tot het goed afloopt, maar dan moeten jullie wel stilzitten en luisteren.'

'Ik zit toch stil. Hij begint steeds.'

'Niet! Je liegt!'

'Etti, hij zegt dat ik lieg!'

'Genoeg. Nu moeten jullie heel goed luisteren, want nu komt het allerbelangrijkste van het hele verhaal. Er was namelijk iets gebeurd waar niemand aan had gedacht: de heks had dat hart toch voor zichzelf genomen? De vrouw had het toch aan haar gegeven, en de heks had het toch aangenomen? En wat denken jullie dat er toen gebeurde?'

'De vrouw ging dood, omdat ze geen hart meer had!'

'Zonder hart kun je niet leven. Zonder hart: boem. Dood!'

'Maar de vrouw ging niet dood,' zei ik, ofschoon ik nog geen oplossing had. Ik wist alleen dat ik een scherpe draai aan het verhaal moest geven, zodat het deze keer anders afliep. 'De heks had een bijzondere regeling getroffen, zodat ze zelfs zonder hart verder kon leven.'

'Ze heeft haar in een vis veranderd!' hielp Osjri me, en Chaim zei: 'Dat hebben we gezien in de supermarkt, de vissen springen nog, nadat ze ze hebben doodgemaakt.'

'En een octopus heeft toch geen hart, hè Etti?'

'Waar heeft een octopus een hart voor nodig?'

'Ze hebben toch ook geen neus!'

'Nee, ze vatten nooit kou.'

Nu lachten ze allebei en ik kon verdergaan. 'Ik zal jullie vertellen wat er gebeurde,' zei ik. 'De heks had gewoon het hart van een goede vrouw gekregen.'

Ze keken me met grote ogen aan.

'Ze was geen heks meer?'

'Ze was in één klap een goede vrouw?'

'Ik zei het het eerst, hè Etti?'

'Precies. De heks wilde haar gemene lach lachen, maar dat lukte niet. In plaats daarvan kwam er een aardige lach uit. Ze probeerde om net als voorheen op haar bezemsteel te vliegen, maar dat lukte ook niet. Toen ze erop ging zitten, viel ze eraf en de bezemsteel brak. Haar hart was al zacht, zo zacht als ...'

'Boter!'

'Als banaan!'

'Haar hart was zo zacht als een rijpe, gele banaan, en ze wilde alleen nog maar iedereen helpen. Dat was het enige waar ze nog aan dacht, de heks, aan hoe ze anderen kon helpen. Toen de vrouw dat zag, kon ze het eerst niet geloven. Misschien doet ze weer alsof, dacht ze. Maar toen zag ze dat het echt zo was, dat de heks een goede vrouw was geworden. En ze vroeg de heks om haar haar lichaam terug te geven, omdat ze zo naar haar oude lichaam verlangde, het speet haar verschrikkelijk dat ze het had afgegeven. Ze hoefde het maar te vragen of de heks stemde toe, want ze was nu echt goed en gaf alles terug. Haar haar en haar middenlijf en haar benen en helemaal op het laatst, toen ze alles weer had, vroeg de vrouw ook haar hart terug. Als je het niet erg vindt, zei ze tegen de heks. Ik heb het toch nog nodig.'

Ik zweeg. Wachtte tot ze iets zouden zeggen. Maar ze drukten zich alleen maar steviger tegen me aan. Misschien waren ze bang dat er nog een eng stuk zou komen, een dat ze nog nooit hadden gehoord en dat alles zou bederven.

'En de heks,' zei ik, 'die is nu zo goed dat ze de vrouw ook haar hart teruggeeft en ze gaat ter plekke dood.'

'Boem. Dood!'

'Haar verdiende loon!'

'Omdat ze eerst zo gemeen was tegen die vrouw!'

'Is dat het einde, Etti? Komt er nou geen heks meer?'

'Natuurlijk niet. Die ligt in haar graf.'

'En niemand komt uit zijn graf, hè Etti?'

Ik knuffelde hen allebei en voelde dat er toch nog iets bij hen wrong, ook bij het nieuwe einde van het verhaal.

'Etti, maar wie doet nou al die karweien van de vrouw?'

'Ja, wie doet ze nou voor haar?'

'Nu helpen haar kinderen haar mee. Zelfs de tweeling kan haar al bij het huishouden helpen. Dat zijn twee lieve jongens en ze zijn groot genoeg.'

'Net als wij, hè? Net als we jou hebben geholpen om de vuilnisemmer weer naar boven te brengen?'

'Hoezo "net als wij"?! Bij ons komt er toch geen heks, of wel Etti?'

'En er is ook niemand van mama doodgegaan, hè Etti? Dat is alleen maar in het verhaaltje dat hij doodging, haar man.'

'Waarom huil je, Etti?'

'Ik word bang als je huilt, Etti. Je hebt toch gezegd dat het goed afliep. Waarom huil je dan?'

'Niet huilen, Etti. De heks is toch dood. Toen je haar het hart afnam. Boem. Dood.'

'Kijk, ik doe voor hoe ze doodging. Kijk dan, Etti, je kijkt niet.'

'Kijk, ik ook. Ga opzij, jij weet helemaal niet hoe je dood moet gaan. Ik doe doodgaan veel beter!'

'Ze lacht weer!'

8

En daarna? Wat gebeurde er daarna? We hebben thee met sjiba gedronken en ze doopten hun koekje in de thee, zoals ze zo graag doen. Ik zie nog voor me hoe de koekkruimels in de sjibablaadjes gevangen raakten en toen naar de bodem zonken en hoe de felgekleurde sesamzaadjes op de thee bleven drijven. Buiten werd het donker en Osjri stond op om het licht aan te doen, en daarna herinner ik me alleen nog die knal en dat ik alleen door het donker rende. Ik ren door de straten zoals ik nog nooit heb gerend en denk: dat is ons blok, verdring me samen met de rest voor de gesloten deur van de schuilkelder en dan slaat de tweede katjoesja al in en ik ben midden in de enorme schreeuw, een en al keel.

Wat ik me nog niet kan herinneren, is waarom ik de straat op ben gegaan en waar de tweeling op dat moment was. Ik was maar een beetje ouder dan zij toen ik elke middag uit school naar de falafelkraam ging en de hele weg zachtjes Papa-Papa in mezelf zei, en toen dat nog geen pijn deed.

Vanaf mijn zevende was ik zijn hulpje al. Als ik bij de kraam kwam, zag ik hem achter de lage muur staan, waarachter ook het fornuis stond. Ik zag alleen zijn kruin, maar wist dat ik hem dadelijk helemaal zou zien en verheugde me erop.

Ik loop naar binnen, maar niet helemaal door naar achteren, naar hem, doe mijn rugzak af en gooi hem op de vloer.

Ik buk, trek van onder de toonbank een lege houten groentekrat naar me toe, til hem aan één kant op en laat hem over mijn schooltas vallen. Nu kijkt de tas me vanuit zijn kooi aan en ik schuif de schouderriemen erbij, die nog onder de rand uit piepen. Ik trek nog een krat naar me toe, til die boven op de eerste en sjor er net zo lang aan tot hij stevig staat. Ik ga op mijn tenen staan en leg het kussentje erbovenop. Nu heeft papa me al gehoord en voordat hij zich omdraait, zegt hij zijn zeven woorden: 'Pas op voor de krammen, Etti binti!' Hij is altijd bang dat ik me pijn doe aan de ijzeren krammen, die niet alleen scherp zijn, maar ook roestig. Ik ga weer naar buiten, klim op een leeg augurkenblik en dan op het raamkozijn. Ik glij over het kozijn naar binnen, draai me om en land met mijn achterste precies op het gebloemde kussen, klaar om aan het werk te gaan. Als ik nu mijn hoofd omdraai, kan ik papa helemaal zien en hij ziet mij ook. Ineens zijn de rimpels op zijn voorhoofd gladgestreken, hij stroomt vol blijdschap, net een glas dat je volschenkt met sinaasappelsap, en de oranje lijn komt steeds hoger. Dat is het eerste gezicht dat ik van hem krijg, als hij me 's middags op mijn kisten ziet zitten.

Ik maak de schuiflade met geld open. Daar moet ik een beetje mee wiebelen, omdat hij altijd blijft steken. De schuiflade is verdeeld in vierkanten. Ik scheur de plastic zak met munten open en laat ze in hun vakjes stromen; dan sorteer ik het briefgeld en maak er nette bundeltjes van. De biljetten zijn stil en al even ernstig als de gezichten die erop gedrukt staan, maar de munten zijn net spelende kinderen, ze rollen rond en maken lawaai.

Zo meteen komen de oudere kinderen uit school. Iedereen die langs onze falafelkraam loopt, moet zich inhouden om niets te kopen. De geur maakt iedereen gek, want papa begint al te bakken voordat hij klanten heeft. Het maakt hem niets uit als hij een beetje weg moet gooien, hij weet dat de geur de helft van zijn werk voor hem doet, want de geur van falafel is sterker dan alle geuren op het plein en trekt de mensen aan. Dat is het eerste geheim van zijn succes. Alleen daarvoor verdient hij het om de koning van de falafel te zijn. De hele dag overspoelt hij het plein met de geur van falafel. Ik ken geen mens die daar geen honger van krijgt. En hij verkoopt nooit oud of koud.

In het jaar dat hij stierf, kende ik al zijn geheimen. Ik was elf en hielp hem nu ook bij het vullen van de pitabroodjes. Ik wilde de geheimen aan mijn ooms vertellen, papa's broers uit de mosjav: Morris, Avram, Pinchas, Sjimi en Eli. Ze hadden met mama afgesproken dat ze de falafelkraam zouden overnemen en haar elke maand een deel van de winst zouden geven. Maar geen van allen vroegen ze me iets.

De eerste dag na de sjiva hebben ze de kraam overgenomen en ze waren het overal vlot over eens: het was onmogelijk om zo verder te gaan met de falafelkraam, die moest nodig gerenoveerd worden. Ze moesten allemaal wat geld inleggen en ze zouden alles zelf doen. Ze legden er een nieuwe vloer in, schilderden de muren en installeerden een gipsen plafond met witte, hangende druipstenen eraan, kochten een nieuwe frituurpan en glimmend roestvrijstalen schalen voor de salades en een grote koelkast. En ze lieten een neon uithangbord maken: FALAFEL VERS BEREID – EERSTE KWALITEIT en hingen een reusachtige spiegel aan de muur en zetten er een aquarium met goudvissen en plastic planten neer en verbreedden de ingang, zodat de mensen binnen konden lopen en zelf hun salade van de bar konden pakken. En ze hingen nog eens drie lampen op. En de hele tijd liepen er mensen langs en ze zeiden: 'Wat wordt het mooi!' en 'Grandioos, echt!', maar ze kochten geen falafel.

Hun vlieger ging niet op. Ze waren met vijf broers en

dachten dat het genoeg zou zijn als ieder van hen één dag per week in de kraam stond. Vrijdags, hadden ze besloten, zouden ze helemaal niet open zijn, want dat was toch maar een korte dag. Ze wisten niet dat er op vrijdagmiddag evenveel handel was als de hele week bij elkaar, en dat iemand die op vrijdag voor een gesloten deur komt, eraan gewend raakt om naar een ander te gaan.

Nadat papa was gestorven, renden mijn benen 's middags toch nog daarheen. Het uithangbord FALAFEL VERS BEREID – EERSTE KWALITEIT vloog me naar de keel en ik maakte rechtsomkeert en ging tussen de struiken met de gele bloemen aan de rand van het plein zitten huilen. Ik kroop weg in het struikgewas, ging zitten, legde mijn hoofd op mijn tas en huilde zacht tot ik in slaap viel. Op een dag lukte het me om niet weg te rennen. Ik kwam dichterbij en zag dat er al een scheur zat in het uithangbord. Een maand nadat ze het hadden opgehangen, zat er al een scheur in, en ik kwam nog dichterbij en zag dat er van alle vissen in het aquarium nog maar één over was. Het was de dag van oom Avram, en ik kon zien dat hij niet wist wat hij deed. Sindsdien kwam ik elke dag terug, dag na dag stond ik daar en ik zag dat ze dat geen van allen wisten. Voor papa's broers was een portie falafel gewoon een pitabroodje waar je een paar balletjes in stopt en waar de mensen dan zelf bij doen wat ze willen. Leg hun maar eens uit dat papa voor iedereen zijn eigen lievelingsvulling maakte. Papa zei: 'Die, die wil een dikke pita,' en dan voelden we aan de broodjes of we een extra dik voor hem konden vinden. Of hij zei: 'Geen geknoei bij die vrouw, om godswil,' en dan verstevigde hij de bodem van het broodje met de rand die hij er bovenaan afsneed en wikkelde alles goed in twee papieren servetten. Hij had er ook klanten bij die eerst een balletje zo uit de hand wilden, nog voordat hun portie klaar was, en klanten voor wie hij de pita aftopte met een extra balletje. Er was er een die wilde dat zijn hele pitabroodje naar *techina* smaakte. Het maakte hem niet uit of het scheurde of droop. En deze man wilde zijn falafel een beetje aangebrand en die vrouw de hare bijna rauw, heel licht gebakken. En je had er die zuinig moesten doen, die een halve portie bestelden ook al hadden ze reuzenhonger, en hun gaf papa een grote helft, twee derde eigenlijk, en wat er van het pitabroodje overbleef, gooide hij weg. De mensen hadden er geen idee van hoe goed hij hen kende. Hij zei er nooit veel over, maar als het hem was gelukt om hen te verrassen, keek hij me even aan, dan danste zijn kin een beetje en dan wist ik dat we een geheime overwinning vierden.

En dan had je degenen die zich een air aanmaten alsof ze er alles van wisten, die hem van verre al toeriepen: 'Maak mijn portie maar voor me.' Ze waren ervan overtuigd dat ze als enige zonen voor hem waren en dat alleen zij een speciale portie kregen. En juist voor hen maakte hij heel gewone. We hadden ook zes of zeven taxichauffeurs die al kort toeterden als ze de straat in reden, en tegen de tijd dat ze op het plein aankwamen, had papa voor hen een extra gekruide portie klaar, ingepakt in een plastic zak met wat te drinken erbij, en dan ging ik naar buiten en gaf hem hun door het autoraampje aan.

9

Ik was elf toen hij stierf. Ik zat op een hoge kruk bij de kassa, met mijn haren nog in het kapsel van Kobi's bar mitswa. Ik had er een hekel aan, net als aan de jurk die ik droeg. Het liefst was ik trouwens dat hele feest vergeten: de mensen die me in mijn wangen knepen alsof ik nog een klein meisje was, en de mensen die zeiden dat ik toch al zo groot werd en me ongegeneerd aanstaarden, maar bovenal wilde ik al die leugenachtige lachjes vergeten, die zich in de spiegels aan de wand nog vermenigvuldigden.

Ook die dag verdrongen de mensen zich voor de falafelkraam en ze complimenteerden papa om het luidst met de bar mitswa: zoiets hadden ze bij ons in de stad nog nooit gezien. Lange tijd week ik niet van mijn plek bij de kassa. Ik nam geld aan, rekende het verschil uit en gaf geld terug, tot Doedi ineens binnenkwam met een vriend van hem. Hij deed de koelkast open en zei dat Kobi hem had gestuurd om fris te halen voor de mensen van Rav Kahane. Papa hoorde het en zei: 'Nooit van mijn leven. Niet bij mij. En waarom ineens gratis en voor niets?' Toen kwam Kobi zelf. Ik was achter de kraam aan het schoonmaken zodat er geen katten zouden komen, en hoorde Kobi zeggen: 'Waarom heb je ze geen fris meegegeven? Die lui zijn belangrijk!' Papa antwoordde: 'Bij mij is er niks voor niks. Al was het Begin zelf, dan nog moet ie betalen.' En Kobi zei tegen hem: 'Weet je, dat is nou net waarom jij van je leven niet uit die falafelkeet komt.'

Toen ik weer binnenkwam, had Kobi al een paar flessen uit de koelkast gepakt, tien of meer. Hij zag mij staan en gaf me de flessen in handen, en ik wist niet wat ik moest doen. Ik keek naar papa, maar die keerde ons de rug toe. Hij stond weer achter de muur falafel te bakken en zei geen woord. Kobi was al buiten en riep dat ik moest komen. In één klap was hij een volwassene. Toen we op het plein kwamen, maakte hij de flessen open voor de mensen van Kahane en ging met hen zitten praten, en ik stond naast hem en hoorde hen hun rabbijn citeren en prijzen. 'Hij is als een vader,' zeiden ze, 'heel barmhartig, en alle Joden zijn z'n kinderen.'

Ze vertelden ook een verhaal over hun reis hierheen. Ze kwamen van ver en onderweg hadden ze een lekke band gekregen, dus ze waren allemaal uitgestapt en ineens zagen ze het indrukwekkende landschap rond Jericho. 'Zien jullie dat,' had de rabbijn gezegd, 'hier is de profeet Elia naar de hemel opgestegen, precies hier. Maar wat een schande, nog niet één Joodse nederzetting in de buurt.' En hij had ook gezegd dat hij, zodra ze terugkwamen, alles in het werk zou stellen om er een *jesjiva* op te richten. Iedereen was uit zijn humeur vanwege de lekke band, maar niet de Rav! Alles wat de Rav overkomt, draait hij zo dat zijn liefde voor de Joden eruit komt. Nooit denkt hij aan zichzelf, alleen aan zijn liefde voor Israël!

Daarna lieten ze Kobi achter, liepen rond tussen de mensen op het plein en scandeerden: 'Het Volk Israël leeft!' En ze schudden hun vuist in de lucht. Ook op hun gele T-shirt stond een vuist, geel in een zwarte poel. Maar niemand op het plein nam hen echt serieus. Ik ging met de lege flessen terug naar de kraam, aan elke vinger een lege fles. Ik bleef in de schaduw, aan de kant van de winkels. Toen ik bijna bij de kraam was, begon de luidspreker te praten en ik ging terug. De rabbijn sprak eigenaardig Hebreeuws, het klonk

271

zo Amerikaans, en hij stotterde een beetje. Ik bekeek hem eens goed; hij zag eruit als een heel gewone man met een zwarte baard en een kipa op zijn hoofd. Zachtjes begon hij te praten en in elke zin stopte hij een Bijbelvers. Maar alleen Sisso, de matroos, en zijn vrienden bleven staan luisteren. De rest op het plein ging zijn eigen gang, totdat Kahane plotseling met luide stem dringend en boos zei: 'Joden! De dochters van Israël onteren zichzelf met Arabieren! De Arabieren pakken onze banen af, ze pakken onze dochters af, en ook over ons land maken ze zich meester!' De mensen kwamen de winkels uit en wie al buiten was, bleef met zijn manden, tassen, kinderwagens staan, en Kahane stak zijn vuist op naar de hemel. 'Ik zeg alleen maar hardop wat jullie denken!' riep hij in de microfoon. 'De anderen zijn hypocrieten, lafaards. Joden! We moeten ons land zuiveren van onze vijanden!' Hier en daar klapte iemand in zijn handen, de menigte wachtte tot hij verderging. Kahane zweeg even voordat hij de naam van het dorp verderop opwierp en hij herhaalde die twee keer. 'En dat moet een Arabisch dorp heten?!' vroeg hij en hij streek langs zijn baard. 'Dat is geen Arabisch dorp! Dat is een Joods dorp, waar tijdelijk Arabieren wonen.' De mensen lachten. Een paar applaudisseerden er. De lege flessen stootten klinkend tegen elkaar; het had me niets kunnen schelen als ze aan mijn vingers aan diggelen waren gegaan. Steeds meer mensen kwamen toegestroomd, ze vulden het plein en drongen samen en keken op naar Rav Kahane. Sommigen begonnen ritmisch 'Kahane! Kahane!' te roepen.

Intussen zat mama thuis in de woonkamer, alsof ze nog in de feestzaal was: met haar torenhoge haar, rouge op haar wangen en oogschaduw op haar ogen. Ze was omgeven door haar aanhang en merkte geen moment dat ik binnenkwam. Ik ging naar de kamer waar we indertijd met zijn allen sliepen, Itzik, Doedi, Kobi en ik, ging in bed liggen, trok de dekens tot over mijn hoofd en hoorde steeds weer de woorden van Rav Kahane. En ik probeerde te begrijpen wat hij bedoelde toen hij zei dat de dochters van Israël zichzelf onteerden, en hoe het kwam dat ze iemand die zo praatte, rabbijn noemden.

Ik werd wakker van het geschreeuw. Ik stond op, ging naar de woonkamer en zag mama nog net naar buiten stormen, ik hoorde haar tegen de lege flessen op lopen die ik bij de voordeur had laten staan, en 'Mas'oed! Mas'oed!' schreeuwen en de trap af rennen. 'Mas'oed! Mas'oed!' schreeuwde ze ook op de trap en nog steeds schreeuwend rende ze de straat op en ik achter haar aan, op mijn blote voeten.

Mijn vader was in de falafelkraam gebleven toen het plein volstroomde met mensen, en hij was er ook gebleven toen het weer leegliep. Nadat hij daar was ingestort, liet hij de hele stad met een raadsel achter: waaraan was hij gestorven? Nog een jaar lang probeerden de mensen erachter te komen wat er eerst was gebeurd:

De olie of de bij?

Het mes of de val?

Het hart of de brandwond?

Het bloed of de steek?

Net als in het zwaan-kleef-aan-liedje *echad gedi*, maar dan uiteengevallen en door elkaar gehusseld, kon je onmogelijk weten hoe de Engel des Doods precies bij mijn vader was gekomen, toen die nog volop aan het werk was. Alles lag daar op de vloer van de falafelkraam. Iedereen kon het verhaal in elkaar zetten zoals hij wilde. Mama zei: het boze oog. Kobi sneerde dat het vast zijn olie was die hem de das om had gedaan. Doedi en Itzik, die toen zes en zeven waren, zagen het mes bij papa en de schram en de bijensteek.

Volgens de artsen was het waarschijnlijk een hartstilstand geweest. Ik was nog maar een meisje en ik stelde me voor dat papa's hart stilstond zodat het niet ook naar het plein zou gaan, naar de andere harten, die daar tot één monsterlijk hart samensmolten. Juist daarom bleef het stilstaan, stelde ik me voor, en liet het mijn vader daar op de vloer van de falafelkraam sterven.

Ik ging de schuilkelder uit en door het donker naar ons blok. Ik liep de trap op, wilde niet nog een schuilkelder in. De deur van de Cohens stond wijd open, net als de andere deuren. Alle deuren stonden open in het donker, op elke verdieping gaapten grotten, en elke grot had een eigen geur. Ook onze deur was open.

Ik ging naar de keuken, tastte het aanrecht af en vond de lucifers naast het fornuis, maakte het fornuis aan, haalde uit de keukenla een sjabbatkaars, stak die aan en zette hem op een bordje vast. Aan de muur in de gang zag ik de foto van mijn vader, op borsthoogte afgesneden, voor altijd gevangen in zijn rijk versierde, vergulde lijst. Ik zag ook de foto van Kobi's bar mitswa, waarop we met zijn allen dom staan te lachen. 'Dat iemand toch eindelijk die foto van de muur haalt,' is mama's smeekbede. 'Ik kan hem niet meer zien, zoals die domme gans daar maar lacht en niet weet wat haar over twee dagen zal gebeuren, dat de wereld om haar heen vergaat.' Ik haalde de foto van de muur en nam hem mee naar de keuken. Op de borden op tafel lag nog de dinsdagse couscous, en ik nam van allemaal een hapje: afschuwelijk scherp, te zout, lauwwarm, koud, walgelijk. Ik keek naar de kaars, schermde hem af met mijn hand en zag hoe die oranje werd boven de vlam. Laat maar branden, dacht ik bij mezelf, laat alles maar opbranden. Ik sprong op en de stoel viel om met een hels kabaal, en meteen daarna hoorde ik nog iets. Ik liep de gang op en door naar de oude flat en in het licht van de kaars naderde ik de terroristenkast, helemaal aan het einde van de gang, tot ik plotsklaps over de olie uitgleed.

De kaars flakkerde en ging bijna uit.

En dan gebeurt alles tegelijkertijd: de kastdeur gaat open, de stroom is terug en ik sta wankel voor de gezichtjes van Osjri en Chaim, die uit de kast kijken en me met één stem vragen: 'Etti! En voor wie moeten we nou bang zijn?'

Ik blaas de kaars uit en kom nog een pas dichterbij. Ik stap uit mijn sandalen en kruip bij hen in de kast, maak beide deuren dicht, maar laat ze op een kiertje voor het licht en ik voel dat de tranen me hoog zitten, maar in plaats van tranen welt er iets anders in me op: het verhaal.

Wat hadden ze niet allemaal meegenomen de kast in: twee kussens, hun waterpistolen en een heel brood, dat ze inmiddels leeggepeuterd hadden zodat alleen de korst over was. We raakten alle drie verstrengeld in de baarmoeder van de kast, en meteen regenden hun belevenissen van de laatste uren op me neer: dat die reuzenknal was gekomen en alles plotseling donker was geworden; dat ze naar de kast waren gerend en de olie over de vloer hadden uitgegoten, net als Kobi hun had gezegd; en dat er een tweede knal was gekomen en ze de mensen in het blok hadden horen schreeuwen, omdat die niet wisten dat je toch alleen maar in de kast hoefde te kruipen en olie hoefde uit te gieten.

Ik kan maar niet begrijpen waarom ze niet hartstikke bang zijn geweest. In hun plaats was ik gestorven van angst. En wanneer had Kobi tijd gehad om hun dat van de kast en de olie uit te leggen? Maar ik vraag het niet. Ik geef hun gewoon een kus en zeg: 'Weet je wat, ik heb een nieuw verhaal, een waar verhaal, over ons.' Maar ik wil niet bij papa's dood beginnen en ook niet bij het punt waar mama altijd begint. Ik wil niet over de bar mitswa vertellen. Waarom moet je het verhaal daar laten beginnen, alsof het feest in die grote zaal een hoge berg is en papa's dood een diepe afgrond, en alsof je alleen de diepte van de afgrond goed kunt zien als je op de top van de berg staat?

Ik trek hun hoofd tegen me aan en streel met mijn vingers over hun wenkbrauwen, zoals ze dat graag hebben, tot hun ogen dichtvallen. Maar ze slapen niet. Ze luisteren aandachtig. Ik weet dat ze luisteren. 'Het is een heel bijzonder verhaal,' zeg ik zachtjes. 'Zo'n verhaal hebben jullie nog nooit gehoord. En dit verhaal vertel je van het einde naar het begin. Je kunt het namelijk alleen maar zo vertellen. En jullie zelf, jullie zijn het einde van het verhaal, loopt dat nou niet mooi af?'

Januari 2000 tot augustus 2005

Woordenlijst

Ahlan wa-sahlan, tefadaloe, Allahoe akbar! Allahoe akbar! Roech min hon! Itbach el Jahoed (Ar.) – Hallo daar, kom maar op, Allah is groot, Allah is groot! Eropaf, hak de Joden in de pan!

Aiwa (Ar.) – ja, (uitroep) mooi zo

Ajoeni (Ar.) – letterlijk: mijn ogen. Ook: oogappel(tje), hartje van me

Allah jerachmoe (Ar.) – Moge Allah zich erbarmen over hem

Amidar (Isr.) – eigennaam van sociale woningbouwvereniging

Bechajat (H.) – (slang) alstemblieft, zeg!

Binti (Ar.) – lettelijk: dochter. Ook: liefje, kindje

Chabibti (Ar.) – liefje

Choepa (H.) – huwelijksbaldakijn

Fi wachad jahoedi bijis'al an Jamil (Ar.) – Die Jood hier vraagt naar Jamil

Groesj (H.) – cent

Groesjiem (H.) – drie keer niks

Ja rabb (Ar.) – letterlijk: O, heer. Ook: mijn god!

Jesjiva (H.) – Talmoedschool

Jom Hasjoa (H.) – gedenkdag van de Holocaust, de vernietiging van de Joden in de Tweede Wereldoorlog

Kaddiesj (H.) – Aramees gebed bij onder meer begrafenis en dodenherdenking

Kaffiya (Ar.) – Arafat- of palestinasjaal

Kidoesj (H.) – de ceremonie ter inwijding van sjabbat of feestdag

Kipa (H.) – keppel

Lechajim (H.) – toost, (uitroep) proost!

Levaja (H.) – begrafenis

Mahboela (Ar.) – getikt, doorgedraaid

Matboecha (Ar.) – saladegerecht

Mezoeza (H.) – gebedsrol

Mikwa (H.) – ritueel bad

Mimoena (Ar.) – lentefeest van Marokkaanse Joden (ontmoeting tussen Joden en moslims)

Min Allah (Ar.) – Gods wil

Mitswa (H.) – gebaar, iets aardigs

Mosjav (H.) – coöperatieve nederzetting

Sfinj (Ar.) – Marokkaanse donut, zacht gebak

S'hina (Ar.) – eenpansgerecht voor de sjabbat. Synoniemen: sjalet(pot) en tsjolent(pot)

Siwan (H.) – derde maand van het Joodse jaar

Sjiba (Ar.) – kruid

Sjiva (H.) – wake

Sjkoen hawa aboeha? Bint Eliahoe Amar (Ar.) – Wie is dat nou weer? De dochter van Eliahoe Amar

Sjoekran (Ar.) – dankjewel

Talliet (H.) – gebedsmantel

Techina (Ar.) – saus van sesamzaad (Joods-Arabische keuken)

Tefilien (H.) – gebedsriemen

Wallah (Ar.) – (uitroep) echt waar, ik zweer het

Yallah (Ar.) – (uitroep) kom op, vooruit